L<small>AUREN</small>

Laurence Couquiaud a vécu plusieurs années au Japon et dans d'autres pays d'Asie. Ancienne chercheuse dans le domaine des mammifères marins, elle vit dans l'Oise et se consacre désormais à la céramique et à l'écriture. *La Mémoire sous les vagues* (Les Nouveaux Auteurs, 2016) est son premier roman et a été récompensé par le prix *Femme actuelle*.

LA MÉMOIRE
SOUS LES VAGUES

LAURENCE COUQUIAUD

LA MÉMOIRE
SOUS LES VAGUES

Roman

Les
Nouveaux
Auteurs

La photocomposition de cet ouvrage
a été réalisée par
GRAPHIC HAINAUT
30, rue Pierre Mathieu
59410 Anzin

Pocket, une marque d'Univers Poche,
est un éditeur qui s'engage pour la préservation
de son environnement et qui utilise du papier fabriqué
à partir de bois provenant de forêts gérées
de manière responsable.

© 2016 Éditions Les Nouveaux Auteurs — Prisma Média

ISBN : 978-2-266-28164-5
Dépôt légal : mai 2018

POCKET – 12, avenue d'Italie – 75627 Paris Cedex 13
S28164/01

Imprimé en Espagne par
Liberdúplex
à Sant Llorenç d'Hortons (Barcelone)
en avril 2018

À mes parents,
Aux victimes de la catastrophe
du Tōhoku.

« Se souvenir de son passé, le porter toujours avec soi, c'est peut-être la condition nécessaire pour conserver, comme on dit, l'intégrité de son moi. »

Milan Kundera

« En vérité, nous soupçonnons parfois notre mémoire d'enchanter faussement le passé, alors qu'elle est fidèle à ce qui fut, et que seules sont trompeuses les mélancolies qui nous font douter d'elle. »

Henri Gougaud

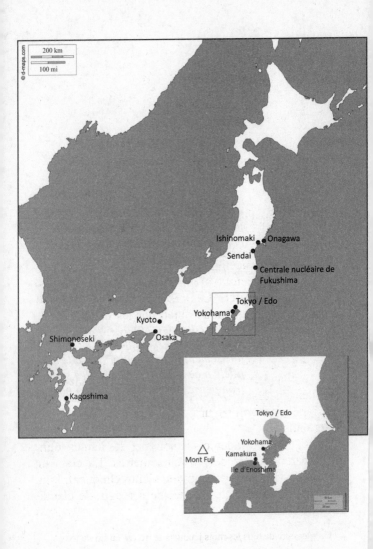

1

Jishin[1]

Tokyo, 11 mars 2011.

Une onde infime au centre de ma tasse, de minuscules vagues concentriques à la surface du liquide sombre. C'est le tout premier signe que je ressens, avant de l'identifier. Le tressaillement se propage depuis le sol dans chaque objet, par les pieds dans le corps entier, résonne dans ma cage thoracique.

La vibration prend de l'ampleur, mon bureau tremble à son tour. Je suis agacée d'être dérangée en plein travail. La secousse s'amorce doucement, si semblable à d'autres. Puis elle monte en puissance. J'agrippe mon ordinateur portable qui se déplace par petits sauts.

Par la fenêtre, j'aperçois le sommet des hautes tours de bureaux osciller de plusieurs mètres. La clameur grandit des objets qui s'animent, s'entrechoquent. Puis le fracas de leur chute me décide à réagir. Je claque

---

1. Séisme.
Un glossaire de tous les mots japonais se trouve en fin de livre.

l'ordinateur, arrache mon appareil qui télécharge ses photos. Je pense à m'abriter sous la table, mais elle est encombrée de pieds de chaises, de piles de magazines et de livres. J'opte pour le chambranle de la porte vers le couloir. Un effet déstabilisant de tapis roulant tire les pieds d'un côté puis de l'autre, me donne une démarche hésitante d'ivrogne.

Le séisme dure et s'intensifie. J'entends des cris depuis les appartements voisins, des bruits de verre brisé. L'angoisse gagne du terrain. Elle s'insinue en moi, malgré une certaine habitude. Cette inéluctabilité fataliste si présente dans le stoïcisme japonais s'oublie vite lorsque le *namazu*, le poisson-chat souterrain sur l'échine duquel repose l'archipel, se réveille. La douceur du sol français désapprend la crainte sournoise et amplifie la peur lorsque les éléments se déchaînent.

Les murs craquent comme des arbres en pleine tempête. Chaque matériau se plaint dans sa langue, micro-déchirements aigus et crissant des papiers muraux, gémissements secs et nasillards des poutres comme sur un navire drossé par les vagues, cliquetis des couverts, tintements cristallins des verres, grincements des charnières, clapots sourds et mats des livres qui ont un peu de place, froissements rêches entre ceux qui n'en ont pas. Dans un crescendo digne du *Boléro*, chaque voix rejoint le chœur dans une mélopée effrayante. C'est la longue complainte de la terre malmenée.

Dans la pièce, tout tangue. Les objets se rapprochent du bord et comme des plongeurs de haut vol, considèrent un instant la hauteur, hésitent, puis se lancent dans le vide. La chute de la télévision, par chance, est freinée par ses câbles. Elle pend de guingois en exposant son envers de fiches et de broches. Le petit lustre oscille si fort qu'il menace d'éclater contre le plafond ou de se décrocher pour se transformer en dangereux projectile. La vaisselle s'entrechoque, vibre, demande à sortir. Les placards ne sont pas équipés de dispositifs antisismiques. Des tasses posées sur le comptoir se fracassent par terre. D'autres poussent derrière les portes, font sauter les aimants. Les tiroirs vivent leur vie, s'ouvrent, se ferment, mêlent leur contenu en salade métallique. Des effluves d'eau de toilette s'échappent de la petite salle de bains. Je retiens d'une main mon appareil photo serré contre moi. L'autre main, les doigts blanchis, agrippe l'encadrement de la porte. Mon cœur, au bord des lèvres, galope. La peur m'envahit. Celle qui fait monter l'adrénaline, la sueur acide, les réactions conditionnées de sauvegarde ou les plus irrationnelles terreurs.

La secousse n'en finit pas. Elle s'étire à ne plus jamais vouloir s'arrêter. C'est la plus longue et la plus intense subie depuis mon arrivée à Tokyo cinq mois plus tôt. La plus violente de toutes celles vécues au Japon. Certains séismes m'ont réveillée en plein sommeil, obligée à descendre la petite échelle de la mezzanine où je dors, cramponnée aux barreaux. Un autre m'a surprise aux toilettes, d'autres encore aux bains publics, ou dans le train, pendant un repas, faisant mes courses, seule, avec des amis, des inconnus surtout, toujours assez calmes et composés, habitués. Tous les habitants de l'archipel ont en mémoire quelque situation cocasse ou dramatique associée à un tremblement de terre.

Six minutes, un temps dilaté en éternité. Les aiguilles de mon réveil, tombé de la mezzanine en perdant sa pile, se figent sur 14 h 47. Un après-midi de début mars, beau et frais. Le printemps s'annonce et remonte doucement l'archipel. Les cerisiers ne sont qu'en boutons, en promesse de douceur. Les premiers *hanami* n'auront lieu ici que dans quelques semaines.

Je n'imagine pas à cet instant, crispée en prière pour que la terre se calme, quelle onde tellurique ce séisme répercutera dans ma vie. Les petites ondes, comme les petits événements de la vie, ont un effet presque insensible tant qu'elles ne se heurtent pas à une pente douce, ou qu'elles ne se superposent pas à d'autres. Alors elles entrent en résonance et brisent des ponts, déferlent en raz de marée meurtrier, créent des vagues scélérates capables de briser des navires...

Soudain tout s'arrête. Silence, émaillé de chutes d'objets qui ne se sont pas décidés avant, reliquat de bruits assourdissants après un tel vacarme. Je laisse mon cœur se calmer avant de bouger. J'ai soif, la bouche desséchée par l'angoisse. Hébétée, je regarde autour de moi. La première chose que je fais, au lieu de boire ou de ramasser les débris de vaisselle qui pourraient lacérer mes pieds nus, est de porter l'appareil à mon œil, cadrer et fixer dans sa mémoire électronique le résultat de ces quelques instants de chaos. Cela me calme, comme toujours.

La photo comme thérapie. Une barrière entre la réalité et moi, le réel voilé par l'objectif.

Après de telles secousses, on vérifie que l'immeuble n'a pas subi de dégâts majeurs, que les voisins sont sains et saufs même si l'on n'a pas très envie de s'extraire de chez soi. On souhaite plutôt remettre de l'ordre, balayer les débris, rendre à son environnement un peu de sens, pour se rassurer, se prouver qu'on peut continuer comme avant.

Mais je ne touche à rien. Sur la pointe des pieds, je franchis le couloir comme un champ miné de porcelaine tranchante, enfile des chaussures et vais frapper à la porte de ma logeuse dans l'appartement mitoyen. Visiblement choquée, elle étreint mes mains, riant d'un petit rire nerveux pour masquer sa frayeur, soulagée de me voir saine et sauve. Quel secours puis-je lui apporter ? J'aperçois derrière elle le même désordre que chez moi, en pire, car son appartement est rempli de bibelots. Entre-temps, la coursive se peuple de quelques locataires, la plupart des étudiants se trouvant chez eux cet après-midi. Le petit immeuble à deux étages compte une dizaine d'appartements et nous nous retrouvons à six ou sept, parlant tous en même temps, soulagés, demandant si tout va bien, commentant la magnitude exceptionnelle, relatant nos petites misères respectives. Une nouvelle secousse nous surprend parlant de la première. Temps suspendu, une main contre le mur ou la rambarde, les jambes sur le tapis roulant, attendant sans un mot et le cœur battant que la réplique s'atténue et cesse.

Une jeune voisine a une vilaine contusion au front. Personne d'autre n'est blessé. On se salue en s'encourageant. Puis les portes se referment, laissant chacun à l'apaisement de ses battements cardiaques.

Je n'ai pas envie de contempler mon chaos domestique, je soupçonne que la ville peut m'offrir quelques prises de vues surprenantes après un tel événement. J'attrape ma besace avec une batterie et un autre objectif, une bouteille d'eau et quelques biscuits. J'ai envie de marcher vers Shinjuku, prendre le sirop des rues, en passant par les parcs proches où se seront peut-être réfugiés les employés des immeubles de bureaux.

Le long des petites voies de mon quartier résidentiel, je croise des mères de famille, des ménagères sorties s'enquérir de leurs voisins, des commerçants sur le pas de leur porte, des restaurateurs en tenue. Tous sont calmes mais plus tendus qu'à l'accoutumée. Nombreux sont ceux qui, le téléphone à l'oreille, tentent sans succès d'appeler leurs proches. Le réseau des portables est saturé. Les mobiles ayant des alertes automatiques aux séismes se mettent à retentir sans arrêt. La ville est dehors. Son ventre ouvert déverse ses citadins. Les gens attendent indécis, entre l'envie de reprendre le cours de leur vie et celui de se rassurer en échangeant des anecdotes, en montrant leur sollicitude à ceux qui partagent l'espace commun.

Le cuisinier de l'échoppe de nouilles, au visage lunaire couvert de sueur, prend ses clients à témoin de ces vagues d'eau bouillante qui ont jailli de ses marmites. Autant d'instantanés exceptionnels que je saisis au vol. L'œil collé au viseur, je ne vois pas l'un de ces pylônes qui jalonnent le paysage urbain de tentacules électriques enchevêtrés. Manquant fracasser mon objectif, je suis soudain tirée par la manche. Au même moment une violente réplique nous précipite, mon sauveur anonyme et moi-même, dans une posture peu élégante, agrippés à la carrosserie d'une voiture. Le bitume ondule par endroits comme le dos d'un animal cherchant à s'échapper de sa carapace trop étroite, craque comme une pâte boursouflée. Où se réfugier lorsque tout menace de vous tomber sur la tête et que le sol se dérobe sous vos pieds ? Au loin les sirènes des véhicules de secours se superposent en une étrange mélopée.

Au parc, la foule est hétéroclite. Plusieurs employés venus des quartiers d'affaires alentours avouent leur frayeur. Celle-ci les rend grégaires. Les promeneurs habituels, de jeunes enfants et leurs mères, se mêlent aux petits groupes de collégiens en uniforme rentrant chez eux. Des filles gloussent, légères, inconséquentes, les garçons chahutent, charrient les filles, oblitèrent par leur innocence la gravité du présent et du possible futur : jolies photos de rires complices, de silhouettes penchées sur leurs petits écrans, maugréant contre ce lien vital soudain rompu.

Une rangée de distributeurs de boissons éclaire de lumières artificielles des profils variés. Je circule entre les bancs, l'oreille aux aguets des dernières informations, l'œil en recherche. La circulation des trains et métros est interrompue. Les gens commencent à envisager l'idée de devoir rentrer chez eux à pied et se mettent à discuter trajet et nombre d'heures. Certains habitent trop loin pour envisager de marcher et considèrent déjà la perspective de dormir au bureau. Un Occidental blond en costume chic, très corpulent, sirote une canette de café, des béquilles posées à côté de sa jambe plâtrée. Il secoue la tête d'un air fataliste.

Je le photographie à la dérobée lorsqu'il tourne vers moi son regard, sans changer d'expression. Je baisse l'appareil et nous nous sourions. Du rapprochement inopiné des êtres par l'incongru.

Un couple charmant, d'âge mûr, discute à l'écart. À un moment, l'homme passe son bras autour des épaules de sa femme et caresse ses cheveux blancs. Je saisis ce geste touchant, insolite chez des gens de cet âge.

Il me semble que nous partageons tous un malaise impalpable d'inhabituel inachevé, en devenir. *Kyōdai jishin*. J'entends pour la première fois l'adjectif de « géant » associé au mot « séisme ». Malgré la relative habitude, c'est nouveau. Je me souviendrai de cette journée mais je ne sais pas encore pourquoi, incapable d'entrevoir ses conséquences profondes.

Des files d'attente s'allongent devant les cabines téléphoniques. Les supérettes sont prises d'assaut, principalement pour les piles et les chargeurs de batteries. Des millions de banlieusards cherchent à rentrer chez eux. Cette nuit-là, c'est une véritable marée humaine qui arpente les rues de la capitale en transhumance.

Entre les gondoles du magasin dans lequel je suis entrée acheter mon repas du soir, mon regard est attiré par les clients massés autour d'un écran. Levant les yeux, je vois une barre blanche fendre le gris. Vu l'ampleur du séisme, l'alerte au tsunami a été déclenchée sur la côte est du Japon. Un front de vagues s'approche du rivage. Difficile d'en deviner la hauteur.

Un bandeau déroule les consignes. Les reportages passent d'une région à une autre, Sendai, Sanriku, Fukushima, Ishinomaki, etc., entrecoupés de bilans, informations sur le trafic routier, ferroviaire ou aérien. On capte l'anxiété et la sidération des journalistes par les commentaires ébahis, les superlatifs innombrables. Les clients, sans se connaître, partagent leur inquiétude au sujet des membres de leur famille ou amis résidant dans les régions frappées. La distance se réduit entre les corps en une communion impromptue. Des chiffres terrifiants associés aux mots « épicentre », « magnitude » et surtout « tsunami » sont prononcés comme autant de glas.

Mon œil n'est plus protégé par l'objectif. La réalité m'atteint de plein fouet. Ce que je contemplais jusqu'alors en spectatrice pénètre soudain ma vie.

Ma famille maternelle était originaire du Tōhoku. Ma grand-mère habite un petit village de pêcheurs de la péninsule d'Oshika. Juste en face de l'épicentre. Sa maison, à flanc de colline sur les hauts du village, surplombe le port connu pour ses délicieuses huîtres. La côte y est déchirée par l'océan, plissée de soubresauts tectoniques. Les paysages ont cette grâce si japonaise d'îlots escarpés, couverts de pins noueux et tordus dans lesquels s'accrochent les nuages. Des macaques facétieux y montent la garde. Je ne me résous pas à imaginer ma grand-mère menacée de danger. Est-ce de l'autoprotection, un refus d'une possible souffrance ? Une alerte a dû retentir. Même un peu sourde ou endormie, elle a dû entendre la sirène. Mais à 98 ans, que peut-elle faire ? Je me fustige de ne pas l'avoir appelée depuis plusieurs semaines.

Ma dernière visite remonte à novembre. Je ne l'avais pas vue depuis deux ans. Elle avait peu changé. Une petite brindille fragile, menue, à la démarche mesurée et lente. Elle semblait si frêle, mais sa détermination à vivre la maintenait droite. Ses yeux un peu blanchis par la cataracte posaient sur moi un regard tonique, bienveillant. Ses mains étaient juste un peu plus parcheminées lorsqu'elle prenait les miennes, et les verres de ses lunettes un peu plus épais pour regarder les photos que j'avais apportées de France. Elle parlait peu, m'observait beaucoup. Les losanges soyeux des calissons que je ne manquais pas d'apporter à chaque visite disparaissaient durant la conversation, se mariant bien au thé vert et à la nostalgie.

De stupeur, je suis inconsciente de l'ampleur des drames qui se nouent à quelques centaines de kilomètres au Nord.

Comme à chaque séisme sévère, la magnitude sensationnelle a dû s'ébruiter à l'étranger. Mes proches cherchent sans doute à me joindre. Je dois rentrer à l'appartement. La nuit est tombée. En arrivant, je me fraye un chemin parmi les débris, rabats les tiroirs du mollet ou de la hanche. Je rétablis les branchements de la télévision, essuie le liquide renversé sur l'ordinateur.

Au téléphone, la tonalité de la ligne fixe est normale. Je compose le numéro de ma grand-mère, le cœur battant. Ça sonne, sans fin. Pas de réponse, pas de message avec la voix de ma mère enregistré lors de sa dernière visite, pas de voix automatique de numéro inconnu, pas de tonalité occupée. La sonnerie se perd dans le vide. J'essaie encore, à chaque essai plus soucieuse. Sur mon répondeur, j'écoute, de France, la voix grave de Papa, posée, disant qu'ils ont découvert le désastre au saut du lit et me demandant de les rassurer dès que possible ou d'envoyer un mail. Puis la voix anxieuse de Maman en japonais me demande d'appeler Obāchan et de lui donner des nouvelles car l'appel depuis la France ne passe pas. Un autre de mon fils dont je sens l'inquiétude masquée à l'aigu anormal de sa voix.

J'allume l'ordinateur, la connexion haut débit fonctionne normalement. Naviguant de chaînes TV en agences de presse, d'informations sismiques en bilans temporaires, du japonais au français, mon esprit se noie dans un flot incessant d'images plus insupportables les unes que les autres.

Je regarde une chaîne française lorsque, le téléphone à l'oreille, essayant toujours le même numéro, je vois la vague... Une langue géante d'eau boueuse s'enroule autour des obstacles, charrie des maisons en tourbillonnant sur les flots, des voitures par centaines, des bus, des camions, elle explose sur une butte, se soulève comme un tapis vivant et se déverse de l'autre côté, progresse inexorablement, se charge de terre riche et noire au passage de serres agricoles, s'enflamme et explose par endroits, vomit des torrents de bois, traverse les immeubles, anéantit tout, efface, engloutit, dévaste, élimine. Tue. Elle oblitère tout, il est impossible d'y survivre.

Je reste devant ces images, aimantée par l'horreur, spectatrice voyeuse et impuissante. La vague est filmée d'hélicoptère. Étrangement, on ne distingue aucune silhouette. C'est presque abstrait. Tout est miniature, petites voitures, petits toits de maisons qui flottent, dérivent, se fracassent au gré de nouveaux obstacles. C'est un enchevêtrement abject, mais seulement des choses. Les gens ont-ils eu le temps de fuir grâce aux alertes ?

La vague progresse toujours. Sa puissance tragique me fascine de façon malsaine. L'océan fournit une énergie colossale à se répandre. Tout est uniformément boueux, elle pénètre maintenant loin à l'intérieur des terres. Et là soudain des voitures, des camions roulent sur des rubans de goudron, des piétons regardent depuis des ponts, d'autres courent, tentent de fuir. Non ce n'est pas possible, ces gens vont mourir, la vague va les atteindre et ils ne le réalisent pas. J'assiste à leur mort en direct. Je suis dévastée.

La caméra se détourne, je n'écoute pas le commentateur tellement les images me bouleversent, je ne suis qu'yeux, cœur et chagrin, des uns directement aux autres par la certitude de l'inexorable.

Dans ce cadre-ci tout est gris, filmé sans doute d'un immeuble, la vague est très proche, on sent son effroyable force. Elle ramasse tous les véhicules, submerge la digue pourtant si haute, censée protéger la ville, et les déverse comme des petits Lego de l'autre côté, les soulève, les roule, les avale. On voit des passagers se débattre dans les voitures. Puis des chalutiers, des plaisanciers basculent à leur tour et s'encastrent sous le pont. Ils s'empilent et se disloquent comme d'insignifiantes maquettes. On entend les cris de déni, les exclamations, les pleurs des témoins qui filment.

Sur d'autres images filmées d'une colline, des gens courent en contrebas, ceux qui tiennent la caméra les encouragent, la vague galope derrière, gourmande comme un monstre affamé. J'ai le ventre tordu par l'angoisse, le suspense, sauf que c'est la réalité, il n'y aura pas de « clap » final. Des gens grimpent sur les capots des voitures, les toits, atteignent un auvent, un homme les empoigne, les hisse, un puis deux, trois, la vague se rapproche de plus en plus, un homme propulse son enfant, il grimpe, la vague frôle ses pieds comme un tentacule, détruit l'auvent, l'homme s'est accroché. Ces gens sont sauvés. Je souffle, mes épaules tombent. J'ai la marque des ongles enfoncés dans les paumes. Je n'en peux plus. Je suis épuisée de larmes et de tristesse.

Les autorités japonaises ont demandé aux médias internationaux de faire preuve de retenue, de ne pas diffuser d'images choquantes. Certains s'y conforment, d'autres pas, ou tard. Je pense à mes parents, à mon fils, qui regardent les mêmes images de l'autre côté du monde avec la même consternation et sans doute ce sentiment d'impuissance et de culpabilité de ceux qui sont en sécurité. Maman doit penser à sa mère. Comment au vu de telles images, imaginer qu'elle puisse en réchapper, elle qui ne peut pas fuir ?

Je m'extrais bien difficilement de ces images gluantes. Mes parents, comme mon fils à quelques centaines de kilomètres d'eux, sont en ligne sur Skype et répondent tout de suite. Par la petite webcam, je vois le visage tendu de mon père, les yeux rouges de ma mère dont la tête entre et sort du cadre tant elle a de mal à contenir son émotion. Ils sont rassurés pour moi sans avoir été très inquiets. Ils ne sont jamais sûrs que je ne sois pas en voyage dans un coin ou l'autre de l'archipel. Ils ignorent encore que des gens sont morts ici même à Tokyo. Mon fils Ken'ichi tente avec un peu d'humour de transmettre son soulagement.

— Maman, je suis content que tu n'aies pas choisi de partir en vadrouille dans le Tōhoku pour un de tes reportages en ce moment...

— Tu ne crois pas si bien dire, j'avais rendez-vous dans une semaine près de Miyako dans une fonderie traditionnelle de théières pour mon reportage sur le thé. J'avais d'ailleurs prévu de passer voir Obāchan en chemin. J'étais tranquillement chez moi en train de télécharger des photos quand la première secousse a frappé. Regardez les dégâts !

Je promène l'ordinateur avec sa webcam à travers la pièce pour leur montrer l'étendue du désordre.

— Je n'ai encore rien rangé, je voulais vous appeler au plus tôt. Ça continue à trembler tout le temps, on a eu une réplique très forte juste après la secousse initiale et depuis, on en a sans cesse de plus petites.

— Là n'est pas l'essentiel, dit Maman. Que fait-on si tu n'arrives pas à joindre ta grand-mère ?

— Il faut d'abord que je cherche si son village a été touché. Il s'agit peut-être simplement de lignes coupées. Je vais tenter d'appeler des collègues journalistes qui habitent la région, j'utiliserai le téléphone satellite si nécessaire. Elle nous appellera peut-être elle-même, elle a nos fixes et mon portable. Dans ce cas, les premiers qui ont des nouvelles appellent les autres.

— Mais enfin, tu ne veux pas voir la vérité en face, ils disent sur NHK que l'épicentre du séisme est face à la péninsule et que le tsunami a submergé Ishinomaki tout proche. Comment a-t-elle pu en réchapper ? Et même si elle est en vie, il n'y a sans doute plus l'électricité, d'eau courante. On est en mars, il fait froid là-haut !

— Maman, ne t'affole pas, je te promets de me renseigner au plus vite. Je vous contacte dès que j'ai la moindre nouvelle, promis.

— Même en pleine nuit.

— Même en pleine nuit, Maman.

— On t'embrasse, ma chérie, conclut mon père, fais attention à toi.

Je me retrouve en tête à tête avec mon fils et relâche la tension. Nous poursuivons en français la conversation commencée ainsi à quatre à cause de mon père. Avec Ken, j'utilise plus souvent le japonais dans lequel je l'ai éduqué. Contre l'avis de mon père car, née en France, j'aurais pu légitimement y renoncer. Parce que ma mère m'a elle-même élevée dans sa langue et sa culture, comme une petite part de son pays qu'elle aurait transplantée en moi pour faire barrage au manque.

Nous évoquons ensemble mon possible départ. Je le quitte à grand-peine après des effusions plus chaleureuses que d'ordinaire. La distance, d'un coup, me pèse. Mes bras restent vides. Mon cœur est plein de lui, et de cette nostalgie en demi-teinte faite de souvenirs qui surgissent et qu'on ne choisit pas. La concentration sur son visage encore juvénile, devant un vieux film de Kurosawa ou d'Ozu, vautré sur notre futon parisien, son rire lorsque j'aspire des nouilles en faisant du bruit sur le comptoir de la cuisine, son insatiable curiosité lorsque nous nous promenons entre les étals du marché aux puces à Kyoto. Il me manque mais c'est moi qui l'ai laissé en arrière.

Je dors peu cette nuit-là. Je m'assoupis sur l'ordinateur pour être sortie de ma torpeur à chaque alerte. Un train de voyageurs a disparu dans le département de Miyagi. Petit somme. Secousse. Le sol des remblais se liquéfie à Chiba. Assoupissement. Appel. Une raffinerie de pétrole a pris feu à Ichihara. Torpeur. Alerte. Je suis assaillie de messages de l'ambassade, d'appels de France d'agences de presse et de collègues journalistes ne se souciant pas du décalage horaire. Je finis par couper mon téléphone et désactiver les alertes incessantes. La terre se déchire sans cesse, vibrant de mille maux.

Je m'endors pour de bon aux petites heures du jour, épuisée, vidée. Mon sommeil est entrecoupé de cauchemars. Je cours sans relâche poursuivie par la langue infâme, je tente de grimper, me retourne sans cesse, mais mes jambes sont de plomb, mes mains griffent la terre et glissent. Une réplique un peu plus violente me fait relever la tête, hébétée, en sueur. Je suis encore habillée, la bouche pâteuse de trop de café. L'écran muet diffuse d'autres images inédites, toujours plus terrifiantes.

On est le 12 mars. L'après-11 mars.

Comme on parle de l'après-guerre, de l'après-11 septembre, le cataclysme qui s'est déchaîné sur le Japon marque la fin d'une ère, innocente et prospère.

Le commencement du reste de nos vies.

2

Shashin[1]

Yokohama, fin septembre 1863.

Le cou tendu, le dos droit, la jeune femme immobile
retint son souffle, fixa l'objectif, visage de trois quarts.
L'éventail de papier dans sa main était aussi figé
qu'elle. Des années de pratique avaient forgé l'habitude de tenir de longues poses, debout, assise, sans
bouger. La rigueur et le paraître régissaient sa vie.
Mais ce gros œil de verre la dérangeait, ou plutôt l'œil
de celui qui regardait au travers, caché derrière un
tissu noir. Elle apercevait son dos, ses jambes cour-
taudes écartées de part et d'autre du trépied en bois et
ses mains potelées qui faisaient tourner des petites roues
en métal brillant. L'œil luisant avança, recula, jouant
avec les reflets de lumière. Le soufflet de cuir au centre
se contracta puis se détendit, comme une respiration,
entre ses panneaux vernis. Il évoquait un animal étrange
à cinq pattes, remuant sa trompe et son dos.

Une tête brune émergea, sourit et lui demanda de ne

---

1. Photographie.

pas regarder l'objectif. L'homme s'approcha, rajusta le drapé de la longue manche droite du kimono, remonta un peu la main qui tenait l'éventail, tourna autour d'elle avec un regard d'appréciation puis retourna vers la chambre photographique.

La main sur l'obturateur, il lui dit, mêlant plusieurs langues :

— O Kanekichi, attenzione, ne bougez plus !

Après avoir soulevé le cache quelques secondes, il retira la plaque à l'arrière de l'appareil et la porta dans le petit réduit attenant à la cuisine qui lui servait de chambre noire. Quand il revint, elle n'avait pas bougé un cil.

Il s'adressa à elle en anglais volontairement simple, joignant le geste à la parole.

— Vous pouvez bouger maintenant. Venez dans la véranda, je vais vous photographier près du jardin. Shashin, niwa ni...

Il la prit par le coude et la dirigea vers le porche, devant le petit jardin écrasé de soleil, la fit asseoir sur le parquet poli. Puis il alla chercher dans l'entrée ses sandales, les posa devant ses pieds et enfin rapporta son *shamisen* et son plectre. Tandis que Kané[1] enfilait ses pieds menus dans les lanières, ajustait la pose de l'instrument, il prit le gros engin à bras-le-corps par son socle et alla le poser dans l'allée. Les dalles de pierre irrégulières l'empêchèrent de caler l'appareil. Il le fit pivoter, ahanant sous l'effet de la chaleur humide, tenta de glisser des petits cailloux sous les pieds, ce qui rendit l'équilibre encore plus précaire. Il parvint

---

1. O Kanekichi est un nom de geisha. Il était choisi par celle-ci et était différent de l'état civil. Son diminutif est Kané.

finalement à le stabiliser sur une autre dalle, regarda le ciel, chercha la position du soleil et replongea sous le voile noir, tournant ses molettes. L'animal à cinq pattes reprit vie.

Les cigales crissaient en un rythme lancinant. Leur stridulation faisait grincer l'air à chaque seconde. L'été touchait à sa fin mais seul le passage de violents typhons venait rafraîchir l'atmosphère. Elle suait dans son kimono de coton. La ceinture enroulée plusieurs fois sous la poitrine l'oppressait. Elle trouvait la transpiration vulgaire. Elle aurait voulu pouvoir utiliser son éventail plutôt que de tenir son instrument, passer un vêtement léger. Kané avait accepté cette séance de pose pour être agréable à Charles. Elle était tout de même curieuse de voir son visage reproduit par ce nouveau procédé photographique. Ces images aux teintes grises devenaient des instants soudain figés, immuables. Elle serait la seule au *Gankirō* à avoir son portrait reproduit sur papier, ce qui accroîtrait encore son prestige. Charles lui avait montré des clichés de ce Camino qu'il avait connu en Chine, quelques années auparavant. C'étaient surtout des images de la guerre de l'opium, avec des forts assiégés et des cadavres. Violentes, réalistes, de contrées lointaines, au-delà des mers. Plus violentes et plus réalistes que les récits qu'on pouvait en lire, parce que crues, dévoilées de mots et de périphrases.

Elle préférait les dessins au crayon ou à l'aquarelle que Charles croquait rapidement lorsqu'il lui rendait visite et laissait traîner pour fixer le souvenir de leurs moments ensemble. C'était saisi dans le mouvement, léger et rapide. Il savait capter son humeur, ses attitudes.

Tandis que ce gros engin l'obligeait à tenir la pose, raide, sans expression. Elle s'ennuyait un peu mais se consolait en pensant que c'était une occasion d'échapper au confinement pesant de sa maison de thé.

L'activité du Gankirō était ralentie depuis le début des rumeurs du printemps et des incidents de l'été. Le *shōgun* Tokugawa menaçait de fermer les ports aux étrangers. Les meurtres sanglants perpétrés par des *rōnin*, samouraïs sans maître, rendaient les rues sombres de Yokohama peu sûres et les clients occidentaux n'osaient pas s'y aventurer à la nuit tombée malgré leurs escortes et leurs pistolets. Avec tous ces diplomates et militaires engagés durant ces derniers mois dans les représailles contre les fiefs du Sud, les divertissements s'étaient restreints à une rare clientèle japonaise. Les troubles intérieurs montaient de puissants seigneurs de province les uns contre les autres. Les luttes intestines entre pouvoir impérial et shogounal étaient fort confuses. La tension était latente, rendant les temps, comme son avenir, bien incertains. Ce soir encore, elle n'avait aucun engagement, ce qui n'arrangeait guère ses finances. Peut-être que son portrait séduirait quelques-unes des relations de Charles et Camino. La communauté, après tout, n'était pas immense et malgré leurs multiples nationalités, ils semblaient tous se connaître et se fréquenter.

Charles était occupé depuis son retour de Kagoshima à finaliser les dessins de l'affrontement maritime et du bombardement de la ville, destinés à la poste du prochain bateau. Ils étaient précis, détaillés, en noir et blanc pour être gravés et imprimés dans l'Illustrated London News. Il ne l'avait fait venir que deux fois depuis son retour du Sud. Il ne passait tout de même pas toutes ses soirées à dessiner à la lueur des lampes ! Était-elle sur le déclin, vers la défaveur ? À moins que lui aussi ait des problèmes d'argent... Qu'est-ce que cela présageait ? Elle se perdait en conjectures...

Camino la sortit de ses pensées en venant s'asseoir à ses côtés sur le bois sombre, poli comme un miroir par les pas. Il avait rentré son gros animal à l'ombre. Une jeune servante leur apporta du thé grillé froid. Kané posa son shamisen et se délecta de cette boisson au parfum de fumée et de soleil. La fraîcheur irradia dans tout son corps, la faisant frissonner. Elle contempla le petit jardin, la mare. Les carpes blanches, orange et noires du bassin nageaient paresseusement, accablées de chaleur, tendant leurs lèvres avides vers la surface immobile. Les fleurs de lotus flottaient, un peu fanées. Elle aurait voulu caresser de son pied nu la mousse du bord, gorgée d'humidité. Une libellule rouge posée en équilibre sur le bout courbé d'une herbe la fit osciller sous son poids. Elle pensa au poème de Shirao :

> « *Le commencement de l'automne*
> *décidé*
> *par la libellule rouge.* »

L'automne serait bientôt là, avec lui reviendrait la douceur. Les érables commenceraient leur agonie incandescente. Elle aimait cet endroit de la maison où elle venait souvent avant l'été. Camino tamponna son front d'un mouchoir plié, transpirant abondamment dans sa redingote claire. Il lui sourit, affable, mais ne dit rien. La méconnaissance de la langue de l'autre rendait toute tentative de conversation vaine. Leurs échanges se réduisaient à l'essentiel mais il semblait à Kané que Camino progressait plus rapidement en japonais qu'elle dans sa maîtrise de l'anglais. Charles n'était pas un professeur très assidu.

Penchée sur sa tasse, elle jeta vers Camino quelques furtifs regards sous ses paupières en amande. Il n'était pas bien beau avec ses favoris qui mangeaient ses joues un peu tombantes. Qu'avaient donc tous ces Occidentaux à aimer ces poils ? Mais il était affable et parlait toujours courtoisement. Lorsqu'il souriait, son visage s'illuminait d'un certain charme qui le rendait plaisant. Il semblait assez lié avec Charles pour que celui-ci lui ouvre et partage sa maison. Elle était devenue le lieu de travail et de collaboration des deux hommes qui s'appréciaient artistiquement. Charles parlait du travail de Camino avec admiration car il captait le réel. Mais ce que parfois la photographie ne pouvait saisir, à cause de mauvaises conditions d'éclairage, de temps ou même de sujet récalcitrant à se faire dérober son image, l'œil de l'artiste le retenait et le restituait aisément, y ajoutant une touche d'interprétation personnelle.

**

Après de coûteux efforts pour supporter la chaleur moite, le chant obsédant des cigales, le poids de sa machine gonflée d'humidité, Camino savoura la satisfaction du travail accompli. Il y a tant et tant de sujets dans ce pays, pensa-t-il. Les paysages y sont merveilleusement bucoliques, l'architecture peut-être moins impressionnante qu'en Chine, mais tout de même élégante et bien proportionnée. Quant à ces habitants du Nippon, il les trouvait bien curieux, à la fois rustiques pour ceux des classes populaires, mais capables du plus grand raffinement dans l'aristocratie. Et ces *musume* qu'il voyait dans les champs ou servir dans les commerces et les auberges, jeunes filles si fraîches, souriantes, accortes... Il avait observé et saisi tant de femmes à travers son objectif ces dernières années : des Égyptiennes, des Indiennes du Nord à la peau claire, du Sud au teint sombre, des Chinoises de toutes ethnies, en costume traditionnel, serrées dans leurs atours ou sensuellement dévêtues, des belles, des laides, des jeunes et des vieilles, des voilées, des tatouées, des ridées... Chaque fois il avait été charmé par leur unicité exotique, mais aucune ne l'avait attiré, parce que trop lointaines, inabordables dans leur différence.

Aucune jusqu'à cette femme, dans la sérénité et la quiétude de ce moment. Dans son kimono de journée aux motifs géométriques, elle n'était pas dans les beaux atours qui la paraient lors de la soirée où il avait fait sa connaissance. Cependant la relative simplicité de sa mise la rendait moins inaccessible. Son visage à l'ovale parfait était poudré de blanc, mais en fine couche qui laissait deviner le grain si lisse de sa peau. Sa bouche était légèrement rougie de manière à redessiner les contours en la faisant paraître plus étroite. Ses sourcils étaient épilés, presque invisibles. Coiffés en un savant chignon à plusieurs étages, aux rouleaux de jais impeccables, ses cheveux étaient piqués d'une épingle d'or et d'un peigne en corne aux inclusions de nacre. L'intérieur de sa paupière supérieure était souligné de sombre, ce qui donnait à ses yeux un regard plus langoureux. Et ce cou dont il apercevait la courbe sensuelle plonger dans le col du kimono... Charles lui avait dit que la nuque était considérée par les hommes japonais comme la partie la plus érotique du corps féminin. S'il ne partageait pas tout à fait cette opinion pour connaître d'autres courbes plus suggestives, il s'émut de sa grâce. Cette femme était belle d'une beauté nouvelle pour lui, mystérieuse dans cette maîtrise des émotions et des gestes. Son ami aimait lui répéter que, comme l'élite des *geishas*, elle était une artiste formée aux arts du divertissement et non une courtisane. Celle qu'il n'avait rencontrée que quelques fois le troublait. Elle revenait dans ses songes. Peut-être à cause de la pointe de jalousie qu'il sentait sourdre en lui. Jalousie ou convoitise ? Il enviait Charles d'être l'amant de cette beauté distante. Et un amant amoureux. Il ne sut dire si elle l'aimait en retour, elle ne laissait rien paraître. Elle avait eu dans cet endroit la préséance et par son seul regard sévère enrobé de politesse, lui faisait comprendre qu'il était un intrus indésirable. Sa résistance l'en rendait ô combien plus séduisante. Son ami allait bientôt rentrer, Kané s'en retournerait vers le *Miyozaki*. Il goûta avec d'autant plus de plaisir ces instants furtifs avec elle, comme s'il les volait à son compagnon absent.

3

Tsunami

Tokyo, 12 mars 2011.

Le séisme et le tsunami ont provoqué hier une catastrophe magistrale, terrible. Mais pourtant pas inédite. Les événements sont circonscrits.

Une autre tragédie, plus sournoise, plus humaine, plus horrible par ses conséquences mortifères, se déploie non loin par épisodes pour s'inscrire, elle, dans une durée indéfinie.

L'état d'alerte nucléaire a été prononcé. Les réacteurs de la centrale de Fukushima Dai-ichi, située à environ 250 km de la capitale, n'ont pas été refroidis depuis la veille. L'évacuation des habitants dans un rayon de dix kilomètres débute alors même que les possibles rescapés du raz de marée, englués dans la fange, attendent les sauveteurs qui ne viendront jamais.

L'enceinte du réacteur n° 1 explose en milieu d'après-midi, répandant un nuage radioactif qui se dirige vers l'Ouest puis le Sud, bien au-delà de la zone évacuée. Les Tokyoïtes commencent à s'inquiéter, les expatriés à s'affoler. Des denrées de première nécessité sont prises d'assaut et commencent à manquer. L'ambassade de France appliquant le principe de précaution conseille à ses ressortissants d'évacuer la région et si possible de quitter le pays.

En moins de 24 heures, la peur s'est insinuée en chacun aussi insidieusement que l'atome invisible. J'entends pour la première fois les mots « sievert », « melt down », « mox ». Dans mes lointains cours de physique, la radioactivité s'exprimait en rem ou en roentgen. On doit dorénavant jongler avec les millisieverts, les microsieverts, puis les becquerels, s'engageant sans cesse dans une gymnastique mentale complexe pour comprendre quels taux sont hors-norme. Aux côtés de l'iode, le césium apparaît en force, avec sa cohorte latine, strontium, thorium. Et même le tellure, à la consonance très sismique. Quant au krypton, je pense à une confusion avec l'univers d'un super-héros.

Les ingénieurs de Tepco[1] défilent à l'écran dans des bleus de travail trop bien repassés, pour nous expliquer que la situation est sous contrôle. Ils semblent accablés comme s'ils portaient seuls la responsabilité de l'accident.

Je m'étonne du risque encouru à installer des centrales nucléaires dans un pays hautement sismique, ayant de plus connu le traumatisme de la bombe. Les Américains leur ont fortement suggéré ce choix de l'atome... Mais comme en France, j'appuie sur l'interrupteur sans m'en soucier, n'ayant pas sur ce sujet d'esprit critique, bercée par le discours lénifiant des

---

1. Tokyo Electric Power Company.

politiques entourant une science de haute technologie sérieusement prise en charge.

Suspendue aux nouvelles, je commence à organiser mon voyage. Je ne le prépare pas comme je l'ai fait à l'automne, décontractée, triant les photos que je vais montrer à ma grand-mère, empaquetant les petits cadeaux apportés de France. Ni même comme je prépare mes reportages au long cours, concentrée mais détendue, avec un itinéraire routier détaillé, les batteries chargées, les cartes mémoires vides. Là, je reviens vingt ans en arrière, lorsque toute jeune photographe, je m'aventurais aux côtés de mentors aguerris en zone de guerre.

Du temps où la Yougoslavie de mon enfance se démembrait en anciennes régions gommées par Tito, où se déchiraient les villages autour d'un pont, où chrétiens et musulmans, autrefois voisins, parfois cousins, s'entre-tuaient. Où la belle Sarajevo n'était plus que lèpre d'éclats d'obus et refuge pour snipers embusqués. Je me suis offert un baptême du feu à bourlinguer sur les routes pilonnées de Bosnie, de Croatie. J'ai survécu au siège de Dubrovnik. Ce feu m'a dévorée de l'intérieur en brûlant mes rétines de tant d'horreurs et de misère imprimées sur des kilomètres de pellicules. En quelques semaines, il a consumé mon innocence, mes velléités de renommée, changé à jamais mon regard. Je n'ai plus depuis lors pris une seule photo montrant la mort, la guerre, la destruction. Je suis devenue photographe du beau et de la créativité. De l'étonnement à l'émerveillement. Je veux admirer le monde, rendre témoignage des modes de vie, de l'art, de l'inventivité des hommes. Je vends mes reportages à des agences de presse ou à des magazines en France, au Royaume-Uni, au Japon, parfois aux États-Unis.

Je viens de terminer à Shikoku un reportage commencé l'été précédent sur la cuisine *kaiseki*, la gastronomie traditionnelle, si subtile du Japon. Celle que l'on sert dans de grands restaurants comme dans de plus modestes auberges qu'il faut mériter au bout de longues routes, dans des lieux improbables où la beauté du site sublime déjà le repas. Elle est d'une grande beauté visuelle, change au fil des mois, se contemple comme un tableau éphémère d'aliments purs et délicats dans une vaisselle écrin et bijou à la fois. Le cru et le cuit y sont dégustés à part égale. Un pétale de fleur de cerisier, une feuille rougie d'érable nain, un camélia ou un chrysanthème évoque la saison. Pour la mettre en œuvre, il faut des produits de premier choix. J'ai donc arpenté sac au dos des gorges ombragées où l'eau chante de pierre en pierre à la rencontre de cultivateurs de *wasabi*, marché dans le vert tendre des rizières ensoleillées, sué auprès des forges d'un maître coutelier créateur de lames d'exception, essuyé les embruns avec un pêcheur à la ligne de dorades, à la chair subtile pour les *sashimis*, admiré l'ellipse tendue des baguettes en cèdre japonais rabotées à la main, pour les déguster. Je m'apprêtais à faire un reportage du même genre autour du thé devant m'amener, entre autres régions, dans le Tōhoku.

Je me prépare donc à partir comme en zone de guerre et j'ai une boule au ventre. La nature est passive, elle ne nous veut pas délibérément du mal. Mais là-bas se déroule une guerre non conventionnelle, où les ennemis sont un sol mouvant auquel on ne peut se fier, une mer toute proche, en embuscade, qui peut vous engloutir à tout moment. Les combats s'y multiplient ; pour fouiller les décombres et retrouver les rescapés, enterrer les morts, ravitailler les survivants, reconstruire leurs vies englouties.

Moi, la spectatrice contemplative, je vais de nouveau brûler mes yeux et mon âme.

Je loue un mini-van et fais la queue pendant des heures pour remplir son réservoir de carburant, rationné. Je parcours la ville en tous sens. Les rayons sont partout dégarnis et j'ai du mal à trouver du riz, les nouilles déshydratées ou du papier toilette. Les conserves sont rares, l'eau minérale limitée. Je mets mes voisins proches et éloignés à contribution pour donner ce qu'ils peuvent. J'arpente le quartier d'Akihabara, La Mecque de l'électronique pour trouver l'indispensable dosimètre. Il ne reste que les modèles hors de prix mais c'est celui à payer pour contenir ma peur.

Je pars le 14 au matin en passant par la côte ouest du Japon. Je traverse le pays au rythme des explosions dans les enceintes des réacteurs. Je roule confinée dans ma voiture embuée, l'attention soutenue par la radio, m'arrêtant le moins possible. Il fait froid mais je ne pousse pas le chauffage qui me rend léthargique. La neige s'est mise à tomber, oblitérant les sons extérieurs. Je progresse lentement.

Je sens en moi l'effet dopant, longtemps oublié, de l'adrénaline. Je ne veux pas reconnaître cette excitation lointaine que j'avais aimée, recherchée.

J'arrive enfin sur les hauts d'Ishinomaki, épuisée de ma nuit hachée de courts sommes, quatre jours après le séisme.

Je suis seule sur ma portion de route descendant vers la plaine. La vue plonge vers le chaos. Je m'arrête près d'une voiture dressée à la verticale contre un poteau électrique, le coffre en l'air, béant. La route est ensevelie, une maison sans toit au milieu de la chaussée. J'ai atteint la frontière, là où les vagues freinées par la colline et enfin vidées de leur énergie dévastatrice ont déposé tout ce qu'elles avaient arraché, charrié d'immondices, de vies humaines et animales.

Je reste hébétée, à regarder ce paysage surréaliste. La vase est encore présente dans les dépressions, piégée dans les véhicules et les habitations. Malgré le froid et la neige, une odeur écœurante de sel, de fuel, de poisson et de putréfaction mélangée accentue l'impression de désolation totale. L'atmosphère est étrangement silencieuse, immobile. Les bruits de la ville dans son quotidien d'asphalte, de verre et d'acier, sont absents. On perçoit quelques bruits d'eau, des ruissellements. Çà et là une silhouette fouille. Aucune conversation, ni portes qui glissent ou claquent, ni sonneries et klaxons, pneus qui crissent, gens qui marchent. Aucun son faisant résonner la vie.

Je regarde longtemps. Sans photographier. Je me demande pour la première fois si un cliché peut restituer ne serait-ce qu'une infime partie de cette désolation.

Vais-je m'approprier ce malheur en le photographiant ?

En ai-je le droit moi qui ne l'ai pas vécu ?

Je vais peut-être violer la mémoire de ces morts en diffusant leur abjecte sépulture.

Je n'avais pas les mêmes questionnements en Bosnie. Des images de guerre suintant la mort et la souffrance peuvent être de bonnes photos, des témoignages puissants.

Pourquoi est-ce qu'aujourd'hui j'hésite ? Je n'ai pas ici vocation à faire des photos artistiques, elles n'auront pas valeur à être jugées belles ou fortes. Elles seront par avance imparfaites parce que réductrices, partielles, ne pouvant contenir la détresse des survivants, les vies broyées en un instant.

Elles ne pourront pas être de « bonnes photos ». Elles seront juste témoins quand tout aura disparu.

J'hésite peut-être parce qu'il ne s'agit pas là de n'importe quelle douleur. Il coulait dans le sang des noyés un peu de celui de mes ancêtres.

Ici, c'est la souffrance de mon peuple.

Je fais demi-tour pour trouver une autre route en contournant la baie de Mangokuura. Mon GPS devient fou à cause des routes coupées ou submergées. Après maints détours, je trouve des chemins vicinaux au milieu des rizières, descendants vers la baie. Je me souviens d'un endroit somptueux, un golfe calme entouré de montagnes boisées, où avec mes parents et grands-parents je dégustais des palourdes et des huîtres d'ici. Je revois les mains de mon grand-père aux doigts calleux, insérer la lame juste au bon endroit et faire levier sur la coquille, séparer le pied avec son couteau, saisir délicatement la chair molle et la porter à ma bouche, où je l'aspirais à grand bruit. Nous répétions ce rituel, moi lèvres tendues, comme un oisillon attendant sa béquée, lui concentré sur sa tâche, heureux et fier que sa petite-fille apprécie les coquillages qui avaient été au cœur de sa vie. Les larmes me piquent les yeux en pensant à ces moments enfuis.

Il semble que la baie ait été touchée de façon moins violente que la côte voisine grâce à l'étroitesse du chenal qui la relie à l'océan. La nuit tombe, il fait froid. Trop d'obstacles m'empêchent de rouler dans la pénombre. Je m'arrête près d'un pin noueux. En descendant pour sortir mon petit réchaud, je découvre une voiture coincée entre ses branches.

La mer est proche, j'entends le ressac. Une étrange sensation de crainte m'envahit. Avoir peur de la mer accentue ma tristesse. Je dors d'un mauvais sommeil, seule au milieu des âmes gémissantes.

***

Réveillée aux premières lueurs blafardes, je suis ankylosée, transie. Au cinquième jour je repars dans ma quête. À Onagawa, à plusieurs kilomètres de la côte, il ne reste rien. Un champ de débris monochrome à perte de vue, quelques bateaux dressés sur la quille ou couchés sur le flanc comme de formidables créatures marines échouées, vaincues. Les sauveteurs fouillent et des pelleteuses poussent après leur passage des montagnes d'existences disloquées. La péninsule a dû être coupée du monde durant plusieurs jours. La voûte sombre des arbres est muette, privée de ses cris d'oiseaux. Dans le silence figé, je bifurque enfin vers ma destination. Je m'arrête dans la pente et contemple la vallée, le cœur battant la chamade.

Le village est méconnaissable. La moitié des maisons a été emportée, celles qui restent debout sont pour la plupart endommagées au-delà du réparable. Il en restait quelques-unes intactes au fond du vallon. De rares bâtiments en dur près du rivage s'y dressent encore. Les hangars du port sont éventrés, les tôles déformées comme par un ouvre-boîtes géant. La surface de l'eau est invisible sous les morceaux de bois couvrant la largeur de la baie.

J'essaie d'identifier l'emplacement de la maison mais tous les repères ont disparu. Longeant le coteau, une seule rangée de bâtiments avant la forêt tient encore debout. Celle d'Obāchan, une des premières vers la mer, en fait partie. Je respire. Elle est étrangement de guingois, mais celle d'à côté me la cache. Je descends, contourne les carcasses où s'accrochent des chapelets de coquilles, peine à chaque pas pour sortir mes bottes de la boue visqueuse. En m'approchant, je distingue la proue d'un bateau enfoncé d'un tiers de sa longueur dans la façade. C'est bien la maison aux tuiles bleues dans laquelle j'ai passé des vacances avec mes grands-parents, celle des Maeda à droite, chez qui je prenais parfois le goûter avec leur fille. L'étage s'est affaissé et repose en partie sur le pont du bateau qui a défoncé la petite baie vitrée. Tout le rez-de-chaussée a été noyé par les eaux et jonché de débris. Mais la vague s'est arrêtée là. La rangée de maisons devant elle a été emportée, je me tiens à sa place.

La puanteur est difficilement supportable. L'odeur du poisson m'est familière, les relents iodés, salés, des tripes et des têtes coupées. Les effluves de *wakamé* qui sèche, les huîtres fraîchement sorties de l'eau sont des délices olfactifs. Là, tout est mélangé, denrées alimentaires pourrissantes, végétaux arrachés, produits chimiques, essence et sans doute corps en décomposition.

Évitant un haut-le-cœur, je descends le plus vite possible vers un groupe de personnes fouillant les décombres. C'est une petite ville de pêcheurs. Tout le monde se connaît.

Elles m'ont vue venir, je les salue.

— Je suis terriblement désolée du désastre qui vous frappe. C'est une immense tragédie. J'espère que vous n'avez pas perdu d'êtres chers et que vos familles sont saines et sauves.

Il m'est difficile de dire cela en les regardant, alors je baisse les yeux.

— Je suis la petite-fille Takeuchi, ma grand-mère habite là-haut, dis-je en pointant du doigt. Ma famille n'a pas de nouvelles d'elle. Je viens de Tokyo pour essayer de la trouver, savez-vous si elle va bien et où elle est ?

Une femme âgée, toute voûtée, s'avance vers moi et me regarde attentivement par en dessous.

— Oui, oui, je vous reconnais, vous êtes sa petite-fille de France, n'est-ce pas ?

Elle m'a sans doute identifiée à cause de mes traits métissés et mes cheveux châtains. Rares sont les étrangers à venir dans ces contrées reculées.

— Oui, c'est bien moi, je suis venue plusieurs fois ici quand j'étais plus jeune.

Là, elle baisse les yeux et mon cœur s'emballe. Que va-t-elle m'annoncer avec ce front grave ?

— Votre grand-mère a survécu. Mais elle a passé presque deux jours à l'étage de sa maison avant d'être secourue. Dans le froid glacial, sans manger ni boire, à son âge, elle était très faible quand on l'a trouvée, elle était, comment dit-on déjà... oui, en hypothermie. On m'a raconté que lorsqu'elle a entendu du bruit, elle a tapé sur quelque chose pour signaler sa présence. Elle a trouvé cette force tout de même, dit-elle d'un ton admiratif.

Ses paroles se déroulent comme un disque au ralenti, j'attends désespérément la suite et mon cœur ne se calme pas. Deux des hommes se joignent à la conversation.

— Ils l'ont emmenée vers l'école qui sert de refuge, ils l'ont soignée comme ils pouvaient, réchauffée, hydratée. Tout le monde la connaît ici, c'est peut-être bien la doyenne du village, elle est si gentille.

— Mais il n'y a plus d'électricité, pas de chauffage ni d'eau courante. On a juste un toit sur nos têtes. On attend des ravitaillements, de l'eau. On a perdu beaucoup de bâtiments et les rares encore intacts accueillent des rescapés. Il y a des disparus.

Euphémisme pour masquer l'ampleur. Silence. Je n'ose pas reprendre la parole, demander combien. De toute façon, le nombre des disparus n'est qu'un chiffre. Il ne rend pas compte de chaque tragédie personnelle, de chaque destin brisé, individuellement. L'autre homme reprend :

— On a été salement touchés mais on a été un peu protégés par la pointe. Au Sud et surtout à l'Est de la péninsule, le tsunami est arrivé de face. Les vagues sont rentrées sur plusieurs kilomètres jusqu'au fond des vallées. Il a tout anéanti, il ne reste rien. Au moins 5 000 personnes sont portées disparues à Onagawa.

— Je suis passée par là en venant, c'est la même désolation partout.

— Je ne crois pas que votre grand-mère soit à l'école, je n'ai pas fait très attention, pardonnez-moi, j'y passe le moins de temps possible, mais je pense que je l'aurais remarquée.

— Je vous remercie beaucoup, monsieur. Avez-vous retrouvé des survivants dans les décombres ?

Il secoue la tête en serrant la longue canne de bambou qui lui sert à fouiller. Il baisse ses yeux humides et pousse un profond soupir. Il y exhale son incapacité, son affliction, son découragement.

La vieille dame interroge :

— Vous avez entendu parler de la catastrophe en France ?

— Oui, mes parents qui y habitent suivent les informations de très près. Et ils prient pour vous, pour le Japon. Ils attendent des nouvelles. Ils sont aussi très préoccupés par la centrale.

— Oui, bien sûr, on a peur des radiations. Mais ici nous sommes tellement occupés à enterrer les morts et nourrir les vivants...

— On a peur de celle d'Onagawa surtout, juste de l'autre côté de la montagne, vous vous rendez compte, si c'était arrivé à celle-là plutôt qu'à Fukushima ! On devrait partir, tout quitter, laisser les morts, fermer la porte de nos maisons pour ne jamais revenir ! C'est terrible. Je plains beaucoup ces pauvres gens.

Leur village vient d'être rasé, j'admire leur compassion pour plus malheureux qu'eux.

La terre se met à trembler violemment. Ici, chaque réplique fait craindre un nouveau raz de marée et ralentit les recherches. Le système d'alerte n'étant plus opérationnel, nous nous dépêchons de regagner les hauteurs. À l'entrée de l'école, des femmes en bottes de caoutchouc et vêtements imperméables de pêche font la vaisselle dans des bassines, des seaux en plastique ou des caisses à poissons en polystyrène. Des hommes accroupis fument. Quelques enfants jouent à chat.

La salle du refuge est le gymnase de l'école, où les élèves se réunissent pour les diplômes, les fêtes. Ce n'est pas immense. Des dizaines de familles, enfants, personnes âgées se partagent cet espace confiné. Des nattes et des futons sont étendus par terre en îlots pour délimiter l'espace, ménager des allées de circulation, marquer des territoires personnels. Il fait presque aussi froid qu'à l'extérieur. Les gens sont emmitouflés, avec des bonnets, casquettes ou fichus de laine sur la tête. Nombreux sont ceux qui portent des masques chirurgicaux sur le visage, plus pour protéger les autres que pour se protéger eux-mêmes.

Des têtes se tournent vers moi, nouveau visage. Les regards sont résignés, vides parfois, hagards, perdus. Le calme règne. L'un des hommes me dirige vers un autre, assis à un petit bureau. Il se présente comme adjoint au maire. Ce dernier a disparu en cours de pêche avec deux marins. Le bateau a été rendu par les flots sans leurs corps. L'adjoint a établi un recensement. Ma grand-mère est inscrite comme survivante, mais un petit numéro à côté de son nom renvoie à une autre liste, celle des blessés évacués.

— Je suis désolé pour votre grand-mère, elle a eu une volonté incroyable pour survivre dans les conditions dans lesquelles nous l'avons trouvée. Nous avons réuni les blessés dans la salle voisine dans un premier temps. Hélas, notre petit cabinet médical a été détruit. Et nous n'avions qu'une infirmière pour les soigner.

Il y avait aussi des fractures, de méchantes coupures et des traumatismes crâniens. Comme les secours ne sont pas arrivés jusqu'ici, nous avons évacué les blessés les plus urgents sur l'hôpital de la Croix-Rouge d'Ishinomaki ce matin, quand la route a enfin été ouverte. C'est, aux dires de la radio, le seul de la région encore debout. Je pense que pour l'atteindre l'accès est difficile, et il est possible qu'on les ait redistribués ailleurs. Nous n'avons pas la possibilité de les joindre, les lignes fixes et mobiles sont hors service.

Je suis rassurée en partie seulement, bancale à l'intérieur.

— Merci beaucoup pour tout ce que vous avez fait pour elle. Il va bientôt faire nuit, il est trop tard pour que je retourne sur Ishinomaki, je partirai demain matin si vous me permettez de passer la nuit ici. En attendant, j'ai des vivres et quelques médicaments, des couvertures, des livres et des jouets dans ma voiture.

Nous transportons les denrées jusqu'au gymnase. Quelle joie sur le visage des mamans avec leurs bébés lorsque je déballe du lait en poudre et des couches. Les enfants sont réunis autour de moi comme autour du Père Noël, plongent dans les deux cartons de jouets avec impatience et émerveillement. Ils ont dû en avoir des coffres entiers chez eux. Aujourd'hui, chacun est redevenu précieux, rare. Certains parmi eux sont sans nouvelles de leurs parents. Ils sont pris en charge par des amis, des voisins. Les jours passant, l'espoir s'amenuise.

Les magazines et les livres ont beaucoup de succès. On me remercie chaleureusement, on me pose des questions sur la France. Je sers de distraction pendant quelques heures, autour d'un repas et d'un thé chaud providentiels. Demain sera un autre jour. Les secours ne devraient plus tarder. Je suis admirative de leur courtoisie, la rigueur et l'équité de l'organisation. Ils sont dignes dans la fatalité, sans plainte, sans acrimonie.

J'appelle mes parents sur le téléphone satellite, leur dis qu'Obāchan est en vie, que je vais bientôt la retrouver. Maman pleure de soulagement. Je garde pour moi mes inquiétudes. J'imagine son extrême solitude et son désarroi après avoir été déposée à l'hôpital probablement bondé. Ma tendresse pour elle est faite de mille images d'enfance, de découvertes, de goûters gourmands, de leçons de cuisine, de baisers sur mes écorchures de garçon manqué. Elle est ma porte du Japon, l'ancrage dans mon autre pays.

Dans le froid et la pénombre, je n'arrive pas à m'endormir. Mes yeux tournent en boucle derrière mes paupières sur ces scènes de désolation collectives et individuelles. Un rescapé m'a dit ce soir : la nature donne, elle nous nourrit, mais nous ne sommes pas reconnaissants, alors elle reprend. Je ne crois pas aux dieux, aux *kamis*, les esprits de la nature qui se vengent parce qu'on ne les a pas suffisamment remerciés. Je ne suis pas de religion *shintō*, ni bouddhiste d'ailleurs. Je crois en un dieu que prient ma mère, ma grand-mère, et sa mère avant elle. Et je suis en colère contre lui. Mon cœur pleure sans réponse et je glisse dans un sommeil agité et sans repos jusqu'aux petites heures de l'aube.

4

Gankirō

Yokohama, décembre 1863.

Le saké chaud et le champagne coulaient à flots, les
mets délicats se succédaient pour le plaisir des yeux et
des papilles. Le niveau sonore grimpait au fil des heures
autant que la température de la pièce. Des éclats de
rires jalonnaient les conversations, les joues s'empour-
praient. L'assemblée était festive et détendue. Les
différentes langues se mêlaient, d'un voisin à l'autre
l'anglais passait au français, l'allemand au japonais. Le
service des repas à l'occidentale était une commodité
appréciée des clients expatriés du Gankirō. Cette salle
était ornée de superbes panneaux peints d'éventails. Les
parois coulissantes permettaient de lui adjoindre une
pièce en tatami, servant aux geishas à danser, jouer de
la musique, ou interpréter des saynètes théâtrales.

Avant ces divertissements, Kané servait les boissons et conversait en japonais avec quelques convives.
Elle glissait parfois des mots d'anglais courtois. Elle
reconnaissait bon nombre de clients pour les voir dans

l'établissement ou lorsqu'elle était mandatée dans les maisons de commerce, consulats et légations diplomatiques de la nouvelle cité.

Ce soir, le banquet réunissait les têtes dirigeantes des plus grandes maisons de Chine, de Grande-Bretagne et d'Amérique établies sur le Bund, la grande avenue du front de mer, où leurs vapeurs embarquaient et débarquaient de précieuses cargaisons. Kané salua quelques Japonais dirigeants de la maison Mitsui, en plein essor. Parmi le corps diplomatique, le colonel Neale, rigide chargé d'affaires britannique, conversait avec son charmant interprète le jeune Satow. Kané glissa d'un pas fluide et silencieux afin d'éviter la proximité du ministre français M. de Bellecourt, qui avait un œil très tendre et des mains trop agiles. Le ministre suisse Humbert tenait conciliabule en bout de table avec un compatriote horloger Perregaux. Les diplomates des États-Unis, sans doute préoccupés par leur propre guerre civile semblaient absents. Le médecin de la légation britannique, le Dr Willis, qui l'avait terrorisée par sa taille gigantesque et sa stature massive, trônait en bout de table.

Durant l'année écoulée, certains de ces hommes étaient partis en guerre, tous avaient craint pour leur travail et leurs investissements et cent fois pour leur vie. Ils célébraient ce soir la pose offerte par le gouvernement. Le shōgun avait enfin retiré le décret d'expulsion des étrangers et les compensations pour le meurtre de Richardson venaient d'être réglées après de longues tractations diplomatiques et représailles militaires.

Ils respiraient de nouveau mais continuaient à dormir avec un pistolet sous l'oreiller. Civils et militaires, commerçants et diplomates, aucun n'était à l'abri des rōnin qui écumaient la zone de liberté de circulation autour de Yokohama au cri de : « *Sonnō jōi !* Révérer l'empereur, expulser les barbares ! »

Kané s'approcha du jeune Satow pour remplir sa coupe de saké. Elle le trouvait avenant avec son air juvénile et sa fine moustache blonde. Depuis à peine plus d'un an dans le pays, le secrétaire du consulat parlait déjà un japonais presque courant. Elle versa le liquide chaud les yeux baissés, humbles, mais tout dans ses gestes mesurés et délicats dégageait de la sensualité. Elle aperçut du coin de l'œil le regard jaloux de Charles.

Satow s'adressa à elle, très conscient que celui-ci les écoutait.

— Dōmo arigatō, je vous remercie de votre attention, mais la coupe de mon ami Charles de l'autre côté de la table se vide plus souvent que la mienne.

— J'irai la regarnir dès que j'aurai rempli celle de vos compagnons.

— Alors laissez-moi vous retenir encore quelques instants. Messieurs, dit-il en se levant, la coupe en main pour porter un toast, je vous présente O Kanekichi, l'ornement du monde des fleurs et des saules. Imaginez que O Kanekichi vient du très réputé Yoshiwara d'Edo ! Elle apprend l'anglais auprès de notre artiste local, le talentueux Charles Pearsall, et sert de modèle à la nouvelle célébrité de Yokohama, le photographe Félix Camino ici présent que messieurs les militaires connaissent déjà. O Kanekichi, je bois à votre grâce !

— Vous me flattez trop et je ne crois pas mériter tant d'éloges, répondit-elle en s'inclinant modestement, consciente que tous ces regards masculins étaient tournés vers elle.

— Laissez-moi vous présenter celui que vous ne devez pas encore connaître, mon ami Alexandre van Siebold qui, malgré son très jeune âge nous est d'une grande utilité au consulat.

Un garçon d'à peine 16 ou 17 ans se leva pour la saluer.

— Alexandre nous vient de Nagasaki où son père a demeuré durant plusieurs décennies et a beaucoup écrit sur votre pays, nous permettant d'en comprendre un peu la culture et les mœurs.

— Enchanté, chère madame, dit le jeune homme. Je suis heureux d'enfin rencontrer celle qui occupe le cœur et l'esprit de mes amis qui ne tarissaient pas d'éloges durant notre voyage.

— Vous m'en voyez flattée. Vous avez donc eu l'occasion de travailler avec eux ?

— J'ai participé à ma première bataille navale à leurs côtés lors du bombardement de Kagoshima.

— Vous êtes très courageux, et bien jeune pour risquer votre vie ! Je vous félicite pour votre excellent japonais. Ce léger accent du Sud est charmant dans votre bouche.

— Merci, mais je n'ai guère de mérite, l'ayant appris dès l'enfance, répondit Siebold en rougissant.

— Demeurez-vous avec votre famille ici ? Votre pays doit vous manquer.

— Je suis seul, ma famille est aux Pays-Bas. Je loge actuellement chez le Dr Willis, vous imaginez comme il peut prendre soin de moi. J'ai la chance de beaucoup me déplacer et je considère le Japon comme ma seconde patrie. Regardez monsieur Heco, dit-il en désignant un Japonais en costume occidental, assis quelques places plus loin, à l'inverse de moi, lui a été éduqué aux États-Unis. Je ne veux pas parler à sa place mais il semble très attaché à son autre pays.

Entendant son nom, Joseph Heco interrompit sa conversation et vint s'incliner devant elle, lui adressant les formules de politesse traditionnelles. Kané trouva difficile de lui donner un âge car il portait barbe et moustache. Il affichait un air de confiance en lui qui aurait pu passer pour de l'arrogance.

— Je vous observe depuis le début de la soirée, reprit Heco, vous avez la beauté d'une fleur et la grâce du papillon. Ce kimono aux motifs de flocons de neige s'accorde merveilleusement à la saison. Vous illuminez ce dîner un peu trop masculin à mon goût.

— Merci infiniment ! Cette soirée réserve décidément des rencontres pleines de surprise. Je suis perdue, vous semblez maîtriser aussi bien le japonais que l'anglais. Permettez-moi d'être indiscrète, d'où venez-vous précisément ?

— Je suis du Sud-Ouest, près de Himeji. Mais il se trouve qu'enfant j'ai été secouru d'un naufrage dans le Pacifique par un vaisseau américain. J'ai été éduqué aux États-Unis puis naturalisé. Ma langue maternelle m'a permis de servir de traducteur au consul Harris il y a trois ans, et de revenir dans mon pays d'origine.

— Quel destin incroyable ! Et vous vivez maintenant ici, à Yokohama ?

— J'y ai juste un pied-à-terre. Je parcours le pays en tous sens, je travaille à favoriser les échanges commerciaux entre mes deux patries. J'aimerais les voir alliées plutôt que soumises l'une à l'autre...

Satow intervint dans l'échange.

— Notre ami est trop modeste pour en faire la publicité mais vous pourrez bientôt lire ses mémoires. Sa vie pleine d'aventures est digne d'un roman. C'est un vrai homme de lettres, vous verrez !

— J'ai hâte de vous lire, répondit Kané. J'espère que vous m'en dédicacerez un exemplaire.

— Avec plaisir ! J'envisage même de prolonger l'expérience et mettre ma plume à l'épreuve du journalisme. Je réfléchis à la création d'un journal en japonais, ici ou à Edo, je ne sais pas encore.

— Oh, quelle belle idée ! Cela manque en effet. C'est un ambitieux projet. Sachez que j'en serai votre première lectrice. Mon anglais est bien médiocre et je serai ravie de pouvoir me tenir au courant de l'actualité dans ma langue. Gambate kudasai, je vous souhaite bon courage !

Kané se tourna vers Satow et conclut :

— Merci pour ces rencontres fascinantes. Cela me permet de mieux comprendre votre culture pour ainsi mieux vous divertir. Veuillez m'excuser maintenant, le dîner touche à sa fin et je dois me préparer pour la musique et la danse.

Elle s'éloigna dans un bruissement de soie, suivie de regards admiratifs. Elle les sentait dans son dos comme autant de rayons de chaleur. Si ses quelques compagnes de même rang avaient une maîtrise dans les arts comparable à la sienne, aucune n'avait sa beauté qui laissait peu d'hommes occidentaux indifférents. Lorsqu'elle se tourna pour refermer la cloison, plusieurs la regardaient encore.

Elle chercha le calme dans une pièce contiguë où se trouvaient son instrument et ses accessoires. À genoux, les yeux clos, Kané se força à prendre de profondes inspirations. Les sentiments se bousculaient en elle après de telles rencontres. La plupart des clients la considéraient à peine mieux que les prostituées qu'ils fréquentaient dans les autres établissements du Miyozaki, ou leur concubine, juste bonne à être monnayée. Ce petit groupe-ci avait à son égard une attitude plus nuancée. Ce qui ne l'empêchait pas de se sentir coupable de côtoyer ces hommes, acteurs du changement de son pays. Peu de femmes japonaises avaient comme elle cette opportunité de s'ouvrir au monde occidental, aussi fascinant que menaçant, dont on ignorait encore tout moins d'une décennie auparavant. Leurs pays disposaient de technologies inconnues au Japon. Leurs puissants bateaux à vapeur infligeaient de sévères défaites et naviguaient sur tous les océans. Charles lui avait parlé du télégraphe qui permettait de communiquer à distance, et de locomotives roulant à toute vitesse.

Ici, on vivait encore au temps du pas des hommes et des animaux, dans le cycle lent des saisons, sous les augures de divinités qu'il fallait veiller à satisfaire.

Elle s'observait marcher sur le fil de la trahison, hésitante dans sa loyauté. Son père était un samouraï déchu qui, dans sa disgrâce, s'était ôté la vie en s'ouvrant le ventre au sabre, laissant sa femme et ses deux petites filles démunies. Et c'étaient ces Occidentaux trop fiers qui précipitaient la déchéance de sa caste. Que deviendraient les guerriers aux deux sabres dans un monde de fusils et de canons ? Les attaques menées par les clans du Sud se réglaient par des corrections sans appel des puissances alliées. Son métier incarnait le symbole même du maintien des traditions, une transmission de savoirs ancestraux d'arts et de culture, difficilement compatibles avec la fréquentation d'étrangers, risquant de diluer son héritage.

En les fréquentant, Kané avait compris que le Japon s'ouvrirait au monde, de gré ou de force. Elle ne pouvait s'empêcher de les trouver intrigants, si différents des Japonais qui la maintenaient asservie à leur plaisir. Lorsque des hommes comme Charles ou Ernest Satow conversaient avec elle, demandaient son opinion, elle se sentait devenir quelqu'un, sortir de son simple rôle d'ornement. Elle leur en était reconnaissante.

Jamais elle n'aurait imaginé vivre cela deux ans auparavant, lorsque la patronne de sa maison de thé lui avait annoncé qu'elle avait conclu un contrat avec un propriétaire de plusieurs *okiya* dans le quartier des plaisirs d'Edo. Celui-ci venait d'ouvrir un établissement destiné aux nouveaux arrivants de Yokohama. Sa compagnie, sous les bons auspices du gouvernement, avait déjà transféré nombre de prostituées et courtisanes des trois grades, mais cherchait des geishas de renom pour asseoir la réputation de l'établissement et donner du prestige au Gankirō. À cette époque, Kané venait de perdre son protecteur, tombé en disgrâce auprès du shōgun. Certes, sa renommée l'aurait aidée à trouver un autre *danna* riche et influent mais les crises politiques ne jouaient pas en sa faveur et la tenancière le savait. La compagnie l'avait alors rachetée pour une petite fortune, misant sur un retour juteux de leur investissement grâce aux riches commerçants japonais et étrangers.

La désolation et l'angoisse s'étaient abattues sur elle. On disait des « barbares » les pires horreurs, on décriait leur puanteur, leur vulgarité, leur violence sexuelle et leur système pileux. C'était pour elle l'abjecte déchéance de l'échec alors qu'elle était au firmament. Une jeune courtisane s'était donné la mort plutôt que d'être forcée à travailler là-bas. En arriverait-elle à de telles extrémités ?

Elle n'avait eu d'autre choix que de quitter le prestigieux quartier des plaisirs où elle était entrée à l'âge de onze ans et avait passé presque la moitié de sa vie, pour ce port d'aventuriers de quelques centaines d'âmes. Son palanquin avait brinquebalé durant des heures sur le Tōkaidō, puis à travers les marais, pour arriver enfin dans son nouvel enfer. C'était du moins ce qu'elle en attendait.

Elle avait en fait aperçu une ravissante allée bordée de cerisiers et un pont qui menait à une enceinte de pierres énormes entourée de douves et surmontée de palissades de bois. De l'autre côté du chemin, il y avait cette ville nouvelle dont la rade donnait dans la grande baie d'Edo. Le Miyozaki était une véritable petite ville dans la ville, peuplée de courtisanes de tous grades, chanteuses, danseuses, et de prostituées, domestiques, et tous métiers dédiés au service de cette population d'environ neuf cents femmes.

L'établissement du Gankirō où elle allait désormais vivre, s'organisait autour d'un immense patio central à un étage, entouré de balustrades ouvragées, éclairé de lanternes. Dans un bassin paressaient d'énormes carpes, au milieu d'une végétation luxuriante et d'arbustes taillés. Un large pont arqué rouge vif l'enjambait. Des fontaines murmuraient à l'oreille une douceur aquatique. Un escalier monumental menait à l'étage. Les laques, la nacre, la feuille d'or, les bois précieux créaient une atmosphère d'opulence, de confort, appelaient à l'abandon de soi, au plaisir, à bourses déliées. Kané avait été stupéfaite par le luxe et la débauche d'attraits mis en œuvre pour séduire les visiteurs étrangers.

Le Gankirō était le plus prestigieux des établissements mais où, contrairement aux maisons du Yoshiwara, elle cohabiterait avec les courtisanes, en d'autres termes les prostituées de luxe. Les prostituées de petite condition, destinées aux marins et autres écumeurs de ports, travaillaient dans des bordels de l'autre côté du Miyozaki. Les conditions de vie de ses consœurs étaient nettement moins glorieuses que les siennes, à qui était réservée une suite de deux pièces de huit et dix tatamis. Une apprentie et une toute jeune servante étaient placées sous ses ordres.

Kané s'aperçut vite que les étrangers ignoraient le véritable rôle des geishas et les confondaient volontiers avec les courtisanes, attendant d'elle une promiscuité sexuelle qui n'avait pas lieu d'être. Ses chances de trouver un protecteur étaient faibles car la communauté japonaise était réduite, composée essentiellement de marchands.

Elle distrayait donc ses hôtes au cours de banquets, pour des célébrations de transactions, ou au cours de dîners en petit comité pour certains riches voyageurs de passage avides d'exotisme local, en servant à boire, en dansant et jouant de la musique. Elle se retirait pour laisser place aux courtisanes lorsque, imbibés de boissons, les clients étrangers, le regard devenu concupiscent, commençaient à songer à d'autres divertissements.

Au début, la jeune femme avait dû surmonter sa crainte et son dégoût. Certains clients ne devaient pas se laver très souvent. Elle ne pouvait pas converser avec eux. Ils ne semblaient guère apprécier la musique du shamisen dont ils trouvaient le son aigre et plaintif, discutaient pendant les danses. Au fil des mois, certains parlèrent de mieux en mieux sa langue, apprirent les coutumes. Ils abandonnèrent un peu de leur rusticité. Quelques-uns, ayant adopté le bain japonais, ôtèrent leurs bottes. Elle ressentit leur regard admiratif de façon plus appuyée, appréciant la délicatesse de ses traits derrière le maquillage et les ornements. Elle avait fini par faire son deuil du Yoshiwara et de sa gloire passée. Elle s'était habituée à leur compagnie, certes rustique, mais n'en avait plus peur, jugeant les rumeurs disproportionnées.

Quelques mois seulement après son arrivée au Gankirō, le premier à marquer un intérêt envers elle fut Charles Pearsall. Nouvellement installé en ville, il était de presque tous les dîners car sa personnalité et ses rapides progrès en japonais le rendaient indispensable comme interprète dans cet embryon de communauté naissante. Il parlait en plus de l'anglais et de façon presque aussi courante le français et l'allemand, écrivait dans plusieurs autres.

Il avait toujours un carnet en poche. Il caricaturait ses comparses avec drôlerie dans son journal satirique, le *Japan Chronicles* où il racontait les échos de

Yokohama avec un humour parfois grinçant, jamais méchant.

Ayant survécu à l'attaque de la légation britannique d'Edo lorsque celle-ci avait subi l'assaut d'un large groupe de rōnin, il en avait tiré des illustrations très saisissantes. Son arme favorite était le crayon, beaucoup plus redoutable entre ses mains qu'un sabre ou un pistolet. À vingt-neuf ans, célibataire, c'était un homme plus attirant par son tempérament que par son physique, car il portait ces favoris très développés que Kané n'appréciait guère, mais ses magnifiques yeux bleus, si inhabituels pour elle, lui donnaient un regard translucide dans lequel elle se perdait avec plaisir. Particulièrement drôle, habile à manier l'humour comme l'ironie, il était facétieux même en japonais. Toujours enjoué et gentiment excentrique, il avait l'une des personnalités les plus attachantes de la ville et comptait beaucoup d'amis.

Un soir de banquet, Charles avait dessiné Kané dansant avec des éventails. Elle s'était extasiée devant la vivacité de la scène et la ressemblance de son visage, saisie en quelques traits. Il avait roulé le dessin, s'était incliné et lui avait offert. C'était la première fois qu'elle recevait un cadeau original et personnel d'un homme qui ne la rémunérait pas. Par la suite, il lui offrit une calligraphie, une aquarelle, ou une fleur séchée rapportée de ses promenades. Elle s'arrangeait toujours lorsqu'elle servait à boire pour passer un peu plus de temps à ses côtés. Il la faisait sourire par ses anecdotes. Elle le ravissait par sa culture des classiques en lui racontant par épisodes les aventures du Prince Genji, héros du roman éponyme.

Un jour, profitant discrètement d'un changement de salle, il lui offrit un très beau carnet relié, dont la couverture en bois peint reproduisait l'héroïne du Dit du Genji, Dame Murasaki. Il était destiné à collecter tous les dessins que Charles lui avait offerts au fil des mois. L'objet était beau et coûteux. Elle ne savait comment réagir car elle n'avait jamais été courtisée ainsi auparavant. Elle l'avait remercié profusément, les joues en feu sous le maquillage blanc. Il avait ensuite demandé, un peu gêné, lui d'ordinaire à l'aise, si elle voulait bien accepter une promenade en ville en sa compagnie. C'était très inhabituel. Elle pouvait entretenir des relations, voire une liaison, tant que cela n'empiétait pas sur son temps ni ne nuisait à sa réputation. Elle considéra Charles comme un compagnon des plus plaisants et accepta. Ils sortirent ainsi plusieurs fois dans l'après-midi, se promenèrent aux beaux jours sur le Bund, dans le Honsho-dōri, la grande avenue centrale du quartier japonais. Il lui fit un jour cadeau d'un éventail sur lequel il dessina son portrait, un autre un grillon dans une petite cage. Au bazar du quartier occidental, au milieu de tous les objets hétéroclites utiles aux hommes célibataires loin de leurs pays natals, il lui offrit des mouchoirs en fine batiste brodés à ses initiales.

Charles dut s'éloigner souvent pour accompagner des missions diplomatiques comme interprète et journaliste. La jeune femme remarqua son absence. Les semaines passant, elle commença à guetter ses retours. Lorsque les semaines devinrent des mois, elle en vint à éprouver un manque. Ses promenades solitaires lui pesèrent. Elle s'inquiéta pour lui car la légation britannique avait été victime d'une deuxième attaque au printemps. Nourri de trop brèves apparitions, le vide se transforma en souffrance, de légère en lancinante, qu'elle se garda bien de révéler. Elle ignorait si elle était pour lui un fantasme d'exotisme passager ou si elle imprimait son image en lui comme autant de dessins qu'il faisait d'elle.

De retour d'Edo, Charles lui proposa une excursion de quelques jours pour admirer l'embrasement des érables dans l'arrière-pays. Elle fit mine d'hésiter pour tester l'envie et entretenir l'impatience. Elle accepta puis se ravisa au dernier instant pour le punir de ses trop longues absences et se punissant elle-même. Il la sollicita de nouveau avec plus d'empressement. Lorsque enfin ils partirent, il trotta durant des heures à cheval sur les pentes escarpées aux côtés de son palanquin jusqu'à un *onsen*, une charmante auberge d'un village thermal. Des piscines naturelles d'eau fumante s'étageaient au creux d'un vallon traversé par un torrent, bordé d'érables pourpres et de quelques ginkgos d'or. Les écharpes de vapeur accrochées aux bosquets de bambous rendaient l'endroit surnaturel.

Charles avait compris l'importance du bain dans la vie japonaise et en savourait fréquemment l'expérience avec les moins prudes de ses compatriotes. La plupart considéraient cette pratique avec méfiance, leurs épouses avec une franche horreur comme le comble de la dépravation. Les familles se baignaient ensemble, hommes, femmes et enfants devant leur maison, se frottant mutuellement le dos en conversant, jamais impudiques. À plusieurs reprises Charles avait vu des gens accourir nus et dégoulinants pour assouvir leur curiosité et le regarder de plus près. Un onsen semblait le lieu propice pour se rapprocher de Kané, priant cependant qu'il y ait peu de monde de peur de créer un attroupement qui contrarierait ses desseins.

Lorsqu'il défit son *yukata*, un couple se trouvait déjà dans l'eau et prit peur devant cet étranger si grand, à la peau rose et aux poils si clairs. Il leur sourit et les rassura sur sa connaissance des pratiques, ce qui fit rire la femme aux dents laquées de noir. Ils l'observèrent un moment, curieux, chuchotant dans leurs mains, puis finirent par partir. Charles s'assit sur un minuscule tabouret dans une partie dallée de pierre réservée aux ablutions, masquée par un muret et protégée par un auvent de chaume. Il se frotta au savon, grâce à une petite bassine de bois s'aspergeât sur tout le corps et la tête de quantité d'eau chaude en chantonnant. Il aimait profondément ce rituel, ces lieux où l'eau coulait librement, abondante, où le paysage minéral et végétal apportait la sérénité. Il sursauta en sentant un linge dans son dos, résista à la tentation de se retourner. Il ferma les yeux et s'abandonna à la douceur de la caresse, à la proximité sensuelle devinée. Kané lui lava les cheveux, massa longuement son cuir chevelu et sa nuque. Lorsqu'elle descendit le long de son bras, il sentit la pointe de ses seins effleurer sa peau, puis tout son menu buste épouser l'arrondi de son dos. Il aimait son souffle dans son cou, le glissement de ses longs cheveux sur ses épaules. Il n'en pouvait plus de désir. Cette attente aveugle et silencieuse décuplait le supplice voluptueux. Kané éveilla chaque partie de son corps sous le simple effleurement d'un linge humide. Aucune femme n'avait auparavant promené ses doigts sur la peau fine à l'intérieur du coude ou le petit creux à la base du cou dont il ignorait le nom. Au bout d'un long moment de cette torture exquise, elle l'autorisa à ouvrir les yeux en embrassant doucement ses paupières. Il put enfin la contempler, agenouillée entre ses jambes, ses cheveux d'un noir profond qu'il n'avait toujours vus qu'en chignon, répandus en cascade jusqu'au sol, sa peau si pâle et lisse brillant de gouttelettes. Son visage sans fard lui sourit. Il la reconnut à peine, encore plus belle ainsi, sans artifice, sans kimono empesé, poignante de jeunesse et de naturel. Il osa à peine la toucher. Elle déploya ses bras et l'enveloppa, noua ses jambes autour des siennes. Leur plaisir fut aussi doux que la pierre était dure sous leurs corps. Leur étreinte aussi intense que le désir qu'ils avaient suscité en l'autre.

Ils ne parlèrent pas après, tout entier dans le dénouement de ces jeux de séduction. Toujours enlacés, ils se glissèrent dans le bassin naturel où l'eau brûlante leur mordit la peau. Ils restèrent ainsi longtemps à se dévorer de baisers. Des familles de macaques défilèrent, sautant de roche en roche, les petits accrochés au ventre des mères. Ils choisirent de se baigner dans un bassin adjacent, nullement effrayés. Charles et Kané ne se détachèrent l'un de l'autre que lorsque la chaleur ressentie fut telle qu'ils durent plonger dans l'eau tiède pour se rafraîchir. L'obscurité était venue, quelques lanternes éclairaient le chemin vers les chambres. Sur les tatamis blonds au parfum d'herbe sèche, ils s'aimèrent encore jusqu'au retour de l'aube. De plaisir sexuel, Kané n'en avait jamais connu auparavant, trop concentrée sur la satisfaction de son protecteur et ses demandes parfois insensées. Aucun homme n'avait placé sa jouissance après la sienne. Charles l'initia à la découverte de sensations addictives. La patronne de l'auberge les soignait, voyant combien le lien entre eux se resserrait.

Ils durent s'arracher à leur paradis pour reprendre le chemin du retour car Kané avait des engagements le soir et Charles un article à envoyer par le prochain vapeur. Il n'avait pas été nécessaire d'évoquer la suite de leur liaison, leur besoin de l'autre si évident.

Tout l'hiver 1862 et le printemps 1963 avaient été rythmés par les escarmouches et faux-fuyants diplomatiques, l'hostilité des samouraïs dans la ville, les atermoiements du shōgun, de nouvelles attaques dans le détroit de Shimonoseki sur les bateaux américains et français. Entre ses voyages, sa gazette nouvellement créée, ses articles et illustrations, Charles était très occupé mais réservait à Kané chaque moment qu'elle pouvait libérer de ses engagements. Il était cependant devenu difficile à Charles de voir Kané dans sa profession, sourire à d'autres hommes, leur porter son entière attention et les divertir de ses talents tant il la désirait tout à lui. Une jalousie acérée lui griffait le cœur.

La maison de Charles abritait leurs amours. Elle était défraîchie, loin des fastes du Gankirō. Située à côté de la laiterie, on y entendait parfois de longs meuglements. L'Allemand Lindau qui partageait l'autre aile avait un temps été un voisin des plus plaisants et discrets. L'arrivée de Félix Camino à la fin du printemps avait perturbé leur bel amour. Charles lui avait proposé l'hospitalité, la maison était grande, mais

Kané avait ressenti l'arrivée de Camino comme une intrusion dans leur passion. Il lui volait l'attention de Charles et son temps disponible. Félix ne parlant pas un mot de japonais, elle n'avait pu atténuer son agacement en apprenant à le connaître. Elle rêvait d'une autre escapade amoureuse mais l'occasion ne s'était pas présentée et les routes étaient trop peu sûres. L'absence de Charles en fin d'été, parti avec la flotte militaire, lui avait semblé interminable dans la moiteur du mois d'août. L'attentisme de la communauté occidentale et la fête des morts d'O-bon avaient considérablement limité ses engagements.

À leur retour, Félix et Charles avaient été très pris par la narration en images du bombardement de Kagoshima et l'installation du studio dans la maison. Dorénavant, ses compatriotes défilaient toute la journée pour des séances de portrait ou scènes de groupes : marchands fortunés en famille vêtus de leurs plus beaux habits, *yakunin* au chapeau laqué exhibant leurs deux sabres. Kané, qui s'était sentie un temps maîtresse des lieux, en devint l'intruse. Charles, au contact de son ami, reprenait des habitudes de célibataire.

***

Ce soir durant le banquet, elle avait senti le regard de Charles fixé sur elle. Lui, si sociable, était resté silencieux presque tout le repas. Il avait bu plus qu'à l'accoutumée et n'avait pu retenir une saillie de jalousie lorsqu'elle avait discuté avec Ernest Satow et ses amis. Celui-ci était affable et aimable, maniait fort bien sa langue et elle s'avouait avoir un peu puni

Charles en accentuant son intérêt. Mais son amour pour lui se nourrissait de tellement de complicité, de mots tendres et d'étreintes fougueuses qu'il en aurait fallu bien plus à Kané qu'un beau visage et une jolie tournure d'esprit pour l'éloigner de son Anglais excentrique.

Elle se retira dans son petit appartement après les danses lorsque les convives quittèrent le salon aux éventails pour des pièces plus intimes à l'étage. Elle fut très surprise de trouver Charles assis sur ses tatamis, buvant une tasse de thé fumant, le visage grave, sobre. Jamais auparavant il n'était resté au Gankirō si tard. Elle s'agenouilla devant lui et caressa sa joue, devinant que quelque chose de sérieux le tracassait. Elle ne voulait pas le chasser malgré sa lassitude et l'embrassa chastement pour le faire patienter. Puis dans l'autre pièce qui tenait lieu de chambre, sa petite apprentie l'aida à retirer les multiples couches de son vêtement, ses ornements de cheveux et son maquillage. Elle revint vers Charles habillée d'un yukata et d'une apparence naturelle qu'il appréciait plus que la tenue du banquet. Sans parler, il l'enlaça et la tint longuement serrée contre lui.

— As-tu pris plaisir à me rendre jaloux ?

— Satow et Siebold sont charmants mais bien jeunes pour rivaliser avec toi.

— Ernest a ton âge et un fort beau visage, quant à Siebold, il a à peine quelques années de moins ! Non, je pensais plutôt à ton compatriote Heco. Il a une belle prestance et l'attrait de l'Orient et de l'Occident mêlés.

— Il est certainement très intéressant mais je le trouve trop imbu de lui-même, et de toute façon, mon cœur est occupé par quelqu'un qui ne laisse de place à personne d'autre.

Sur ces mots, elle joua du bout de la langue sur ses lèvres closes. Mais il ne se laissa pas séduire.

— Je n'en peux plus de te voir faire les yeux doux à ces hommes qui, pour la plupart, ne voient en toi qu'une femme à marchander. Ils te dévoraient tous des yeux.

— Tu es injuste, je ne flirte pas, je les divertis.

— Tu ne flirtais pas avec Ernest ce soir sans doute ?

— Je te punissais de ta jalousie. Ne me fais-tu pas confiance ?

— Si, mais je suis jaloux de ce qu'ils reçoivent de toi à ma place. Je voudrais t'avoir tout à moi. Je voudrais que tu sois ma femme.

Se desserrant de leur étreinte, il s'agenouilla devant elle, lui prit les mains et les baisa. Puis tête baissée et paumes à plat sur la paille, d'un air solennel lui demanda en employant la formule de politesse la plus haute :

— Ogawa sama, s'il vous plaît, acceptez de devenir mon épouse !

Elle resta sans voix. Elle était tombée amoureuse de cet homme, contre toute attente un Occidental, elle l'avait compris et accepté. Elle était aimée en retour aussi passionnément. Il désirait l'épouser, elle... Chaque réveil et chaque sommeil à ses côtés. Ne plus le quitter. Une nouvelle respectabilité.

Mais une vague de sentiments contradictoires envahit aussitôt son esprit. Une geisha ne se marie pas. La gardienne des traditions abandonnant son métier pour un étranger ! De plus elle n'avait pas fini de rembourser sa dette. Elle voulait continuer à l'aimer ainsi, librement, même si la jalousie de Charles lui pesait.

Elle avait peur de le blesser, de mettre en péril leur amour par un refus. Elle se trouvait dans l'impasse. Les larmes lui montèrent aux yeux de frustration et de détresse. Au lieu de garder sa réserve habituelle et d'éluder finement, elle se réfugia dans une ironie acerbe qui ne lui ressemblait pas pour masquer son désarroi.

— Tu serais donc prêt à risquer le désaveu de tes compatriotes pour épouser ta maîtresse japonaise ? Tu sais bien que les femmes comme moi ne peuvent pas se marier. Ton consul n'a jamais validé une seule demande de mariage entre un Britannique et une Japonaise. Pourquoi cela changerait-il pour nous ?

Charles, dont la pensée était tournée vers l'espoir un instant auparavant, fut abattu par la réaction inattendue de Kané et devint défensif.

— Nous enregistrerons notre mariage à l'office des douanes et je ferai une demande directement au colonel Neale jusqu'à ce qu'il cède ! Je lui ai rendu assez de services ! Je me fiche de la réaction de mes compatriotes, mes amis t'apprécient et m'approuveront. Les autres sont assez hypocrites pour m'envier tout en me critiquant.

Plus doucement, il supplia :

— Je voudrais que tu quittes le Gankirō, viens vivre avec moi, donne-moi des enfants !

Il touchait à la plus grande souffrance des geishas, celle de ne pouvoir avoir d'enfants, ou tout au moins de devoir les cacher, les abandonner, ou pour les filles, les élever dans le métier.

— Je n'ai pas fini de rembourser ma dette, il faudrait que je travaille encore plusieurs années pour être libre financièrement !

— J'ai parlé avec ta patronne et j'ai négocié le montant du rachat de ta dette et les intérêts, si tu étais d'accord bien sûr.

Elle était abasourdie, car la somme en question était assez considérable. Elle pouvait rapporter au Gankirō jusqu'à 10 *ryō*[1] par mois. Elle ne connaissait pas les revenus de Charles qui devaient être juste confortables au vu de son train de vie, mais loin de rivaliser avec les hommes plus fortunés pouvant s'offrir ses services.

— Mais c'est toi alors qui t'endetteras pour moi sur des sommes énormes ! Et pour qu'elle accepte de me laisser partir, elle doit faire un juteux bénéfice !

— Peu importe ce que cela me coûte, Lindau est d'accord pour me prêter une partie de l'argent. Nous avons des projets d'albums avec Félix, je ferai des portraits sur commande, je prendrai des contrats de traduction, j'y arriverai, ne t'inquiète pas pour cela...

— Justement, à propos de Félix, si je viens vivre chez toi...

À cette hypothèse, il reprit un peu espoir.

— Nous réfléchissons déjà pour installer ensemble un vrai studio de travail en dehors de la maison où nous pourrons recevoir les clients plus aisément, le temps de trouver le bon endroit, il ne devrait pas rester très longtemps.

Charles avait réponse à tout et elle était presque à court d'arguments tout en souhaitant se laisser convaincre.

— J'ai passé la moitié de ma vie dans des okiya. C'est ce qui m'a permis de survivre puis d'exceller

---

1. Équivalent d'une pièce d'or. En comparaison, le salaire annuel d'une servante était de 2 à 3 ryō par an.

dans mon métier et tu me demandes de l'abandonner alors que je ne sais si tu seras encore au Japon l'année prochaine ! Tous les Occidentaux finissent par partir au bout de quelques années, fortune ou banqueroute faite, pourquoi en serait-il autrement pour toi quand tu te seras lassé de moi ? Et imagine que la révolte des clans du Sud aboutisse, que l'empereur parvienne à faire expulser les étrangers ?

Sa voix se brisa sur la dernière phrase en de violents sanglots. Charles comprit qu'elle avait besoin d'être rassurée parce qu'elle avait peur de l'avenir, de perdre ce qui la rendait indépendante. Il l'enveloppa tendrement de ses bras et embrassa ses larmes. La berçant doucement, il lui chuchota des mots doux.

— Je ne quitterai pas le Japon, je te le promets. Rien d'indispensable ne m'attend en Angleterre où je redeviendrais un artiste inconnu. Ni l'empereur ni le shōgun n'arriveront à nous mettre dehors, mon pays est trop puissant et ambitieux. La modernisation est inéluctable, tu verras.

Avec force et conviction, il ajouta :

— Ma vie est ici maintenant, c'est un pays trop passionnant pour ne pas y vivre tous ces bouleversements ! Ici je suis quelqu'un, j'aime mon métier et nous allons faire des choses fantastiques avec Félix. Pour rien au monde je ne renoncerai à toi. Je suis un homme chanceux. Dis-toi qu'aucun obstacle n'est insurmontable par la force d'un petit mot de ta part... prends le temps d'y réfléchir, j'attendrai...

À travers ses yeux embués, Kané considéra le visage de Charles. Elle caressa ses favoris qu'elle avait fini par aimer. Elle pensa qu'elle était chanceuse d'être désirée par un tel homme. Elle embrassa son visage avec fougue. Les mains de son amant se firent soudain pressantes, luttèrent avec la ceinture du yukata. Elles explorèrent en aveugle les monts et vallées, attirèrent contre lui avec une avidité affamée les sillons sensuels. Ils firent l'amour dans une sorte d'urgence désespérée, roulant dans toute la pièce, accrochés l'un à l'autre comme à un radeau en perdition.

5

Yuki[1]

Péninsule d'Oshika, 17 mars 2011.

Étendue sur un futon dans la lumière blanche de l'aube, je regarde la neige tomber. Il ne manquait plus qu'elle... La neige n'est pas rare dans le Tōhoku à cette époque.

Il est très tôt et la plupart des gens autour de moi dorment encore. De gros flocons plats comme des pièces de cent yens tourbillonnent calmement derrière la fenêtre. Mon nez est glacé, mes cheveux raides de gel. Mais je suis en sécurité, presque au chaud.

Rien n'est épargné aux survivants. Après les séismes, les incendies, le tsunami, les radiations... la neige. Elle va transir les réfugiés, effacer des traces, ralentir les recherches. Au moins masquera-t-elle un peu les odeurs pestilentielles et la laideur des décombres.

Pourtant je la trouve envoûtante. Hypnotique dans sa danse syncopée de bourrasques, avec son harmonie

---

1. Neige.

géométrique, sa légèreté mousseuse. Enfant, j'étais la première à me précipiter dehors pour happer sur ma langue les tout premiers flocons, frissonnant sous leur piqûre, riant lorsqu'ils s'évanouissaient dans mes mains, comme si leur magie mourait tandis qu'on les privait de liberté. La neige est mon amie.

Parce que je porte son nom : Yukiko, enfant de la neige.

Je suis née lorsque ces mêmes flocons tombaient paisiblement sur la mer après qu'elle se fut déchaînée toute la nuit. Un 25 décembre. Ma naissance était prévue deux semaines plus tard. Mes parents passaient les fêtes chez mes grands-parents paternels sur l'Île d'Yeu, à quelques encablures des côtes vendéennes et du marais breton.

Ils tenaient la plus grande poissonnerie de l'île, ainsi qu'une conserverie de délicieuses terrines de poissons et crustacés locaux. Le 24 était pour eux une très grosse journée. Ils vendaient à pleins comptoirs des bourriches d'huîtres, plateaux de coquillages savoureux, homards et saumons fumés. Comme pour la plupart des commerçants d'alimentation, le soir du réveillon était exténuant et l'on fêtait Noël le 25, après la fermeture du magasin. Mais cette année-là, l'Atlantique en décida autrement en déchaînant une tempête qui fait encore date sur l'île, coupant les liaisons avec le continent. Des vagues géantes drossèrent les bateaux sur les quais du port. Les Îliens se calfeutrèrent chez eux, impuissants. C'est le moment que je choisis pour tenter de naître, ce qui plongea mes parents dans un total désarroi. Maman ne pouvant être évacuée par mer, on tenta l'hélicoptère. En vain, la tempête atteignant dans la nuit force 9. C'est donc un médecin de Port-Joinville qui accoucha ma mère. Heureusement, comme médecin insulaire, ce n'était pas la première fois qu'il assistait une naissance. La nuit ne fut qu'angoisse pour la famille entre la tempête menaçant de déverser la mer entière dans la maison et moi qui tardais à arriver, les cris de ma mère dispersés par les coups de boutoir des vents déchaînés, des gerbes immenses explosant sur notre seuil. Lorsque la traîne de la dépression s'éloigna et fit place aux chutes de neige, j'apparus enfin.

Mon père, après avoir failli me perdre, me prénomma Noëlle, comme une action de grâce. Bien que chrétienne, Maman tint à me donner un prénom japonais. Cette neige pure et blanche qui avait accueilli ma naissance deviendrait le compagnon de ma vie. Mon père et mes grands-parents m'appelaient Noëlle tandis que ma mère persistait avec Yukiko. Peut-être à cause du fond d'animisme qui imprègne toute personne née dans un pays shintoïste. Toute petite, je répondais aux deux prénoms, mais lorsque je sus articuler mes premiers sons, je dis « Kiko », sans doute plus facile à prononcer que Noëlle, au grand désespoir de mon père. Mon prénom japonais s'était naturellement imposé et j'ai gardé ce diminutif. À l'adolescence, je l'ai renié pendant un temps, trop japonais pour les langues moqueuses. Je suis redevenue Noëlle, à l'âge où l'on fait tout pour appartenir, s'intégrer, se fondre dans la masse. Je me le suis réapproprié lorsque j'ai su devenir fière de ma différence, sans pour autant rejeter l'autre, réconciliée avec ma dichotomie raciale.

Chaque fois que j'écris mon prénom en japonais, je trace l'idéogramme de la neige. Comment ne pouvait-elle pas devenir mon alliée, ma sœur ? Pourtant je n'aime pas le froid, mais elle me console de celui qu'elle apporte. J'aime l'odeur pâle qui l'accompagne. Elle dilue les ombres, épanouit les gris. Et lorsque le soleil l'attaque pour la faire fondre, elle scintille comme mille gemmes précieuses dans un dernier éclat avant l'agonie. En tombant, elle feutre l'air, les sons s'éteignent, perdus dans les méandres d'air prisonnier. En glissant sur les toits ou lorsque le pas s'enfonce, elle crisse de menus chants craquants et secs.

Ce matin-là pourtant, son charme n'opère pas, enseveli sous trop de chagrin. Mon regard n'est pas poétique, juste désabusé. Les flocons sont des flocons. Froids. Point. Cela vaut peut-être mieux que la pluie. Une immense lassitude m'envahit. Je n'ai pas envie de bouger. Pourtant j'ai un but de recherche. Comment ces gens autour de moi trouvent-ils la force de se lever le matin ? Ils se demandent avec quel argent payer les traites d'une habitation engloutie. Leur métier n'existe plus, leur société, leur bureau, leur entrepôt, emportés. Parmi eux, nombreux sont ceux dont les proches ont disparu. Tous, sans exception, ont perdu des amis, des voisins.

Et ce deuil impossible à commencer sans corps à pleurer. Et si ce corps a souffert dans les affres de l'asphyxie, s'il sert de repas aux requins, aux calamars géants... Que reste-t-il à transmettre lorsque les enfants sont morts ? Comment grandir droit quand les parents ne sont plus là pour servir de tuteur ? Parmi toutes ces âmes écorchées, la résilience poussera la plupart à recommencer ou partir. D'autres s'enfonceront dans les sables mouvants de la dépression, englués, aspirés par cette même fange qui les aura finalement vaincus.

Mon esprit tourne dans le vide, accablé de ces interrogations sans réponse.

Il va falloir maintenant déblayer pour reconstruire. La sagesse des pierres gravées scellées dans la forêt est perdue sous la mousse. Elles mettaient pourtant en garde les hommes : « Ne pas construire au-dessous de cette limite, le tsunami de telle date est monté jusqu'à cette marque. » Ils vont pourtant rebâtir au même endroit. Parce qu'ils sont nés ici, liés à leurs racines, à leurs ancêtres dont les esprits peuplent encore les lieux. Ils ont vécu là depuis des générations. Ici la terre arable est rare, on la négocie de haute lutte avec la montagne, la forêt. Parce qu'ils ne connaissaient pas d'ailleurs pour les accueillir... Les années atténuent la peur et distillent l'oubli. Pour mille raisons, les hommes sont attachés à leur terroir et restent, enfermant les souvenirs de la catastrophe dans une lointaine mémoire. Pour l'unique raison qu'ils aiment ce sol ingrat et le vaste océan qui les nourrit mais les emporte parfois comme des offrandes. Et toujours les fait rêver.

L'humeur est taciturne à cause de la neige et du froid mordant, les conversations assourdies. Je roule mon futon comme une pierre de bagne. Je remercie mes hôtes pour l'assistance apportée à ma grand-mère et leur accueil, leur souhaite bonne chance et courage. La porte de la camionnette se referme dans un bruit tranchant de départ. Je prends congé. Quelques mains s'agitent jusqu'à ce que je disparaisse derrière les courbes d'asphalte.

Je fais le trajet en sens inverse de la veille, croisant des engins de déblaiement à l'œuvre. Des groupes de civils et de militaires sont parfois assemblés autour d'un corps, les mains jointes en prière, devant des maisons portant le mot « OK » écrit à la bombe de peinture. Deux lettres indiquant un bon de destruction, l'accord pour le néant.

L'hôpital est situé à l'arrière de la ville, tout près des rizières, entre la rivière Kitakami et la route du Sanriku. C'est un bâtiment récent de cinq étages, de proportions assez modestes. Sur le parking sont installées des tentes, des cabines de douches et de toilettes. Dans le hall d'accueil, l'activité est intense. Médecins, personnels soignants, volontaires, brancardiers se croisent, s'affairent, dans un patchwork bigarré, les uns en blouse blanche, d'autres en veste rouge et blanche de la Croix-Rouge, en gilets vert gazon, en surtouts de papier jaune. Des patients sont étendus sur des bâches à même le sol, recouvertes de futon. Certains sont reliés à des perfusions. Des noms s'égrènent sur des listes interminables collées à des panneaux devant lesquels se pressent des gens de tous âges, tendus, enfermés dans leur quête pour localiser des proches. Au comptoir, je fais la queue patiemment, donne le nom de ma grand-mère et son village. On me répond qu'elle est toujours dans l'établissement car aucun transfert n'est indiqué mais que je dois la localiser par mes propres moyens. L'hôpital ne compte que quatre cents lits, seuls les blessés les plus grièvement atteints les occupent. Examinant chaque visage, je chemine dans des couloirs où s'alignent en files ininterrompues des lits roulants. Le calme règne dans un brouhaha feutré de conversations, ordres, gémisse-ments, corps déplacés, appels à l'aide discrets. Des familles sont assises par terre autour de malades.

La souffrance, la promiscuité, l'urgence sous-jacente me projettent deux décennies en arrière en Yougoslavie. J'ai traîné dans des couloirs aussi surpeuplés un collègue blessé par un sniper. La même détresse, les larmes, la mort rôdant en embuscade dans chaque couloir, attendant son odieuse pitance. Mais ici pas d'impact de balle, de peinture écaillée, de femmes en fichu se lamentant, d'hommes armés à la mine patibulaire. Ici, la mort sent le désinfectant, la vase et le sel.

Je recueille auprès d'infirmières quelques informations. Des personnes âgées souffrant de mêmes pathologies ont été regroupées dans une salle attenante à la cafétéria. Par la fenêtre donnant sur le couloir, j'aperçois un groupe de vieillards allongés en rang sur des lits pliants, tous perfusés. Ils ont des cheveux blancs hirsutes, des visages ridés, les yeux clos dans la peur de l'abandon. Des corps décharnés, la peau hâve, habillés de vêtements trop grands et dépareillés qui dépassent de couettes immaculées.

Je scrute les visages un à un, je reviens en arrière, hésite. Se peut-il que cette personne derrière son masque, tout à gauche, soit ma grand-mère ? Quelque chose dans le bombé du front, la forme du nez m'interpelle. Je ne l'ai toujours vue que coquette, impeccablement coiffée, à peine maquillée. Je m'approche. Sa respiration soulève à peine sa maigre poitrine. Je décroche l'élastique de l'oreille, abaisse le masque. Je reconnais ses traits fins et sillonnés, sa bouche habituellement soulignée de rouge corail tordue d'un rictus de douleur, ses yeux souvent rieurs bordés de larmes. Mais elle est là, ma Obāchan, c'est bien elle. Je souffle enfin, remercie le ciel en fermant les yeux, relâche le nœud de tension dans mes épaules et mon ventre.

Je vais pouvoir retenir le fil ténu de sa longue vie, si elle en a encore la force et la volonté.

Sentant qu'on retire son masque, elle ouvre les yeux et me fixe. Son regard ne m'identifie pas. Je prends sa main, la caresse doucement en disant :

— Obāchan, c'est moi, Yukiko, ta petite-fille de France. Je t'ai enfin retrouvée, tu n'es plus toute seule maintenant, je vais prendre soin de toi.

Elle ne me reconnaît pas. Je caresse sa joue, essuie ses larmes. Ses yeux semblent regarder à travers moi, perdus, vagues. Je l'appelle encore.

— Je suis Yukiko, la fille de Junko, ta fille qui habite en France.

Elle tend vers moi sa main où est branchée la perfusion et saisit mes cheveux du bout des doigts, comme si le toucher l'aidait à focaliser ses pensées. Son regard cherche, affolé, à remettre ensemble ce qu'elle voit et ce dont elle se souvient. Et soudain elle murmure d'une voix pressante :

— *Akatombo ! Akatombo !*

Je suis surprise, je ne sais pas si elle m'a reconnue, encore moins pourquoi elle parle de libellule rouge. Elle serre fort ma main, puis ferme les yeux. Je crois qu'elle s'est endormie. Ses traits semblent plus apaisés, sa main se détend dans la mienne. Je reste là, assise près d'elle, à attendre.

Peut-être une heure plus tard, n'y tenant plus, les jambes ankylosées, je change de position et elle se réveille. Elle serre toujours ma main. Elle me regarde longuement et murmure d'une voix éraillée :

— Vous êtes l'infirmière ?

Je répète qui je suis mais son attention fluctue, son esprit n'opère pas le lien. Elle parle de nouveau de libellule rouge en marmonnant. J'espère que c'est une amnésie temporaire due à la déshydratation, aux médicaments administrés dans sa perfusion, ou au choc. J'ai l'impression d'être flouée, de n'avoir retrouvé qu'une partie d'elle. De déception, les larmes brouillent ma vue. Soudain mes vannes intérieures lâchent et libèrent le flot d'émotions retenues, la fatigue, la frustration, la lutte contre ces images de mort et de misère qui déchirent les âmes les plus solides.

Lorsque mes sanglots nerveux s'apaisent enfin, je distingue au milieu du flou liquide des doigts longs et fins me tendre une de ces petites pochettes aux teintes indigo, fendue au milieu, d'où sort un minuscule mouchoir en papier. Je le saisis avec gratitude. Tout en les tamponnant, mes yeux encore embués remontent de la main au bras, et du bras au visage. C'est celui d'un homme au regard triste. Mais ses lèvres s'efforcent d'ébaucher un sourire. Je devine sa lutte, comme si du fond de lui-même il allait piocher chaque pépite de bienveillance.

6

Hina Matsuri[1]

Yokohama, mars 1864.

— Sayuri, frotte plus fort !

— Mais je vais vous arracher la peau, maîtresse !

— J'ai grelotté toute la journée, ça me délasse ! Tu n'as pas idée comme mes pieds étaient gelés pendant le défilé, j'ai cru qu'ils ne me porteraient pas jusqu'au bout.

— Il neige encore ce soir. Si ça continue cette nuit, j'aurai du mal à aller au marché demain matin.

— Eh bien nous finirons le poisson des sushis d'aujourd'hui. Nous avons beaucoup trop mangé et bu de toute façon, ne me parle plus de nourriture, s'il te plaît. Pense à ranger les poupées dans leur boîte ce soir, ça te portera malheur sinon, c'est toi la seule fille à marier dans cette maison maintenant !

---

1. C'est la fête des petites filles, célébrée le 3 mars du calendrier actuel, mais dont la date pouvait fluctuer dans l'ancien calendrier japonais.

— Mais je n'ai aucune intention de me marier cette année de toute façon.

— Je l'espère bien, tu es encore si jeune. Et j'ai encore besoin de tes services !

— Votre époux aussi, semble-t-il. Il m'a demandé si mon père pouvait nous aider à déménager le matériel vers le nouvel atelier la semaine prochaine, lorsque les vitres seront posées.

— Ah ! J'ai hâte que ce remue-ménage se termine bientôt pour retrouver enfin un peu de quiétude. Charles et Camino n'en peuvent plus d'excitation et de projets. Ils ont d'ailleurs copieusement arrosé leur association officielle et leur nouvelle adresse.

— Votre époux est allé se coucher. Il s'est jeté tout habillé sur son futon. Camino san ne semblait pas en tellement meilleur état, mais il m'a pourtant demandé un flacon de saké.

— Pourvu qu'il n'ait pas l'idée de prendre un bain ce soir, soûl comme il est, il serait capable d'oublier de se laver avant ! J'aimerais pouvoir prendre le temps de me réchauffer tranquillement...

— J'ai fait en sorte que l'eau soit bien chaude, comme vous aimez.

— Merci Sayuri, je crois que ma peau est à vif maintenant, tu peux y aller, laisse-moi juste du thé dans la chambre avant d'aller te coucher. Bonne nuit.

— Bonne nuit, maîtresse.

Kané s'enfonça dans l'eau brûlante du baquet de bois avec délectation. C'était son remède à tous les maux, à toutes les fatigues, la conclusion parfaite d'une journée de festivités qui avait été harassante mais pleine d'entrain et de joie. Cette année, elle assistait au festival des petites filles en tant que spectatrice. Les années précédentes, elle avait entraîné et préparé au Gankirō un groupe pour le spectacle et le défilé, choisi les kimonos, ajusté à la bonne taille, confectionné les poupées de l'impératrice et de l'empereur pour l'autel de l'okiya, épinglé des chignons. Elle aimait cette fête gaie et féminine où elle goûtait pour quelques jours aux joies de l'affection maternelle.

Elle y revenait pour la première fois depuis son mariage. À son arrivée au bras de Charles, elle avait été entourée de ses anciennes protégées et collègues poussant des exclamations et cris de joie de la revoir ainsi avec son mari, en kimono sombre et strict d'épouse. On la questionna sans relâche sur sa nouvelle vie. Lui aussi avait fait sensation en arrivant vêtu à la japonaise d'élégants pantalons amples par-dessus son kimono, et veste *haori*. Il était l'un des rares étrangers à oser cette excentricité.

Camino s'était joint à eux et ils avaient retrouvé de nombreuses connaissances et amis dont certains exceptionnellement accompagnés de leurs épouses qui s'extasiaient devant l'opulence et la beauté des lieux. Une estrade richement décorée présentait une très belle collection de poupées costumées. Les quelques enfants occidentaux s'en émerveillèrent. Le spectacle fut charmant et d'une grande gaieté. Ils avaient ensuite dégusté les plats traditionnels composés d'ingrédients de bon augure ; riz vinaigré des *chirashi-zushi*, racines de lotus suaves et croquantes, palourdes iodées et surtout plein de gâteaux de riz de couleurs variées pour attirer pureté et bonne santé. On avait bu quantité de saké sans alcool pour les femmes et les enfants, les hommes préférant le doux. Puis ils avaient suivi la procession à travers la ville jusqu'à la mer où des poupées en papier emportèrent dans les vagues les mauvais esprits, les maladies et les malheurs. Mais la neige s'était mise à tomber abondamment. Kané, Charles, Camino, Satow, Willis et quelques autres s'étaient réfugiés non loin chez Walsh et Hall où thé fumant et alcools forts les avaient revigorés. Elle se sentait un peu isolée au milieu de tous ces célibataires riant et discutant en anglais. Son récent mariage à l'un des hommes les plus populaires en faisait une sorte de mascotte, pour un temps de grâce du moins. Ils taquinaient tous gentiment leur ami qui, disaient-ils, s'était mis un fil à la patte, tout en l'enviant secrètement d'avoir une si belle et distinguée compagne.

En dehors des courses de chevaux qu'elle n'affectionnait guère, des parties de boules sur gazon, des sorties de pêche et des pique-niques l'été, les occasions de distractions étaient rares à Yokohama. Pour le nouvel an occidental puis japonais, les matsuri et les fêtes, ils se retrouvaient avec plaisir au moindre prétexte de célébration. Ils avaient maintes fois porté un toast à l'association de Charles et Félix. Celui-ci continuait à la regarder avec gourmandise, ce qui la mettait très mal à l'aise. Charles habituellement enclin à la jalousie était aveugle à la convoitise de son ami, trop occupé à surveiller celle de Satow ou de Heco.

Elle attendait impatiemment le départ de Camino. Elle pourrait enfin savourer la quiétude de leur nid. Pas un instant, Kané n'avait regretté son choix d'épouser Charles. Pourtant, sa demande en mariage l'avait précipitée dans des affres de décisions contradictoires durant deux jours pendant lesquels, cent fois, le désir d'enfant et de félicité domestique l'avait disputé à l'indépendance, la sécurité et la reconnaissance, dans les larmes et les insomnies. Le troisième jour, elle s'était rendue à l'évidence. Charles avait semé la graine du doute. En restant au Gankirō, elle n'aurait jamais su ce que pourrait être ce bonheur. Et aurait passé le reste de sa vie en regrets. Malgré les certitudes de Charles, qu'il prenne un si gros risque financier pour elle la rassurait sur ses intentions d'engagement.

Kané l'avait fait appeler par coursier et avait revêtu le kimono que Charles préférait. Il était tendu, impatient, ne devinant pas sa réponse car son visage demeurait impassible. Elle avait calligraphié un petit haïku sur un papier de couleur. Elle le lui présenta posé au bout de l'éventail, comme Dame Murasaki dans le Dit du Genji. Comprenant l'allusion, il sourit en lisant le poème, éclata de joie et la souleva dans les airs en tournoyant. Il ne la reposa à terre qu'en bas des escaliers, fit prévenir Camino et Lindau par billet, appela deux palanquins qui les transportèrent jusqu'à l'office des douanes où il demanda sur-le-champ la rédaction du document officialisant leur mariage. Les fonctionnaires peu zélés mirent des heures à produire ce qui ressemblait plus à un contrat qu'à une union romantique. Il n'y eut pas de cérémonie shintō ou chrétienne par la suite, ils célébrèrent leurs noces simplement le soir même avec leurs témoins, quelques amis et deux courtisanes proches de Kané. Il la porta pour franchir le seuil de leur maison. Félix eut la délicatesse ce soir-là de dormir chez le voisin.

Trois mois s'étaient écoulés et elle avait encore du mal à réaliser le changement radical de sa vie.

En jetant sa petite poupée de papier dans la mer grise cet après-midi, elle avait prié les kamis d'éloigner les esprits envieux. Elle avait demandé pour Charles et elle la santé, le succès pour lui, la protection contre les dangers, et un enfant bientôt... Un bébé, garçon, fille, peu importait... elle se perdait dans ses rêveries... Elle commença à s'assoupir doucement dans l'eau tiédissant.

Un bruit la fit sortir de sa torpeur. Celui d'un pas pesant et mal assuré sur le parquet. Puis celui de la cloison de la salle d'eau coulissant dans sa rainure. Elle vit apparaître Camino en yukata dépenaillé, la bedaine à l'air, la démarche incertaine. Elle se couvrit immédiatement comme elle pouvait du petit carré de tissu.

— Kané, vous ici ! dit-il d'un air emphatique, la voix pâteuse chargée d'alcool.

— Camino san, je ne crois pas qu'il soit approprié de nous croiser ici. Veuillez sortir, s'il vous plaît pour me laisser passer un vêtement. Je vous laisse immédiatement la place.

— Mais vous ne me gênez pas du tout, bien au contraire. Cette habitude des bains à plusieurs est un attrait délicieux de votre pays !

Il s'exprimait désormais dans un japonais presque fluide, bien que toujours teinté d'un fort accent.

— Sauf que je doute que Charles apprécie votre goût de la promiscuité avec moi.

— Allons, allons, il dort à poings fermés, ronfle même bruyamment, on ne lui dira rien, ce sera notre secret !

Et sur ces mots, il se déshabilla.

Elle hésita, se demandant s'il valait mieux l'ignorer, ou partir. Elle choisit finalement la sortie, émergeant de l'eau en cachant de ses mains ses seins et son sexe, sans le regarder et se dirigea vers la serviette accrochée à la patère.

Il saisit alors le linge et le lui présenta déplié face à lui, tendu entre ses bras. Elle se figea, se sentant piégée. Il balaya tout son corps du regard, lentement, concupiscent. Il s'approcha et l'enveloppa, enserrant son buste et ses bras dans le tissu. Il était tout contre son corps, elle sentait son haleine avinée, son ventre toucher le sien, son sexe qui se tendait. Elle paniqua, son cœur battant à tout rompre. Elle tenta une esquive de côté, mais il la retint sans peine. Elle essaya de le raisonner, suppliante.

— Camino san, je vous en prie, ne commettez pas quelque chose que vous regretteriez. Pensez à votre ami, vous ne pouvez pas tromper son hospitalité, le déshonorer ainsi.

— Mais il n'en saura rien ! Allons, ne me dites pas qu'au milieu des courtisanes vous ne vous êtes pas donné un peu de bon temps dans d'autres bras que ceux de Charles.

— Cessez immédiatement, je lui ai toujours été fidèle et je l'aime. Vous êtes abject !

— Mais avant Charles, vous aviez un protecteur, m'a-t-on dit, qui vous payait bien pour vos belles jambes et ce qu'elles recèlent...

— Vous êtes odieux ! Je vous préviens, je vais crier !

— Mais criez, ma belle, Charles est trop soûl pour nous entendre et les domestiques trop peureux pour intervenir dans ce qui n'est peut-être qu'une simple querelle conjugale... Cela fait des mois que je rêve de vous, que je ronge mon frein en voyant Charles ensorcelé par vos sens, que j'attends un tel moment...

Il était trop ivre pour entendre raison, entrevoir les conséquences, mais encore assez lucide pour être déterminé à parvenir à ses fins. Elle commença à se débattre et à crier, ce qui l'enflamma encore plus. Il serra la serviette plus fort autour d'elle, la rendant incapable de libérer ses bras pour le frapper. Il pesa sur elle de tout son poids et la fit basculer sur les caillebotis de bois du plancher. Les arêtes saillantes lacérèrent la peau fine de ses vertèbres. Elle essaya de le repousser avec les jambes, lançant des coups de pied. En vain. Ses mains étaient puissantes à manier les appareils et les lourdes plaques. Elle recula en poussant sur ses talons jusqu'à heurter le mur de la tête. Elle était acculée contre le baquet. Elle ne pouvait plus soulever ses hanches. Il était si lourd. Si déterminé. Il se força violemment en elle. Dans un râle de jouissance, il s'assouvit presque aussitôt. Il relâcha alors son étreinte et se retourna sur le dos avec un grognement de contentement. Puis s'étendit de tout son long et s'endormit.

Figée, endolorie, paralysée d'effroi, le visage mangé de larmes de honte et de colère, elle n'osa bouger avant d'entendre un léger ronflement. Tout avait basculé si vite...

Elle se recroquevilla dans un coin, tenta de rassembler ses esprits. Elle se lava comme elle put avec l'eau du bain, se frotta jusqu'à s'écorcher comme si elle pouvait effacer la souillure. Les kamis la punissaient donc. D'avoir trahi sa caste. Épousé un barbare.

Avaient-ils refusé sa jolie poupée de papier ? La mer l'avait trop tôt engloutie et les esprits malfaisants se vengeaient...

Elle sortit de la salle de bains hagarde, avec une furieuse envie de fuir la maison, ces instants d'horreur. Où se réfugier à part au Gankirō ? Oblitérer la douleur dans la neige, s'y purifier. Fuir la tendresse et le regard de Charles demain, fuir la présence de Camino et devoir faire comme si de rien n'était. Fuir, fuir et se perdre...

7

Akatombo

Ishinomaki, hôpital de la Croix-Rouge, 17 mars 2011.

Son sourire dilue un bref instant mon désarroi.
L'homme me dit d'une voix de basse, chaude, d'en
prendre un deuxième. Ces mouchoirs sont trop petits
pour de si grandes mains. Trop petits pour tant de larmes.
Il est agenouillé comme moi auprès d'un homme âgé,
voisin de ma grand-mère.

— Merci, merci beaucoup.

— Je vous en prie.

Silence.

Me moucher serait vulgaire et grossier. Je détourne
la tête et tente d'essuyer mon nez de la façon la plus
délicate et discrète possible.

— Mon père était désorienté et confus lui aussi
lorsque je l'ai retrouvé ici avant-hier. Il était très dés-
hydraté et a une congestion pulmonaire. Il était surtout
profondément choqué, épuisé. Puis-je vous suggérer
de laisser un peu de temps à votre grand-mère ? Elle
finira par retrouver ses esprits, vous verrez.

— Vous avez sans doute raison. C'est juste que je viens de la retrouver après plusieurs jours de recherches et je ne sais pas trop ce que je vais dire à ma mère.

— Pourquoi pas la vérité ? Elle est en vie, c'est déjà une formidable nouvelle, et je suis certain qu'elle vous reconnaîtra bientôt.

— Vous êtes optimiste.

— La mort est partout autour de nous, je pense que plusieurs d'entre eux mourront de faiblesse mais surtout de désespoir. Ils n'ont plus personne. Alors je m'accroche à ce que je peux. Mon père est en vie. Il a dérivé pendant deux jours sur le toit de sa maison. Il a été repéré à dix kilomètres en mer et secouru par hélicoptère. Ça tient du miracle.

Sa voix s'étrangle. À son tour, ses yeux sont embués. Lui demander serait indiscret, mais inconsciemment mon regard sollicite la raison de son embarras. Il secoue la tête en disant :

— Ma mère...

— Je suis sincèrement désolée, ai-je dit de ma voix la plus compatissante. Avez-vous pu la retrouver ?

— Merci. Oui, j'ai de la chance par rapport à beaucoup. Son corps a été localisé et identifié grâce à son bracelet d'allergie.

J'admire sa faculté à trouver dans la tragédie ce maigre bonheur.

— De ce que j'ai pu reconstituer, c'est au fond un drame de l'amour auquel seul mon père aura survécu. Ils n'étaient pas ensemble lorsque les alertes ont retenti. Mon père m'a dit qu'après le séisme, il était revenu à la maison pour chercher ma mère et l'emmener à l'abri, tandis qu'elle est sans doute partie le rejoindre au centre associatif où il jouait au go tous les vendredis. Mais ils n'ont pas pris le même chemin et ne se sont pas croisés...

— C'est une ironie du destin bien amère, en effet. Allez-vous pouvoir organiser sa crémation ?

— Les crématoriums sont débordés, ils n'arrivent pas à faire face à l'afflux massif de corps. Il y a en plus pénurie de carburant. La municipalité commence à organiser des enterrements temporaires dans des fosses communes. J'ai beaucoup de mal à réaliser que le corps de ma pauvre mère, à peine sorti de la boue, va devoir y retourner et s'y putréfier horriblement. J'attends la confirmation qu'elle sera mise en terre demain.

Il reprend après un silence, en chuchotant presque, de peur de déranger le repos de ceux qui nous entourent.

— Pardonnez-moi de vous importuner avec mes histoires, si vous êtes ici c'est que vous avez votre lot de souffrances.

— Non, vous ne m'importunez pas du tout, au contraire, en parler soulage un peu le cœur.

— Qu'en est-il de votre grand-mère ?

— Elle a été secourue par les gens de son village, sur la péninsule. Sa maison est partiellement détruite et elle est restée plus de trente heures dans le froid, sans eau. À 98 ans, elle a été remarquablement résistante. Le sol du premier étage est tellement éventré qu'elle n'a pas osé bouger. Il y a un chalutier dans son salon. Je suis partie lundi matin à sa recherche. La péninsule est ravagée comme vous n'imaginez pas.

— Lorsque j'étais à la recherche de mon père, j'ai circulé pendant trois jours entre les centres d'héberge-ments accessibles le plus près de chez lui, les écoles,

les gymnases, les bâtiments publics. La plupart des routes étaient recouvertes de décombres, alors j'ai marché. Enfin, pataugé, escaladé, glissé, entre les maisons, les voitures, les poissons crevés... tandis qu'il dérivait. Finalement, il a été amené ici. Lorsque je suis arrivé avant-hier, c'était encore très chaotique mais les médicaments, la nourriture, sont arrivés, l'électricité a été rétablie.

Nous avons vécu la même quête, vu les mêmes images horribles qui peuplent la nuit nos cauchemars. Le silence qui émaille notre conversation n'est pas pesant, il reflète notre combat intérieur pour trier les émotions. Ne pas se laisser submerger.

— Vous n'êtes pas de la région, n'est-ce pas ? J'ai du mal à discerner votre accent. Tokyo peut-être ?

— Mes grands-parents sont originaires de Sendai. Je vis à Tokyo en ce moment, mais j'ai été élevée en France, mon père est français.

— La France ! Ah, quelle chance vous avez, quel merveilleux pays !

J'entends cela si souvent ; Paris, comme c'est beau... tous les clichés des Japonais qui connaissent la France seulement par les médias, ou bien qui en font le tour en quatre jours de voyage éclair organisé.

— J'y ai passé quelques semaines chez des collègues dans le Berry, après un séjour en Angleterre.

Ah, c'est donc une opinion nettement plus fondée.

— C'est vers Bourges, non ?

— Oui, c'est tout près. C'est un charmant petit village au fond de la forêt que vous ne connaissez sans doute pas, La Borne.

— La Borne ? Ça ne me dit rien, non. Mais vous excitez ma curiosité. C'est inhabituel pour un Japonais de visiter une telle région.

— C'est un centre de potiers qui essaie d'entretenir la tradition des cuissons au bois, dans de grands fours similaires à nos fours anagama et noborigama que l'on utilise encore ici. J'ai été invité, il y a quelques années à faire des cuissons avec eux, lors d'un festival. J'en ai profité pour visiter la région qui est belle, d'autres villages de potiers en Bourgogne proche, les plus célèbres châteaux de la Loire, et puis plusieurs jours à Paris bien sûr !

— Ainsi, vous êtes un artiste. La céramique japonaise est si belle et si variée, quel beau métier !

À mon tour de sortir des clichés.

— La céramique fait partie intégrante du quotidien japonais, tandis qu'en France, elle n'est plus très utilisée.

— Oui, c'est regrettable en effet, répond-il. Tant que les gens utilisent des matériaux de leur environnement, façonnés par des mains d'hommes et de femmes qui mettent de l'amour dans chaque objet qu'ils fabriquent, ils gardent un lien à la terre.

En disant cela, son ton s'exalte et la passion pour son métier, en si peu de mots, se ressent. La conversation prend un tour un peu surréaliste entre deux interlocuteurs assis par terre au milieu des lits de malades. Sans irrespect aucun. Juste le réconfort d'échanger pour se rassurer d'être bien vivant et d'avoir un fil auquel se raccrocher. Il se met à sourire, d'un vrai sourire sans effort, qui me réchauffe le cœur.

— Vous m'emmenez sur un terrain où je deviens très bavard !

— Vous exercez dans la région ?

— À une cinquantaine de kilomètres vers le Sud-Ouest dans les montagnes.

— Vous n'avez pas peur des radiations, n'est-ce pas la zone sous le vent par rapport à la centrale ?

— J'espère être plus au Nord que le trajet du nuage radioactif, mais je n'en suis pas sûr du tout. Et de toute façon, ils ne nous le diront jamais. Je saurai si j'ai été exposé dans dix ou vingt ans quand je développerai un cancer...

Je sens sa colère maîtrisée, sa résignation aussi. Je ne fais pas de commentaires.

— Avez-vous eu des dégâts avec le séisme ?

— Une bonne partie de mes créations est détruite. Mais c'est surtout mon four couché qui est très endommagé. Les voûtes du toit se sont effondrées sur presque toute la longueur, le haut de la cheminée est tombé et la toiture qui l'abrite est, elle aussi, abîmée. Heureusement, il n'était pas allumé au moment du séisme. Mais j'ai des amis potiers qui produisent du Somayaki, vous savez, ces poteries avec des silhouettes de chevaux qui courent. Eh bien, eux sont dans la zone d'exclusion autour de Fukushima Dai-Ichi. Ils ont dû tout abandonner du jour au lendemain, avec interdiction de revenir pour le moment. Ils sont dans des centres de réfugiés.

— C'est terrible, et si injuste.

— Pour moi, ce n'est que matériel. Ça se remplace. Pour eux, on leur a volé leur vie.

Je ne sais que répondre à cela. Je reste silencieuse.

— Et vous, puis-je vous demander d'où vous venez en France ?

— De Vendée et de Bretagne. Près de Nantes, vous voyez où c'est ?

— Oui, à peu près, vers l'Ouest près de la mer ?

— Tout à fait. Vous connaissez bien la géographie française, c'est remarquable !

— Quelques grandes villes. J'ai suivi un peu l'actualité lorsque j'étais en Angleterre.

— Je ne savais pas que l'Angleterre était un haut lieu de la céramique.

— Les Anglais ont une longue histoire d'amour avec elle, et il s'y développe certains mouvements créatifs très intéressants. J'ai enseigné quelques mois à la University of the Arts à Londres. Ce n'est pas le Royal College, mais c'était tout de même très... gratifiant. J'y ai énormément appris et transmis.

— Est-ce qu'il vous arrive de créer des bols pour la cérémonie du thé ?

— Oui, souvent. Le *chawan* est l'un des objets primordiaux du travail d'un potier ici. Même si je fais surtout de la sculpture, je me remets souvent au tour et façonne des bols que je modèle et m'efforce de rendre uniques. C'est un grand plaisir. Est-ce que vous pratiquez vous-même le *chanoyu* ?

— J'ai pris quelques cours, il y a longtemps avec une amie de ma mère qui l'enseignait. C'était pour moi un retour aux sources. Mais je vous demande cela parce que je suis photographe et je commençais justement un reportage autour du thé, comme je le fais assez souvent, en présentant les différents acteurs et composants. Je m'apprêtais à monter vers la région de Miyagi pour visiter des fonderies de théières lorsque tout cela est arrivé. Et je ne connais personnellement aucun potier qui crée des bols pour la cérémonie du thé.

— Eh bien ! Voilà qui est réparé. Je vous accueillerai avec plaisir dans mon atelier lorsqu'il sera présentable ! Mais nous ne nous sommes pas présentés. Hasegawa Hiroyuki[1], hajimemashite, enchanté de vous rencontrer.

Il se lève pour me saluer et s'incline profondément, bras serrés le long du corps. Il sort une carte de visite un peu écornée de son portefeuille et me la tend à deux mains, de façon formelle.

— Pardonnez-moi, elle n'est pas très présentable, je suis parti un peu précipitamment sans prendre mon porte-cartes, ne me doutant pas que je prendrai un rendez-vous professionnel à l'hôpital !

— Ne vous inquiétez pas, la mienne est à peu près dans le même état. Tenez !

Je me lève et m'incline à mon tour, mains jointes l'une sur l'autre.

— Enchantée. Le Bihan Yukiko.

En prononçant nos noms respectifs, nous scrutons sur les petits cartons blancs les caractères qui les composent. Les siens forment des combinaisons assez peu courantes. Nous nous regardons et sourions ensemble.

— Ainsi nous sommes tous deux des enfants de l'hiver !

— Oui, mais l'un grand, l'autre petit ! je précise.

— En effet, mon prénom signifie la grande neige, ou la vaste neige...

1. Hasegawa est le nom de famille. En japonais, il est placé devant le prénom.

102

— Et mon nom de famille veut dire « petit » en Bretagne, d'où la famille de mon grand-père est originaire. Je suis donc Petite Enfant de la Neige, et vous Grande Neige ! Et nous nous rencontrons un jour de neige, quelle coïncidence, non ?

Nous sommes debout face à face, oubliant pour un moment le sordide du lieu, la souffrance de nos êtres chers, absorbés dans le regard de l'autre.

Il a la peau dorée de ceux qui vivent au grand air. Une barbe de plusieurs jours pousse autour d'un bouc plus maîtrisé et de lèvres charnues, sensuelles. Ses cheveux parsemés de quelques fils d'argent, assez longs, tombent en mèches désordonnées sur ses yeux cernés. Ses sourcils se relèvent en accent, étirés vers les tempes comme ses paupières, donnant à ses pupilles noires à demi masquées un mystère, un voile impénétrable. Col roulé noir, veste molletonnée usée, pantalon à poches multiples ; sa silhouette mince, décontractée, bohème, me fait soudain réaliser que je suis habillée quasiment à l'identique et dois lui sembler ni féminine ni attrayante. Soudain j'éprouve de la culpabilité à le regarder, à me sentir bien dans ses yeux. Je romps le charme en me retournant vers ma grand-mère, embarrassée de m'être livrée à ces instants légers.

— Il faut que j'aille appeler mes parents. Ils doivent attendre les nouvelles près du téléphone.

— NTT[1] a installé ce matin deux téléphones satellites et plusieurs mobiles prioritaires si vous le souhaitez.

— Merci, mais j'ai dans mon van un téléphone satellite.

---

1. Nihon Telecom and Telegraph, opérateur historique.

Pourquoi suis-je sèche tout à coup, alors qu'il a été charmant ?

Pour me rattraper, je propose :

— J'ai aussi un réchaud et du thé, je vais en préparer pour elle, je vous en rapporte une tasse ?

— Avec grand plaisir, merci !

La joie de Maman me soulage, même si je ne cache pas qu'Obāchan n'a pas encore retrouvé ses esprits. Mais elle est prise en charge, reçoit les soins appropriés, et je veille sur elle. Avec mon fils je partage mes craintes plus librement, épanche mon trop-plein d'idées noires. Il me parle brièvement de ses sorties, de ses révisions pour me distraire et remonter mon moral. La catastrophe japonaise, bien que terriblement marquante pour lui, reste lointaine et ne l'empêche pas de vivre l'égoïsme de la jeunesse. Je lui en veux un peu de cette normalité. J'ai envie que tout le monde s'arrête d'exister, suspendu à la détresse du Tōhoku, compatissant au malheur. Paradoxalement moi aussi, comme tout un chacun ici, j'aspire à reprendre le cours de ma vie.

Dans la camionnette, je fais chauffer l'eau, prépare le thé. À un moment, je saisis mon reflet dans le rétroviseur. Je l'évite, par réflexe. Et puis j'y reviens par curiosité. C'est celui d'une femme aux traits tirés, à la peau pâle, avec de petites rides aux coins des yeux et autour de la bouche. Les cheveux blancs sont encore suffisamment épars pour qu'on ne les remarque pas trop dans les boucles de ma crinière châtain. Les paupières sur mes yeux bridés s'alourdissent bien un peu. Mon nez, un compromis entre le nez court et plat japonais et celui fin et long du côté paternel, s'est doucement arqué. J'ai hérité des traits asiatiques de ma mère, avec le teint, la complexion et la stature de mon père. Je ne suis pas blond roux comme lui, ni aussi grande, mais ses gènes ont contribué à éclaircir ceux de ma mère et élancer ma taille. Au Japon, j'embarrasse souvent les hommes que je domine. Mais si je ne me trouve plus jolie, mon indulgence concède au petit miroir que ma quarantaine progresse de façon encore présentable, fatiguée certes, pas tout à fait fanée. Vanité, vanité, je suis au milieu des ruines et du désastre et j'ausculte mon apparence en disant « miroir, mon beau miroir » à un rétroviseur de camionnette. La grande neige potière m'a un peu tourné la tête.

Les bras chargés de plusieurs tasses de boisson brûlante, je trouve ma grand-mère calée dans le creux de l'épaule de Hasegawa san en train de boire.

— Elle s'est réveillée pendant que vous étiez partie et réclamait de l'eau, alors...

— Vous avez très bien fait, merci ! J'ai apporté du thé pour elle et votre papa. Obāchan, voudrais-tu du thé bien chaud ?

Elle me regarde longtemps sans répondre, plisse les yeux, puis murmure :

— Vous êtes l'infirmière ?

— Non, Obāchan, je ne suis pas l'infirmière.

— Pourquoi m'appelez-vous Obāchan ?

— Tu es ma grand-mère.

— Je suis votre grand-mère, répète-t-elle sans comprendre.

Elle boit quelques gorgées.

— J'ai une petite-fille en France.

— C'est moi, Obāchan, c'est moi !

— Elle s'appelle... comment s'appelle-t-elle déjà ? s'interroge-t-elle.

— Yukiko.

— Oui, Yukiko, c'est ça. Comment le savez-vous ?

— Parce que c'est moi.

— C'est vous ? Vous venez de France ?

— Oui, non, de Tokyo, tu me reconnais ?

Elle me détaille encore longuement. Puis ses yeux se détournent, se perdent vers un horizon indéfini. Au-dessus d'elle, ceux du potier me cherchent pour me dire, je crois, de ne pas me décourager.

Nos tasses sont vides. Leur chaleur est passée dans nos mains, notre ventre, et provoque un peu de buée lorsque nous parlons. L'âpreté du thé trop fort persiste sur la langue. Nous restons silencieux, comme en suspens, dans l'attente.

Ma grand-mère somnole encore. Soudain elle s'agite, s'affole, cherche quelqu'un ou quelque chose. Son regard cherche une reconnaissance, une fusion entre souvenirs et présent. Il se fixe sur moi, intense.

— Yukiko, c'est toi ?

De grosses larmes roulent sur ses joues, mais ce sont, cette fois je crois, des larmes d'émotion. Elle palpe mes mains pour vérifier si je suis bien réelle, me fixe du regard à me transpercer.

— Oui, c'est bien moi, tu me reconnais ?

— Oh, oui, Dieu soit loué, tu m'as trouvée ! Ça me revient maintenant... la catastrophe. Le bateau. La nuit.

Je me penche pour l'embrasser, l'étreindre. Elle est décharnée. J'ai du mal à retenir mes pleurs.

— Je suis si contente que nous soyons enfin réunies, j'étais tellement inquiète ! Comment te sens-tu ?

— J'ai froid. J'ai froid tout le temps. Je crois que je ne me réchaufferai jamais. Et mes membres pèsent des tonnes.

— Je vais te trouver un autre futon. Tu vas aller mieux, je vais prendre soin de toi. Maman, Papa et Ken'ichi sont tellement heureux, là-bas en France, de te savoir en vie. Maman va appeler Oncle Satoshi en Australie qui est très inquiet aussi.

— J'ai eu si peur, tu sais, si peur. J'ai bien cru que c'était la fin. Je n'ai pas peur de mourir, mais la vague, le froid, m'ont terrorisée, dit-elle en gémissant.

Articuler semble difficile, sa respiration est haletante.

— Repose-toi, tu ne crains plus rien maintenant. Je m'occupe de tout. Dors, je ne bouge plus !

Elle sombre à nouveau mais cette fois, son visage semble plus apaisé.

Je propose à Hasegawa san de la rallonger mais il répond qu'il est confortablement adossé au mur. Peut-être retient-il dans l'attention à ma grand-mère un peu de sa mère disparue.

— Où est-on ? demande-t-elle lorsqu'elle se réveille.

Je crains que sa mémoire soit à nouveau repartie avec le bref somme. La déshydratation joue sans doute dans sa fatigue, la perfusion est presque vide.

— Nous sommes à l'hôpital d'Ishinomaki.

— Ah ? Pourquoi si loin ?

— Je crois que c'est le seul encore opérationnel dans les environs. Ce sont les gens de ton village qui m'ont dit où te trouver. Ils sont tous très fiers de toi ! Tu as été extrêmement courageuse et forte. J'ai eu beaucoup de chance que tu n'aies pas été transférée dans un centre de secours.

— Tu les as rencontrés ? Comment va le village ?

— Je ne vais pas te cacher qu'il ne reste pas grand-chose vers le port. Je sais juste que le maire et ses deux marins manquent à l'appel. Plusieurs enfants sont sans nouvelles de leurs parents. La maison des Maeda est encore debout. La tienne est très endommagée... il y a un chalutier dans ton salon.

— Oui, c'est bien ça. Quel énorme choc j'ai ressenti ! J'ai vu le plancher se soulever, des bouts de métal et de bois, du verre partout. J'ai eu de la chance de ne pas être blessée par les éclats. Tu sais, lorsque le séisme a secoué la maison si fort, je me suis dit que j'allais être ensevelie, qu'elle n'allait pas résister. Et malgré tout, elle a tenu. Quand j'ai entendu l'alerte au tsunami, j'ai hésité. Je me suis dit, Harue, il faut que tu grimpes derrière la maison pour te mettre à l'abri. Mais je n'en avais pas la force. La pente est raide, tu te souviens quand vous jouiez à cache-cache avec la petite Maeda dans la forêt, plus d'une fois vous êtes revenues avec les genoux abîmés par vos chutes. Alors j'ai décidé d'attendre la fin.

Elle ferme les yeux, revivant peut-être les instants de terreur. Essoufflée, elle reprend, par phrases saccadées.

— Tu sais, ma vieille carcasse me fait souffrir maintenant. Mes articulations sont un martyre. J'ai le souffle court. Tu me vois jouant au petit singe ?

Non, non, ce n'est plus de mon âge. Alors je me suis installée dans mon fauteuil à l'étage avec les photos de ton grand-père, ma boîte à souvenirs et ma bible, et j'ai attendu. Il y a eu une autre secousse violente. J'ai entendu un vacarme sourd, ce devaient être les premières vagues qui arrivaient mais je ne me suis pas levée pour regarder. Il y a eu ensuite un concert de sirènes de voitures. Ça a duré un moment. Et puis, il y a eu le choc. J'ai cru que mon cœur allait exploser. Quand il s'est enfin calmé, j'ai essayé de me lever, mais quand je bougeais, le fauteuil glissait vers le bateau. J'ai compris que j'étais bloquée, que je ne pourrais pas partir. Après, j'ai perdu le fil des heures. Des flocons s'engouffraient par moments dans la pièce. J'ai eu si froid, si soif. J'ai dû faire sous moi, tu te rends compte. J'avais plus peur de souffrir que de mourir, mais voilà, ce n'était pas encore mon heure. J'aurais préféré partir, je ne suis plus bonne à rien, j'ai fait mon temps, j'aurais rejoint mon Kazuo.

— Ne dis pas cela, Obāchan, nous aurions été si tristes de te perdre.

— C'est dans l'ordre des choses, mon petit, nous ne sommes que de passage. On m'attend là-haut.

C'est un comble, elle me réconforte.

— Obāchan, as-tu dit aux médecins ou aux infirmières qui t'ont soignée ce que tu prends habituellement comme médicaments, pour tes rhumatismes, ou ton cœur ?

— Mais je ne prends rien, je bois juste mon thé vert, c'est très bon pour tout ça.

— Tant mieux, c'est justement celui que tu viens de boire.

Elle est toujours installée contre l'épaule du potier, qui plaisante sur mes tasses en polystyrène.

— Et qui est ce monsieur si serviable ?

— Hasegawa Hiroyuki, madame. Mon père est dans le lit à votre gauche.

— Oh, je suis désolée. Va-t-il bien ?

— Il se remet doucement, merci.

— Obāchan, qu'est-ce qui te ferait plaisir ? As-tu faim ? Il faudrait manger quelque chose. Je n'ai pas de calissons cette fois, mais j'ai des dorayaki, si tu veux. Qu'est-ce qu'ils t'ont donné ?

— Je crois qu'elle est nourrie par la perfusion, intervient Hasegawa san.

— Oui bien sûr. Est-ce que tu voudrais du gruau de riz dans ton thé ?

— Oh, ma petite fille, j'ai à peine la force de parler, encore moins de mâcher quoi que ce soit. L'idée d'un dorayaki trempé dans le thé me plairait bien. Demain peut-être...

— D'accord, on essaiera demain. Aurais-tu besoin d'autre chose ?

— Je voudrais prendre un bain...

Nous éclatons tous deux de rire devant l'incongruité de la requête. Nous en rêvons bien sûr. S'asperger de torrents d'eau, frotter sa peau énergiquement, masser ses cheveux de shampoing odorant, se glisser sous la surface brûlante et compter chacun de ses muscles se détendre. Un luxe.

— Ça, ce sera peut-être difficile, mais je vais me renseigner. Il va d'abord falloir que tu reprennes des forces !

— J'ai entendu dire que les forces d'autodéfense allaient déployer des bains de campagne bientôt.

Pour le moment, il faut se contenter des bouteilles d'eau et des citernes extérieures pour une toilette de chat. Mais peut-être que ce n'est pas un luxe si lointain ! dit-il.

— Tu as parlé à plusieurs reprises de libellule rouge. Akatombo... tu te souviens ? Tu me chantais souvent la chanson quand j'étais petite.

— Oui, tu me la réclamais tous les soirs. Mais je crois que je ne pensais pas à la chanson mais à ma boîte. Tu sais, ce coffret laqué, noir avec des libellules rouges dessus, dans lequel je range mes souvenirs, les photos, les lettres, les objets auxquels je tiens. Elle était à côté de moi quand les sauveteurs m'ont trouvée, je leur ai demandé de l'emporter mais ils n'ont pas voulu, elle était trop grosse. Crois-tu que tu pourrais la récupérer ? Et ma bible aussi.

— Je vais voir ce que je peux faire, Obāchan, je ne peux rien te promettre. Monter dans la maison est un peu risqué, mais je vais essayer.

— Merci. C'est mon passé, tu comprends, tout ce qui me reste. Je voudrais pouvoir te les montrer, ce sera à toi de les conserver et de les passer, pour continuer l'histoire de la famille.

Elle étreint encore mes mains en souriant. L'angoisse sur son visage a cédé la place à la sérénité, interrompue parfois de quelques rictus de souffrance. Je lis de la résignation paisible dans son regard. Hasegawa san la recouche, elle sombre presque instantanément, épuisée par ces grandes retrouvailles.

Je fonds en larmes en riant, les vannes se rompent encore mais cette fois, je me sens libérée. À mes côtés, le potier, hésitant, pose une main sur mon épaule pour me réconforter. Je crois qu'il faut de telles

circonstances pour qu'un homme japonais de sa génération ose me toucher en public en ne me connaissant
que depuis quelques heures. Le chagrin faisait tomber
la barrière invisible de la politesse. Reconnaissante, je
lui adresse un grand sourire. Je m'excuse de pleurer
ainsi, mais comme c'est ce qui nous a rapprochés, je
ne le regrette pas.

— Vous aviez vu juste, j'avais tort de m'inquiéter.
Merci. J'espère qu'elle va reprendre des forces, elle
est si fragile.

— On va s'y employer.

Je ne relève pas le « on ».

La nuit est tombée. Nous vaquons à nos ablutions,
rangements, soins aux malades. Il parle avec son père,
affaibli par la toux et les calmants. Avec une extrême
tendresse, il lui prodigue des soins intimes. À côté,
Obāchan dort paisiblement. Il fait trop froid pour dormir dans la voiture et je ne veux plus m'éloigner de
ma grand-mère. Nous déroulons nos sacs de couchage
sur les bâches du sol, perpendiculairement aux lits des
malades, nos têtes à moins d'un mètre l'une de l'autre.
Nous nous souhaitons une bonne nuit. Je vais fermer
les yeux sur une journée commencée dans la tristesse
et le doute, achevée dans le réconfort et l'espoir. Je
n'aurais pas dû ignorer le signe de la neige ce matin...

8

Ichirō

Île d'Enoshima, 21 novembre 1864.

Quel regard énigmatique se cache derrière les paupières baissées du Daibutsu ? Le visage est grave, stylisé, très rond. La bouche est-elle dédaigneuse, concentrée dans la méditation, ou bien triste de la faiblesse des hommes ? Les mains sont tournées vers le ciel, index accolés, pouces joints. Son vêtement tombe en plis souples, le drapé masque les jambes repliées en position du lotus. Sa haute stature de bronze le domine de plus de cinq fois sa taille. Il voudrait mieux apercevoir ses yeux, comprendre les pensées du Bouddha. Il grimpe sur ses jambes. Soudain la statue penche sa grande tête vers lui et découvre des pupilles noires. Les sourcils s'arquent, se resserrent en accent menaçant. C'est un regard terrifiant qui va le consumer sur place, l'écraser de culpabilité, le dévorer de remords. Il lève un bras et l'enserre dans ses plis, il est happé par le tissu, s'enfonce entre les membres, disparaît dans le vêtement. Il perd la lumière mais devine toujours le cercle entre les yeux du Bouddha qui l'accuse.

Il se débat et s'enferre, se retourne, étouffe, cherche l'air. Pousse un cri silencieux...

Félix s'éveilla en sueur, hagard, paniqué, emmêlé dans son futon. Avait-il réellement crié ?

Le souffle court, il se dressa sur son séant pour tenter en secouant la tête de chasser les images de terreur. Charles grogna sur l'autre couche à quelques pas de lui mais n'émergea pas du sommeil. Le jour naissant diffusait ses rayons de miel à travers les parois de papier translucide. Félix se rejeta en arrière sur le matelas de coton, frotta vigoureusement son visage jusqu'à disperser l'angoisse. Depuis ce soir-là, sa culpabilité gluante le taraudait sous les multiples traits des esprits et avatars du panthéon japonais. Jamais le visage de Kané ne le visitait dans ses cauchemars parce qu'il ne s'en souvenait même pas, tant l'ivresse avait dissous ses pensées et noyé ses actes dans des vapeurs d'oubli. Souvent après des visites touristiques marquantes, des statues de temples, gardiens figés, singes grimaçants, se muaient au fond de ses nuits en masques grotesques pour l'accuser et le happer dans leur univers terrifiant d'où il sortait hébété. La veille, la visite du sanctuaire de Hachiman et au grand Bouddha de Kamakura l'avait impressionné. Il avait réalisé de bonnes photographies. C'était une belle journée d'automne, ensoleillée et fraîche, à l'apogée de l'embrasement coloré des érables et ginkgos qui contrastaient avec le vert sombre des pins du bord de mer. Le ressac était tendre à l'oreille, régulier comme un souffle. Ils avaient collecté pendant ce court voyage de quoi composer les albums pour voyageurs de passage ou militaires en poste qui alimenteraient les rêves d'exotisme en vogue dans la vieille Europe ou aux Amériques.

Charles, qui lui servait de guide, était comme toujours un compagnon fantasque et drôle, à l'aise au milieu des petites gens qu'il amusait en les caricaturant, séduisant de son regard bleu les femmes qu'il croquait en quelques traits de crayon sur le papier de leurs éventails.

Félix regarda dormir son ami aux traits paisibles, insouciants. Cet ami qu'il avait trahi, qui ne se doutait de rien. Cet ami aux côtés duquel il travaillait quotidiennement. Cet ami dont il avait convoité l'épouse. S'il était rongé de remords, il l'était autant de regrets. Il avait la nostalgie de ces mois d'« avant », insouciant, tout à ses découvertes du pays, à l'excitation artistique, au charme sensuel et inatteignable, semblait-il, de Kané.

Il s'habilla en silence, fit glisser la paroi et descendit l'escalier de bois sombre. En attendant Charles, il alla examiner le ciel, la qualité de la lumière qui déterminerait l'exposition des clichés de la journée.

***

Charles émergea doucement du sommeil profond et réparateur que procure le voyage. Il aimait cette torpeur douillette du petit matin après une journée à cheval, harassante mais satisfaisante. Il s'étira et bâilla bruyamment. Les effluves appétissants d'une soupe de *miso* et de poisson grillé achevèrent de le réveiller.

En arrivant dans la salle commune, il fut accueilli par la patronne de l'auberge dont le visage se fendit d'un grand sourire.

— Bonjour honorable client ! Votre nuit fut-elle reposante ?

— Bonjour ! Oui, j'ai très bien dormi merci, après toutes ces danses !

— Venez, installez-vous, s'il vous plaît. Votre petit déjeuner est prêt. Vos amis ne devraient pas tarder à vous rejoindre.

— Mes amis ? Camino est déjà descendu, nous n'attendons personne d'autre.

— Les messieurs anglais arrivés hier soir tard disent vous connaître, aurais-je mal agi ? En ce cas, je vous prie humblement de m'en excuser.

— Nous verrons, ne vous inquiétez pas.

Il connaissait bien l'aubergiste pour être venu à maintes reprises avec de nouveaux résidents de Yokohama ou pour le plaisir du bord de mer. L'île d'Enoshima offrait une retraite paisible pour la nuit. Depuis un large *torī* sur la plage, on montait par un chemin sinuant au milieu des auberges et maisons de thé aussi abondantes que les temples dédiés aux déesses Kannon et Benten. Devant les maisons de pêcheurs séchaient coquillages, algues et poissons volants rapportés par une petite communauté de plongeurs hors pair. Une grotte très profonde serpentait tel un boyau dans les entrailles de l'île, garnie de multiples idoles qui attiraient les pèlerins.

Charles tenait toujours à se mêler aux autres clients pour les divertissements qui s'improvisaient lors des repas du soir. Hier autour de l'âtre carré, on avait chanté, frappé dans les mains, bu beaucoup de saké chaud. La patronne avait esquissé quelques pas de danse. Puis Charles avait tenté de la conduire dans une valse endiablée, accompagné par la belle voix de baryton de Félix, au milieu d'éclats de rires et d'applaudissements.

Au même endroit en ce début de journée, les matinaux terminaient leur repas, baluchons à leurs côtés. Félix venait d'y rejoindre Charles lorsque apparurent deux Britanniques. Bien qu'en costume civil et chaussettes, les militaires étaient immédiatement reconnaissables à leur gestuelle et leur maintien.

— Messieurs Pearsall et Camino, je présume. Enchanté, major Georges Baldwin, vingtième régiment du deuxième bataillon de Sa Majesté, et voici le lieutenant Robert Bird. Votre réputation vous précédant jusqu'ici messieurs, nous nous sommes permis de demander à partager votre petit déjeuner.

— Enchanté major, salua Félix avec son inimitable accent italien. Lieutenant. Vous nous voyez flattés d'être reconnus ainsi par nos compatriotes loin de Yokohama.

— Lorsque hier soir en arrivant, nous avons vu des bottes dans l'entrée, nous nous sommes enquis auprès de l'aubergiste de la nationalité des pieds qu'elles chaussaient. Elle nous a de surcroît dévoilé fièrement vos noms, elle semble vous apprécier !

Des mains furent serrées, quelques banalités d'usage échangées, les quatre hommes s'attablèrent en tailleur sur les tatamis.

— Nous ne nous sommes pas encore croisés à Yokohama. Êtes-vous nouvellement arrivés ? demanda Charles.

— En effet, répondit le major, il y a à peine plus d'un mois, en renfort des troupes postées en ville et des vaisseaux endommagés lors des combats de cet été.

— Certains ont souffert lors des échanges de feu et de vaillants soldats y sont tombés, dit Camino. J'ai moi-même couvert les événements de Shimonoseki en compagnie de Satow, que vous avez sûrement rencontré. Il était traducteur pour l'amiral Küper. Dommage que vous n'ayez pu voir notre escadre ! Elle comptait pas moins de dix-neuf canonnières, corvettes, frégates, sloops et vapeurs ! Vu la démonstration de force multinationale, je crois que nos ennemis n'attaqueront plus de sitôt !

— Félix a pu saisir la reddition et la signature des accords et j'en ai tiré des illustrations pour le *Japan Times*.

— Oui, remarquablement vivantes, monsieur Pearsall, reprit Bird. Je regrette parfois de ne pas appartenir à la Marine pour voir de tels combats.

Ils furent interrompus par l'arrivée du repas. Lorsque chacun fut servi, Baldwin et Bird échangèrent des regards interrogatifs sur le contenu de leur plateau.

— Je crois que je ne m'y ferai jamais, cette soupe salée dans laquelle flottent des algues me révulse. J'ai déjà mis pas mal de temps à réussir à manger avec ces bouts de bois, mais ça... Qu'est-ce qui surnage dedans ? On dirait des yeux.

— Ce sont des petits champignons, l'éclaira Charles. Personnellement, j'aime beaucoup le petit déjeuner japonais. Riz, omelette, poisson, c'est finalement plus sain que nos œufs miroir, bacon et haricots à la tomate. Goûtez-moi ce délicieux poisson dont j'ignore le nom, mariné dans une sauce de soja et de vinaigre de riz.

C'est succulent. J'ai juste du mal avec la seiche crue de bon matin, c'est un peu gluant et fade.

— Je suis comme vous, major, confessa Félix, mon estomac méditerranéen a du mal à s'accommoder à la gastronomie locale, notamment les poissons et fruits de mer crus dont Charles, comme les indigènes, raffole.

— Trêve de gastronomie messieurs, nous sommes-nous manqués de peu hier à Kamakura ou bien c'est votre prochaine étape ? demanda Charles.

— Nous rentrons sur Yokohama en passant voir le Daibutsu dont tout le monde parle tant, répondit Baldwin. Je sais que je m'adresse au maître Pearsall, mais je ne déteste pas, à l'occasion, réaliser quelques croquis et aquarelles lorsque de beaux sites se présentent. Et au Japon, je m'émerveille de tout !

— Mais je ne prétends pas du tout être l'unique talent de Yokohama et la référence en la matière, se défendit Charles. Dessinez, peignez, publiez, nous ne sommes pas assez nombreux pour faire connaître toutes les beautés de ce pays !

— Et vous, messieurs, interrogea le jeune lieutenant, où poursuivez-vous votre périple ? Y a-t-il d'autres curiosités que vous n'auriez pas encore figées dans l'argent et le collodion pour la postérité ?

— Ah, je vois que Signore Bird est connaisseur en matière photographique. Il me reste peu de plaques, mais la lumière est belle aujourd'hui. Je trouve le Tōkaidō, très... comment dire... « pittoresque » ! J'aime photographier les auberges, les postes de douanes, les gens petits et grands qu'on y croise. Nous dormirons peut-être encore une nuit en route, vers Fujisawa et arriverons sur Yokohama sans doute demain dans l'après-midi. Nous n'aimons cependant pas trop,

Pearsall et moi, traîner sur cette route plus longtemps que nécessaire, au risque de croiser des convois de nobles seigneurs peu amènes. Je ne voudrais pas qu'il nous arrive les mêmes mésaventures qu'à Richardson.

— Soyez prudents, renchérit Charles, tous les autochtones ne sont pas aussi bienveillants que notre hôtesse. Je sais par mes élèves et amis japonais que le sentiment antiétranger se renforce de jour en jour à travers le pays. La spéculation sur l'or, la flambée des prix du riz sont sans doute un bon ferment à la montée nationaliste. Pour avoir subi quelques épisodes violents par des rōnin déterminés à nous jeter hors de leur pays, je vous enjoins de garder vos pistolets près de vos crayons, vous en apprécierez que plus sereinement les sites touristiques.

— Merci de ce précieux conseil, monsieur, en effet nous ne sommes que faiblement armés. Cependant, je tire un peu de fierté à être militaire et savoir me défendre.

— Major, pardonnez-moi de mettre en doute vos aptitudes qui, j'en suis certain, seraient très efficaces dans un combat loyal, mais je ne crois pas qu'un revolver soit d'une quelconque utilité face au tranchant de rasoir des sabres japonais et surtout à la rapidité et la virtuosité des samouraïs qui les manient.

— Sans doute, sans doute, monsieur Pearsall, j'écoute la voix de l'expérience et nous surveillerons, lieutenant Bird et moi mutuellement nos arrières.

Ils terminèrent leur repas sur d'autres conseils touristiques, quelques souvenirs communs de Chine, et commentaires désavantageux sur leurs montures, se promettant de se revoir aux prochaines festivités.

La marée étant basse et d'assez fort coefficient, les quatre hommes purent faire traverser l'isthme vers le continent à leurs montures et palefreniers à pieds secs. Ils partirent deux à deux dans des directions différentes, ne se doutant pas un instant, dans la bonhomie du moment et la courtoisie de la rencontre, qu'ils ne se reverraient pas vivants.

***

Yokohama, le même jour.

Depuis le départ du maître trois jours plus tôt, Sayuri remportait les repas de Kané à peine entamés. Elle la voyait perdre pied, anxieuse, irritable, guettant son retour au moindre glissement de la porte d'entrée. Sayuri ne savait plus comment la distraire et l'apaiser. Quelle idée de faire cette excursion photographique maintenant, ce n'était vraiment pas le moment ! Si près de perdre Kané, Charles ne s'était pas autorisé à la laisser seule cette année. Durant des mois, il ne s'était pas éloigné de Yokohama de plus d'une heure de trot. Il avait laissé Camino couvrir seul les combats de septembre. Cette fois-ci pourtant, elle n'avait pas osé le retenir, lui faire comprendre qu'elle avait besoin de sa présence, qu'elle avait un mauvais pressentiment. Les femmes sentent ces choses dans leur corps mais ne savent pas toujours l'expliquer.

Kané avait changé depuis cette nuit de la fête des poupées. Les deux femmes n'en avaient jamais reparlé depuis qu'elle était sortie des longues semaines pendant lesquelles l'agonie l'avait disputée aux sursauts d'envie de vivre. Elle avait montré sa reconnaissance silencieuse envers le dévouement de Sayuri en lui donnant une responsabilité dans la domesticité qu'elle n'aurait jamais eue à son jeune âge. Mais cette nuit de mars avait obscurci la personnalité de Kané. La neige avait enseveli son insouciance amoureuse.

Les réminiscences de ce funeste épisode taraudaient encore Sayuri. La petite chambre des communs où elle dormait se trouvait de l'autre côté de la cour sur laquelle donnait la salle de bains. Ce soir-là, elle venait à peine de s'étendre sur son futon lorsqu'elle perçut les éclats de voix de sa maîtresse, entre colère et peur. Elle tendit l'oreille, reconnaissant des bribes d'intonations japonaises sans en saisir le sens. Elle hésita longuement à bouger, partagée entre inquiétude et discrétion, n'ayant jamais entendu de dispute entre ses employeurs mariés depuis quelques mois. Elle finit par chausser ses *geta*, des socques de bois pour traverser la cour enneigée, et rentrer dans la maison à l'affût du moindre bruit. La cloison de la pièce de bains glissa, la porte d'entrée juste après. Elle aperçut celle-ci ouverte sur les dalles de pierre du chemin menant au portail sur la rue. Dans la couche de neige déjà épaisse, des pieds menus avaient laissé leurs empreintes. Des pieds nus, pas des socques ou des sandales de paille. Intriguée, elle serra autour d'elle sa veste molletonnée, rechaussa ses geta et descendit dans la neige. Sans lanterne et avec la neige qui tourbillonnait en lourds flocons, elle eut du mal à suivre les traces jusqu'à une rue plus large où, à la lueur des maigres éclairages, elle distingua la silhouette de Kané en yukata, une épaule découverte, courir, trébucher, se relever et repartir. Courir sur ces plateformes de bois était beaucoup moins aisé que pieds nus et elle fut distancée, perdant sa maîtresse de vue dans la nuit et les bourrasques.

Où pouvait-elle bien courir ainsi et pour quelle raison inconsidérée à pareille heure et par un tel temps ? La mer était derrière elles, la ville japonaise plus à droite, le quartier du Benten au bout. Le Gankirō ? Kané courait avec l'énergie du désespoir, Sayuri avec celle de la jeunesse et de l'attachement. Dans de pareilles conditions climatiques, aucun marin éméché, aucun marchand à cheval ne s'aventurait dans les rues. Les gardiens des ponts et barrières d'intersections étaient dans leurs petits abris. Seul le gué de ville, claquant ses morceaux de bois l'un contre l'autre pour rassurer les bonnes gens, arpentait les rues. En l'apercevant, elle lui cria, suppliante, de rattraper la femme qui courait. Il hésita un instant, pesa l'inhabituel de la situation, puis courut à sa suite et les fit tous deux lourdement tomber dans la neige. Il s'excusa en tentant de la redresser mais il avait devant lui une folle échevelée, à moitié dévêtue, aux yeux gonflés et aux joues souillées de larmes. Elle se débattit, secoua la tête, criant de la laisser tranquille. Sayuri les rejoignit à bout de souffle et à genoux dans la neige lui réajusta son vêtement. Elle entoura la jeune femme affolée de ses bras, la remit debout, tenta de l'apaiser. Mais Kané refusa de rentrer, repartit vers le Miyozaki en sanglotant à cœur fendre. Il fallut que Sayuri l'invective et la saisisse vigoureusement pour qu'elle se laisse enfin reconduire.

Elles rentrèrent ainsi transies, couvertes de neige, le visage exsangue, les pieds et mains gelés. Lorsque dans la maison Sayuri voulut diriger Kané vers le bain pour se réchauffer, celle-ci refusa catégoriquement et se remit à pleurer. Elle installa sa maîtresse sur un futon, la déshabilla, la frotta énergiquement sur tout le corps pour ramener un peu de vie dans ses membres bleuis. La jeune femme claquait des dents sans pouvoir se maîtriser et se replia en position fœtale, perdant peu à peu pied dans le sommeil ou l'inconscience. Se déshabillant à son tour, Sayuri resta plusieurs heures contre elle pour tenter de transmettre ce qui lui restait de chaleur à ce corps devenu inerte, fuyant vers l'oubli.

Au matin, elle reprit ses activités quotidiennes sans rien dire aux autres domestiques, mais frissonnait et éternuait sans cesse. Son maître s'enquit de son épouse, habituellement levée la première. Elle répondit qu'elle dormait toujours et que Camino san était parti sans rien manger ni dire où il allait. Sayuri attendit que Charles descende pour se glisser dans la chambre de sa maîtresse. Celle-ci respirait trop vite, d'un souffle peu profond et rauque. Son front blême était couvert de sueur, son futon humide de transpiration. Sa main était brûlante et molle, sans aucune réaction. Sayuri ne voulait pas souffler mot de la fuite d'hier mais elle ne pouvait pas laisser son maître ignorer l'état de sa femme. Elle raconta à Charles comment sa maîtresse s'était plainte du froid la veille et qu'elle se sentait fiévreuse. Kané ne se réveilla pas malgré des tapes de plus en plus fortes sur les joues. Il ordonna à la jeune servante de ramener au plus vite le docteur.

Willis faisait partie des anciens de Yokohama, installé lorsque la ville n'était encore qu'un bourg malfamé, moitié port de pêche, moitié ville d'aventuriers.

Sayuri dut le traquer à travers la ville entière transformée en bourbier par la neige fondue. Le médecin parlait un excellent japonais bien qu'empreint d'un fort accent anglais qui faisait danser ses voyelles. C'était un homme à l'esprit ouvert et curieux qui s'intéressait à la médecine locale et soignait indistinctement toutes les races des deux sexes. Il emporta dans sa sacoche noire les potions les plus appropriées. Il dominait Sayuri d'au moins deux têtes et ses mains réunies auraient pu enserrer sa taille. Elle trottait à ses côtés, faisant quatre pas quand il en faisait un seul. Le géant dut se baisser sous le linteau de la porte et passer ses épaules de biais. Charles et lui se serrèrent chaleureusement la main, son maître visiblement soulagé par la présence du médecin, comme si la guérison de son épouse devenait implicite par sa simple apparition.

Willis lava ses mains avant d'ausculter Kané, prit son pouls, observa ses yeux, écouta son souffle à l'aide d'un petit cornet. Il demanda à Sayuri si elle avait vu sa maîtresse reprendre conscience à un moment. Elle pouvait nier en toute bonne foi mais était gênée de devoir dissimuler aux deux hommes les vraies raisons de l'état de Kané. Peut-être était-il important que le docteur le sache pour mieux la soigner mais elle ne pouvait s'y résoudre, sentant que sa maîtresse protégeait un secret. Willis avait l'air sombre, parlait en anglais à Charles d'une voix mesurée qui, même dans une langue étrangère, ne parvenait pas à masquer l'inquiétude. Il lui donna des instructions pour la préparation de cataplasmes et de potions. La soupe de miso, naturellement salée, était recommandée pour l'hydrater, mais Sayuri devait lui faire avaler par toutes petites gorgées qu'elle déglutissait à peine.

Vers le soir, la fièvre augmenta encore et elle glissa vers une plus profonde léthargie. Charles devint malade d'anxiété. Willis repassa s'enquérir de l'évolution de la malade, surpris que ses préconisations n'aient porté aucune amélioration. Il s'expliquait l'état physique de Kané, pas son inconscience. Il leur dit avec fatalité qu'il ne pouvait rien faire de plus et qu'il fallait attendre que la malade lutte avec ses propres forces.

Charles en avait presque oublié l'absence de Félix. Willis dit l'avoir aperçu au club, éclusant les réserves de porto du bar, ce qui ne lui ressemblait guère. Il se sentait peiné que Félix ne lui témoigne pas son soutien dans de pareils moments.

Celui-ci réapparut tard, la mine longue, peu bavard. Il fut choqué d'apprendre l'état de Kané, encouragea Charles et se retira presque aussitôt, prétextant une forte migraine.

Durant deux jours, la fièvre ne baissa pas. Charles et Sayuri se relayaient à son chevet pour renouveler régulièrement les linges trempés dans l'eau fraîche. Sa température chuta enfin le troisième jour. Elle émergea de sa torpeur et trouva Sayuri endormie à ses côtés. Les souvenirs douloureux l'assaillirent immédiatement et de grosses larmes roulèrent sur ses tempes, silencieuses. Au bout d'un moment, elle sentit une petite main douce essuyer ses larmes et tourna sa tête vers Sayuri qui lui souriait. Elles échangèrent un regard embué, empli du soulagement de la jeune fille, auquel répondait la gratitude de la maîtresse et qui scella une promesse de silence.

Il lui était au fond égal de connaître les raisons du comportement de Kané, même si elles semblaient de plus en plus évidentes. Les grands yeux tristes pleuraient sa résignation à vivre.

Prévenu par Sayuri, Charles, une ombre bistre sous les yeux, serra sa femme dans ses bras un long moment, embrassait ses cheveux ternis pas la fièvre, ses lèvres pâles, la peau translucide de ses mains. Il pleura de soulagement et de joie, mêlant ses larmes aux siennes, versées pour des raisons très différentes qu'il ne pouvait soupçonner.

Kané n'était cependant pas sortie d'affaire. La pneumonie lui arrachait des toux et des râles sans fin qui la laissèrent très affaiblie. Des sursauts de fièvre la reprirent par intermittence. Durant quatre semaines, elle ne quitta pas sa couche. Willis passait régulièrement prendre de ses nouvelles et renouvelait les médicaments et sirops. Charles lui rapportait des petits cadeaux, faisant esquisser des sourires à son visage amaigri : les premières fleurs du printemps cueillies durant ses promenades à cheval, un *haïku* de Bashō, une caricature de Félix dessinée pour le prochain numéro des *Japan Chronicles*. Il livrait des nouvelles des uns et des autres, les derniers ragots du Bund et du Benten, et déposait parfois tendrement sur ses lèvres, par minuscules bouchées, des friandises à la pâte de haricots rouges sucrée qu'elle aimait.

Par trois fois, Félix demanda à la voir. Elle refusa catégoriquement, prétextant une grande fatigue. Par la suite, les deux hommes furent pris par l'installation du nouvel atelier. Situé vers le bureau des douanes, en bordure du quartier occidental, sa localisation le rendait propice à l'accueil des clients japonais comme étrangers, civils et militaires.

Pendant plusieurs semaines encore, Kané resta trop faible pour sortir, mais elle trouva plaisir à se réchauffer au soleil de mai, assise sur la coursive, égrenant quelques notes de shamisen, à contempler l'explosion des azalées de toutes les nuances du rose pâle au rouge. L'un des massifs tirait sur le carmin.

Sa respiration se fit soudain rapide et elle cria vers Sayuri.

— Sayuri, durant ma maladie, est-ce que j'ai saigné ?

— Non, maîtresse.

Silence, lourd d'implications. Sayuri pensa qu'elle en serait réjouie.

— Ne serait-ce pas une merveilleuse nouvelle ?

Silence de nouveau. Sayuri tempéra.

— Mais vous avez perdu du poids, c'est bien connu que lorsqu'on est trop maigre ou malade, les menstruations peuvent disparaître pendant quelque temps.

Kané ne répondit pas, trop perdue dans ses calculs et ses réflexions. Elle avait toujours eu des saignements anarchiques. Elle aurait dû saigner deux fois. Sayuri avait raison, déjà mince, elle avait perdu beaucoup de poids et peinait à le regagner, mais elle savait que ce n'était pas la raison. Si lorsqu'elle était geisha, elle utilisait des moyens pour ne pas être enceinte de son danna, puis plus récemment de Charles, elle avait cessé depuis son mariage et n'espérait que d'avoir un enfant de lui. Un bébé qui viendrait sceller leur amour, un bébé aux cheveux et aux yeux clairs comme son père.

Leur appétit l'un de l'autre avait certes un peu faibli depuis ce premier après-midi à l'onsen mais ils restaient des amants passionnés. Était-il possible que de tout cet amour échangé se crée un petit être ?

Ou bien du désir malveillant d'un homme égoïste et ivre ? Comment savoir ?

Elle portait un enfant, elle en eut soudain la certitude. Une petite vie qui grandissait dans son ventre et avait dû souffrir pendant ces deux premiers mois de sa fièvre, des drogues. Elle fut inquiète pour cette vie fragile. Était-ce cela les prémices de l'amour maternel ? Allait-elle savoir l'aimer, pouvoir l'aimer, alors qu'elle ignorait qui de l'homme chéri ou honni, il ou elle serait l'enfant ? Camino, par son acte révoltant, avait violé sa sérénité. Il avait semé le doute. Pour cette raison plus que tout autre, elle le haït viscéralement.

***

Depuis le matin, Kané tournait en rond, s'agitait, inquiète, parfois sans raison au bord des larmes, cassante avec Sayuri pourtant aux petits soins. Son ventre si lourd, distendu, lui semblait si énorme qu'elle se demandait parfois si elle n'attendait pas des jumeaux. Sayuri lui avait dit que c'était normal puisque le papa était un grand Anglais et que ce serait sûrement un garçon car elle le portait haut.

Charles avait été si attentionné pendant tous ces mois, si aimant et tendre, si délirant de bonheur à l'idée d'être père, qu'elle n'avait pas eu le cœur de le retenir encore lorsque Camino l'avait entraîné dans ce voyage. Quelques semaines après qu'elle eut pour la première fois enroulé autour de sa taille épaissie la ceinture des femmes enceintes, Charles avait déjà regardé partir Félix à regret vers les eaux méridionales du Japon sur le vaisseau amiral de la flotte alliée. Il s'était consolé en anticipant les joies paternelles à venir, puis en dessinant pour les journaux les images des combats et de l'armistice d'après les clichés de Félix.

Kané savait que son terme approchait mais ne pouvait en être sûre à une ou deux semaines près. L'accouchement était une histoire de femmes et la coutume aurait voulu qu'elle rentre chez sa mère avant la naissance. Mais celle-ci était morte et sa jeune sœur avait été vendue en même temps qu'elle dans une autre maison pour devenir geisha. Elle ne pouvait envisager l'absence de Charles en un pareil moment. Elle qui avait été si indépendante, si fière, s'était fondue en lui, avait un besoin viscéral de cet homme unique, l'aimant de chaque parcelle de son être. Il était devenu sa seule famille.

Charles avait tergiversé, hésité, procrastiné, attendant seulement la bénédiction de Kané qu'elle était réticente à donner. N'y tenant plus, ayant besoin de liberté, de cavalcades et de compagnie masculine, il avait promis, juré qu'il serait là à temps pour la naissance de son enfant et avait rejoint l'étrange convoi de Félix composé de ses appareils et de son atelier de campagne sanglé serré sur des mules.

Mais le jour baissait et il n'était pas encore rentré lorsqu'elle sentit son ventre se tendre en une crampe indolore, mais plus longue et forte que toutes celles, nombreuses, qu'elle avait ressenties au fil des mois. Son ventre devint dur comme de l'os. Dans l'intimité de sa chambre, Kané massa avec de l'huile de baleine sa peau déchirée par endroits en fines vergetures. Une autre contraction tendit à nouveau tout l'énorme globe de son ventre et finit en élancement douloureux. La troisième lui arracha une plainte. La quatrième un gémissement incontrôlable. Elle cria le nom de Sayuri qui accourut pour aider sa maîtresse à descendre dans la pièce du rez-de-chaussée où l'eau était accessible. Elle déroula un futon, fit appeler la sage-femme, ordonna de faire chauffer une bassine, sortit les linges préparés à l'avance et l'aida à passer un vêtement plus adapté. Kané pensa furtivement qu'elle allait mettre au monde l'enfant de Charles deux ans presque jour pour jour après l'avoir aimé pour la première fois et espéra que c'était un bon présage.

Elle s'accrocha au bras de Sayuri et lui ordonna d'une voix urgente :

— Envoie Hanzō chez Camino voir s'ils sont revenus, vite !

— Il est déjà parti chercher la sage-femme.

— Dès qu'elle arrive, envoie-le là-bas ! Il faut que Charles soit là !

Les contractions devenaient plus fréquentes et plus douloureuses. La sage-femme tardait à arriver.

Lorsque Hanzō, l'homme à tout faire de la maison, la fit entrer dans le vestibule, elle était essoufflée, volubile, et semblait excitée avec un ton d'inquiétude. Elle avait le verbe haut, la critique acerbe et toujours à la bouche les derniers ragots. Son visage épais et sans grâce se déformait au rythme de ses exclamations.

Elle posa son *furoshiki*, le baluchon bigarré qui contenait les affaires propres à sa profession, et se déchaussa sans cesser de pérorer.

— Vous rendez-vous compte, jeune Hanzō, à un jet de pierre du Daibutsu ! Quel sacrilège ! Ces rōnin défendent une cause louable, certes, mais ils pourraient respecter les lieux sacrés au risque d'attirer la colère du Bouddha sur leurs projets. Et puis passer au fil du sabre deux pauvres étrangers désarmés, est-ce bien honorable ? Ces hommes devaient certainement avoir des pistolets et ont dû les menacer, c'est sûr, des samouraïs n'auraient pas attaqué sans raison ! Ah, Sayuri, bonjour, alors ça y est, c'est le grand jour pour Kané san ! Vous verriez l'agitation autour du bureau des douanes ! Pas croyable, on ne pouvait pas passer le croisement tant la presse était grande et le garde dépassé. Y a des chevaux partout qui déversent leur crottin sur vos pieds, ça parle dans toutes les langues. Bah, pensez, ils s'affolent tous, on ne sait pas qui sont les victimes ni de quelle nationalité elles sont. C'est un yakunin qui est arrivé vers l'heure du chien[1] qui a donné l'alerte. Il y a sans doute déjà des groupes d'étrangers en route pour Kamakura. On va avoir les mêmes complications et demandes extravagantes de leurs ministres qu'après l'incident sur le Tōkaidō il y a deux ans, je vous promets.

La sage-femme était sans tact dans ses commentaires sur les étrangers alors qu'elle se tenait dans la maison de l'un d'eux, ne pouvant hélas imaginer que celui-ci s'était absenté pour un voyage sur les lieux mêmes de la tragédie. Sayuri, décomposée, l'empoigna

---

1. Entre 20 et 22 heures environ.

par le bras malgré leur différence d'âge et le respect qu'elle devait à son aînée, et lui ordonna de se taire. Elle expliqua en chuchotant la situation et demanda si elle connaissait d'autres détails qui pourraient éclairer l'identité des deux hommes. Sayuri envoya sur le champ Hanzō à l'atelier, puis s'enquérir des nouvelles vers l'office des douanes et le consulat britannique. Elle courut allumer un bâtonnet d'encens sur l'autel des ancêtres et adressa une rapide prière à Jizō, le protecteur des voyageurs, pour qu'il ramène Charles vivant.

Elle entendit Kané l'appeler et accourut. Les traits déformés par la douleur montante, elle sanglotait en même temps.

— C'est Charles, n'est-ce pas ? Ils l'ont tué ! J'ai tout entendu ! Que t'a dit cette vieille folle après, les a-t-on retrouvés ?

— On n'a pas encore de nouvelles, maîtresse. Des groupes de cavaliers sont partis à leur recherche. Il y a environ cinq *ri*[1] jusqu'à Kamakura, il leur faudra bien deux heures à vive allure pour y arriver. Cela veut dire qu'ils ne seront pas rentrés avant demain matin. J'ai tout de suite envoyé Hanzō chez Camino san pour voir si le maître était rentré. Ofuki a juste dit qu'il s'agissait de deux hommes tués au sabre. Plusieurs Occidentaux visitent Kamakura chaque jour, des civils, des militaires, il ne s'agit pas nécessairement d'eux, ne soyez pas inquiète.

Elle n'eut pas le temps de terminer sa phrase qu'une nouvelle contraction tordait Kané de douleur.

---

1. Unité de mesure de distance équivalente à presque 4 kilomètres.

Sayuri plaça ses genoux sous sa tête et lui épongea le visage d'eau fraîche, en gestes doux et rassurants.

— Lorsque le maître rentrera, il verra son nouveau-né et sera le plus heureux des hommes, mais en attendant il faut vous calmer, ne pas perdre espoir et réunir tout votre courage pour faire sortir ce gros bébé.

— Allez, la petite a raison, dit Ofuki en entrant, un grand tablier de coton passé sur son kimono aux manches attachées. Je ne savais pas que votre homme était là-bas, comment j'aurais su ? Mais il ne faut pas paniquer ! Ils vont revenir dans quelques heures et on découvrira que les victimes sont des marins russes ou des marchands français. Il faut se concentrer sur ce petit à naître maintenant. Et vu que ce col n'est pas bien grand ouvert encore, précisa-t-elle en la palpant, son papa a encore tout le temps d'arriver !

Kané hurla durant des heures sans progrès. Elle s'épuisait mais conservait assez de lucidité pour demander régulièrement si Hanzō avait rapporté des nouvelles. En vain. Tard dans la nuit, la sage-femme revint pour constater son état préoccupant. Inquiète, elle demanda à Sayuri de l'aider à lever Kané pour que le bébé descende et appuie. À petits pas, elles firent toutes trois le tour de la maison. La poche des eaux n'était toujours pas rompue. La mine d'Ofuki s'allongea. Elles laissèrent Kané chercher sa position, tantôt agenouillée, tantôt appuyée au mur. Sayuri prit la sage-femme à part et la questionna franchement.

— Pourquoi est-ce que cela prend si longtemps ?

— Bah, ma petite, j'ai déjà vu des accouchements durer plus de vingt-quatre heures, même trente ! Hélas dans ces cas-là, l'un des deux ne s'en sort pas, parfois les deux. Son col ne s'ouvre pas assez. La mère s'épuise pour rien et le bébé s'affaiblit. À la fin, elle n'aura plus de force pour l'expulser. Elle est tendue comme une corde, on dirait qu'elle veut le garder encore jusqu'à ce que le père arrive. Celui-là n'a vraiment pas choisi son moment pour aller se promener...

— Gardez vos commentaires pour vous, c'est un homme bien. Ma maîtresse est passée près de la mort cette année, je ne sais pas si elle est assez robuste pour cette nouvelle épreuve. Restez auprès d'elle, Hanzō n'est pas rentré, je vais aller chercher le médecin anglais.

— Vous pensez donc que je ne suis pas assez compétente dans mon métier pour me préférer un étranger, un homme en plus ! Quelle honte ! Elle ne respecte pas les traditions, elle épouse un Occidental, elle reste avec son mari jusqu'à l'accouchement, ça lui porte malheur tout ça ! Qu'est-ce qu'il va lui faire de plus, votre Anglais ? Ils ont bien raison nos valeureux rōnin de vouloir tous les mettre dehors. Je vous préviens, je ne resterai pas une minute de plus dans cette maison s'il y met les pieds !

— Dr Willis a déjà sauvé ma maîtresse alors faites comme bon vous semble.

Hélas, elle découvrit vite que Willis était parti vers Kamakura avec les cavaliers. Elle resta donc toute la nuit à veiller Kané, aidée d'une Ofuki taciturne et aigre, perdant petit à petit l'espoir d'une issue heureuse.

Aux petites heures de l'aube, alors que Sayuri tentait de faire boire un peu de thé à Kané, elles entendirent une grande commotion dans l'entrée et Hanzō apparut, radieux, criant :

— Ce n'est pas lui ! Ce n'est pas le maître ! Ils sont saufs ! Ce sont deux officiers anglais qui ont été tués !

— Ah, les dieux soient remerciés ! s'exclama Ofuki.

— Vous entendez, maîtresse, votre époux est en vie !

Kané sanglotait silencieusement de joie et de soulagement. C'était terrible pour ces pauvres officiers mais elle ne pouvait s'empêcher de jubiler à l'idée que Charles serait bientôt auprès d'elle. Un immense relâchement s'opéra en elle. Tous ses muscles, nerfs et tendons s'étaient enroulés autour de son angoisse, incarnant physiquement sa détresse. Elle s'autorisa enfin à se détendre. Quelques minutes après, un flot tiède se déversa entre ses jambes, les eaux enfin libérées.

La sage-femme la félicita. L'espoir revint. Hanzō apparaissait de temps en temps pour donner des nouvelles parcellaires. L'un des officiers avait été tué sur le coup et l'autre, le plus jeune, à peine plus de vingt ans, avait été très grièvement blessé, mais n'était pas mort de ses blessures. Il avait sans doute été achevé après, la nuque tranchée.

Encore un peu plus tard, il leur dit avoir interrogé un secrétaire de légation qui avait examiné les corps et avait croisé Pearsall et Camino sur le Tōkaidō non loin de Yokohama.

Vers la fin de la matinée, précédé par Hanzō qui l'avait mis au courant de la situation, Charles apparut essoufflé au seuil de la pièce. Encore botté, en chapeau et manteau, il se précipita dans les bras de Kané. Mêlant leurs larmes et leurs baisers, Charles demanda mille fois pardon, lui dit combien il regrettait. Non seulement il l'avait laissé seule, mais en plus il avait rencontré les deux hommes, Baldwin et Bird, quelques heures avant leur décès. Il était bouleversé. S'il n'était pas parti, rien de tout cela ne serait arrivé...

Il fut interrompu par le gémissement de Kané. Charles vit enfin la souffrance sur le visage de sa femme, les cernes, la fatigue, les cheveux défaits, les lèvres blanches, pincées par la douleur. Il était ramené neuf mois en arrière lorsqu'il tentait avec des cataplasmes et de ferventes prières de retenir sa vie. Il fut assailli par les odeurs acres, la vue des linges souillés, la violence des contractions arrachant des hurlements. Comme la plupart des hommes, il n'avait de connaissance de la grossesse que les rondeurs qu'il caressait tendrement lorsque, allongé contre le dos de Kané, il s'émerveillait des coups de pied du bébé et des déformations parfois spectaculaires de son ventre. Il tenait à celui-ci de longs discours en anglais, persuadé qu'il devait familiariser son fils, car pour lui ce ne pouvait être qu'un fils, au plus tôt avec sa langue et sa voix. Il ne soupçonnait rien des douleurs qui déchiraient maintenant son épouse. Il était sur le point de défaillir lorsqu'elle lui dit qu'il valait mieux sortir, prendre l'air en attendant la délivrance, que tout irait bien puisqu'il était revenu.

Ichirō Charles Pearsall naquit au crépuscule. Son nom signifiait le premier fils. Ofuki n'avait jamais vu de bébé aussi grand. Il n'avait pas les yeux et les cheveux aussi clairs que son père, mais moins sombres que ceux de sa mère. Il avait voracement pris le sein de Kané qui pleurait de gratitude et d'épuisement. Lorsqu'une fois lavé et emmailloté Sayuri le déposa dans les bras de son père, Charles lui parla d'une voix douce, lui souhaitant la bienvenue dans le monde, dit qu'aujourd'hui était un jour étrange où des hommes étaient morts et lui était né, petit Ichirō, son fils, son amour. Le bébé le fixa avec attention, comme s'il reconnaissait sa voix. Il fut interrompu dans son monologue par Sayuri.

— Maître, pardonnez-moi, mais je crois qu'il faudrait aller chercher le Dr Willis.

— Pourquoi donc ? Mon fils a l'air en pleine santé.

— Il ne s'agit pas d'Ichirō mais de votre épouse. Elle continue à saigner et Ofuki n'arrive pas à arrêter l'hémorragie.

Charles la regarda sans bien saisir. Il venait juste de goûter la joie de la rencontre avec son fils, ne pouvant imaginer après cette journée une nouvelle inquiétude.

— Oui, bien sûr, je vais y aller, en espérant qu'il soit rentré. Il devait examiner les corps des officiers, mais il n'était sans doute pas le seul médecin sur l'affaire.

Il se rendit avec Hanzō dans tous les lieux où Willis était susceptible de se trouver. Ignorant où les corps avaient été transportés, il sillonna la ville en tous sens, pour le manquer de peu chaque fois. Plus d'une heure s'écoula avant qu'il n'arrive à le localiser.

Willis n'avait pas pu faire l'autopsie. Des médecins japonais l'avaient faite avant lui, validant la thèse de l'agression par des rōnin. La communauté étrangère qui, durant les derniers mois, avait relâché sa vigilance, fut de nouveau sur le qui-vive et les tensions allaient de nouveau reprendre avec le Bakufu.

Lorsqu'il fut mis au courant de l'état de Kané, Willis accourut à son chevet pour constater que les linges ne suffisaient plus à éponger le flot de sang. La jeune accouchée avait glissé dans l'inconscience, livide comme un fantôme. Le médecin fit sortir Ofuki et Charles, rongé par l'angoisse, et donna des instructions à Sayuri dans la manœuvre désespérée qu'il allait tenter. Tandis qu'elle tenait sa maîtresse dans la position indiquée, elle le regardait, admirative et angoissée. Il avait la chemise pleine de sang, un bras enfoncé jusqu'au coude dans le ventre de Kané, le front dégarni luisant de sueur, le visage concentré, les yeux fermés. De sa petite voix, elle supplia Willis de la sauver. Elle pria le Bouddha de ne pas la prendre encore. Au même moment, ils entendirent le petit Ichirō pousser un cri clair et vigoureux, un cri de nourrisson affamé, comme s'il voulait rappeler à sa mère à quel point il avait besoin d'elle.

9

Chanoyu[1]

Ishinomaki, hôpital de la Croix-Rouge, 18 mars 2011.

Je le regarde dormir. À l'envers. Je distingue à peine ses traits dans les premières lueurs de l'aube. Il est sur le dos un peu de côté. Il a passé un tee-shirt et je devine la naissance du cou, le triangle de chair glabre en haut du torse. Sa tête est posée sur son bras rejeté en arrière, sa main à quelques centimètres de mes yeux. Une main large qui pétrit et malaxe l'argile. La peau est craquelée par endroits, les ongles abîmés. Mais les doigts sont longs et élégants. Cette main peut travailler en force et en finesse. Elle a quelques sursauts. Ses yeux bougent sous les paupières, il doit rêver. Ou cauchemarder, comme moi. Je me suis réveillée quelques minutes plus tôt en suffoquant. J'ai eu du mal à reprendre mon souffle, je rêvais que la boue entrait par ma bouche et mes narines, me submergeait.

J'ai envie de me glisser contre lui pour me rendormir en sécurité, dans la tiédeur de son corps,

---

1. Cérémonie du thé.

rassurante. Avoir de telles pensées pour un inconnu rencontré la veille me culpabilise aussitôt. Je ne me suis pas réveillée à côté d'un homme depuis si longtemps. Une sensation de protection bienveillante me rassurerait au milieu d'un tel chaos.

Une semaine depuis le séisme. La terre tremble encore plusieurs fois par jour. Je me sens sale. Je vais passer des vêtements propres et préparer un bon café dans la camionnette. La neige recouvre tout dehors sur le parking. Les nombreuses tentes de la Croix-Rouge ploient sous son poids. Je jette un œil dans l'une d'elles. Des volontaires dorment tout habillés sur des tapis de sol, épuisés par leur veille harassante. Dans l'hôpital, les gens se reposent comme ils peuvent, sur des fauteuils, les chaises des salles d'attente, par terre surtout, emmitouflés dans leurs vêtements. Je me demande dans combien de temps cette situation reviendra à la normale. Des semaines, des mois ?

Je pose un grand gobelet de café fort à côté de Hasegawa san. J'ai pour tout déjeuner un paquet de pain de mie. Son père est fiévreux et tousse souvent, ma grand-mère dort paisiblement, mais le souffle trop rapide.

Sans ouvrir les yeux, il s'étire en souriant. En remontant le sac de couchage sous son menton, il chuchote :

— C'est le room service ? Ça sent drôlement bon !

— Oui. Petit déjeuner continental. Café chaud, jus d'orange, toasts beurrés, confiture.

Il roule sur lui-même et se redresse sur ses coudes en me regardant.

— Merci Le Bihan san.

Il a prononcé mon nom avec cette consonne très japonaise, roulée en bouche, liquide, entre le « r » et le « l », qui donne quelque chose comme Rloubihang.

— Mon nom est difficile à prononcer en japonais. Appelez-moi Yukiko, si vous voulez.

— D'accord, si vous m'appelez Hiroyuki. En fait mes amis m'appellent Hiro tout court, plutôt que Hasegawa.

— Et moi Kiko.

— Ohayogozaimasu, Kiko san. Merci pour ce petit déjeuner.

— Bonjour, Hiro san, je vous en prie. En fait de toasts beurrés, c'est tout ce que je vous propose, dis-je en présentant le paquet de pain.

— Ça fera très bien l'affaire. Ce sont les toasts super épais que je préfère.

— Moi aussi ! En France, je n'en trouve que dans certaines épiceries japonaises. Lorsque je suis nostalgique du Japon, je me fais des sandwichs de pain de mie avec un mélange d'œufs durs hachés-mayonnaise. J'adore !

— Pourtant entre ça et de vrais croissants au beurre, je n'hésiterais pas une seconde ! Il m'est arrivé d'en manger sept ou huit à la suite. Je les trempais dans le café comme un Parisien... quel délice !

— C'est ma récompense du dimanche matin lorsque Ken'ichi va chercher les croissants en bas de chez nous à Paris.

Son sourire se fige, le coin de sa bouche retombe. Il ne posera pas la question, par discrétion. Si j'étais japonaise, je ne parlerais pas de mon mari en utilisant son prénom, mais ma double culture laisse planer le doute.

— Ken'ichi est mon fils.

Il a un sourire confus, conscient d'être percé à jour. Il se cache derrière le rebord de sa tasse.

— Il a dix-neuf ans et poursuit des études de japonais et civilisation orientale à Paris, ainsi que du droit international.

Mon aveu ne lève pas entièrement le mystère, mais je n'ai pas envie de me dévoiler trop vite. Il ne porte pas non plus d'alliance, ce qui, pour un potier, ne veut rien dire, ça le gênerait pour travailler.

— J'ai une grande fille de vingt-trois ans qui étudie la médecine. Elle est quelque part dans le Tōhoku comme secouriste bénévole, je ne pense pas qu'elle sera aux funérailles de sa grand-mère, je lui ai laissé un message sur son portable hier, mais je ne sais pas si le réseau de mobile est rétabli là où elle se trouve. Elle sera dévastée d'apprendre son décès, elles étaient proches toutes les deux.

— Elle est sans doute très utile là où elle est. Vous devez être fier d'elle.

— Oui, en effet. Elle suit les traces de mon père.

— Vous n'avez pas d'autre membre de la famille dans la région qui sera présent ?

— Non. Mon frère aîné est mort, il y a bientôt dix ans.

— Je suis vraiment désolée. Le sort s'acharne.

— Avez-vous des frères et sœurs ?

— Non, hélas, je suis fille unique. Maman me disait en souriant lorsque, petite, je réclamais une petite sœur, que j'avais cassé le moule.

— Une fratrie est une grande richesse. Mon frère me manque toujours, dix ans après, même si nous étions très différents. Son décès a fait le désespoir de mon père. Il était médecin, comme lui, et aurait pris sa suite. Mes neveux et ma belle-sœur sont à Tokyo. J'ai réussi à les joindre hier mais c'était trop court pour les faire venir avec la désorganisation des transports par ici. Ils viendront pour la levée du corps et la cérémonie définitive lorsqu'on pourra de nouveau incinérer les morts.

Nous sirotons notre café en silence.

— Je suis allé à la morgue hier matin, enfin ce qui sert de morgue, pour identifier ma mère. C'était... difficile. Tous ces sacs avec des corps dedans, le silence, les pleurs.

— Puisque vous serez sans vos proches à l'enterrement de votre maman, souhaiteriez-vous que je vous y accompagne tout à l'heure ?

— Non, ça me gênerait de vous infliger cela. Vous venez juste de retrouver votre grand-mère.

— J'insiste. C'est trop dur de traverser une telle épreuve seul.

— Vraiment, vous voudriez bien ?

— Oui, laissez-moi venir.

— Merci. Infiniment. À une condition cependant.

— Laquelle ?

— Que vous n'alliez pas seule chercher la boîte de votre grand-mère dans les décombres. C'est dangereux. Permettez-moi de vous y accompagner aussi.

— D'accord, faisons comme ça. Merci, je redoutais d'y retourner. Peut-être pourrions-nous y aller demain ?

— Pourquoi pas après l'enterrement. Le car nous redéposera ici, je passerai un moment avec mon père et nous pourrons partir après. Je ne crois pas que je tiendrai le coup émotionnellement à rester sans bouger ici. Je vais m'occuper de lui, changer sa perfusion, faire ses soins. Le car pour nous emmener jusqu'au cimetière part à 9 heures.

— Vous êtes aussi infirmier ?

— Non, juste ancien étudiant en médecine. Je vous raconterai la suite pendant le trajet.

Plusieurs personnes montent avec nous dans le car. Hiro porte un gros cabas fermé par du papier journal, d'où s'échappe une branche de végétal. Nous roulons dans un paysage couvert de neige, vers les champs. On s'éloigne de la ville. Le sac sur les genoux, Hiro est crispé. Je n'ose pas rompre le silence, de peur de troubler ses pensées, sans doute dirigées vers sa mère. Il se met à parler d'une voix lente et grave. Par saccades intercalées de pauses. Comme un ressac doux qui caresse et roule le sable puis se retire. Il dévoile la tendresse sans la dire.

— Elle était professeur d'ikebana. Très talentueuse. Pédagogue. C'est par elle que j'ai connu la céramique. Elle achetait des vases et des plats magnifiques, originaux, pour ses compositions florales. Je pouvais passer des heures à la regarder. Je caressais la poterie, lui posais mille questions sur la façon dont elle était fabriquée. Elle ne savait pas me répondre, elle me disait juste des mots étranges ; tenmoku, shino, raku, tsutsumiyaki, bizen... Mais mon père voulait que je sois médecin, comme lui, comme mon frère aîné, comme le père de mon père. J'ai tenu trois ans. Je n'étais pas fait pour ça, pour cette vie. Il faut être passionné pour vivre ce métier. J'ai rencontré ma femme sur les bancs de la fac. Elle aimait la médecine. Moi j'ai bifurqué quelque temps vers la chimie, mais c'était la chimie de la terre qui m'intéressait. Notre fille est née. Ma mère s'en est beaucoup occupée, ma femme était trop prise. Nos routes ont divergé très tôt. Elle a demandé le divorce sitôt installé son cabinet. Et vous savez comment ça se passe ici, celui qui n'a pas la garde est quasiment exclu de la vie de son enfant. Ça a été mon cas. J'ai quitté la ville, je me suis lancé dans la céramique en autodidacte, j'étais doué dans les créations d'émaux grâce à la chimie. Heureusement ma fille voyait mes parents, je la rencontrais chez eux, on a gardé le lien et lorsqu'elle est devenue adulte, nous nous sommes rapprochés. Elle venait parfois en vacances dans mes belles montagnes, on tripatouillait la terre ensemble. On fabriquait quantité de bols, de pots à crayons et tout un bestiaire fantastique en argile. J'avais hérité du côté artiste de ma mère.

Je crois qu'il raconte un peu pour moi mais surtout pour lui-même. Pour replonger dans ses précieux souvenirs. Souffler sur les étincelles de bonheur que sa mère avait allumées dans sa vie. Il ne me regarde pas. Il a la tête appuyée en arrière, les yeux dans le vague, perdus dans des coins indéterminés de sa jeunesse.

— Ça a beaucoup déçu mon père mais il avait mon frère. Quand celui-ci est tombé malade, il a mobilisé tout le corps médical pour lui. Le pauvre est parti d'un lymphome en quelques mois. Mon père a été anéanti et ne s'en est jamais remis. Je vais sans doute vous choquer en disant cela mais j'aurais préféré qu'il soit emporté par le tsunami avec ma mère. Pas par amertume d'avoir été le fils moins aimé, elle comblait ce manque. Non. Ma mère était celle qui le maintenait en vie depuis la disparition de mon frère. Maintenant qu'elle n'est plus là, que lui reste-t-il ? Mes neveux sont loin, il les voyait peu, ma fille vit sa vie, moi je fais des œuvres inutiles à ses yeux...

Il ferme les yeux pour refouler les émotions qui le submergent. Je regarde ses cils humides. Je compatis à son chagrin. Je voudrais le consoler mais j'ai peur qu'il me trouve incongrue, déplacée. Je ne bouge pas. Après je regrette de n'avoir rien montré. Va-t-il me penser indifférente ?

Nous arrivons peu de temps après, dans une plaine où d'immenses fosses rectangulaires ont été excavées. Une pelleteuse jaune attend non loin, son godet à terre, tel un animal géant, vaincu. Des tombes fraîchement refermées s'alignent à côté des tranchées ouvertes, les noms des morts inscrits sur les colonnettes carrées en bois, des fleurs placées à la base de quelques-unes. Dans ces trous sont disposés une cinquantaine de cercueils blancs, séparés par des petites cloisons en contre-plaqué. Les noms sont écrits sur des plaquettes. Devant chaque cercueil sur le terre-plein, une pelle. Deux autres cars sont garés, il doit y avoir une centaine de personnes présentes, toutes très dignes, emmitouflées de vêtements disparates. Nombre d'entre elles ont sans doute tout perdu et vivent dans les refuges.

De jeunes hommes des forces d'autodéfense, en treillis et casque vert, gèrent l'accueil et les placements avec une extrême politesse, un grand respect. On nous dirige vers le cercueil. Hiro descend dans la fosse, caresse le couvercle. Il sort du sac une magnifique coupe aux reflets métalliques roses et verts. Sont piquées dedans une branche de cerisier en bourgeons, tortueuse, et quelques tiges tendues vers le ciel. Les plumes fines du chaume semblent caresser les nuages bas. Toutes sont dans les mêmes teintes que leur support. C'est harmonieux, délicat. Les mains jointes, il murmure une prière. Je joins la mienne au chœur silencieux. Lorsque les familles sont toutes placées, un prêtre bouddhiste officie la cérémonie des morts. Des femmes et des jeunes filles sanglotent en s'étreignant, les quelques enfants semblent perdus, les hommes restent droits et pleurent en silence. Placée légèrement en retrait de Hiro, je vois ses larmes couler, son menton trembler. Ses mains sont fermées en poings le long du corps. Je glisse ma main sur la sienne pour réparer mon silence de tout à l'heure. Il la saisit avidement et serre fort, reconnaissant. Je voudrais drainer vers moi son chagrin. À la fin, un membre de chaque famille saisit la pelle, creuse un peu de terre au bord du talus et la jette sur le cercueil, puis s'incline en salut d'adieu.

De retour à l'hôpital, il s'agenouille près de son père, sort une petite poignée de terre de la poche de sa veste et la verse dans sa main. Ils pleurent front contre front la femme qu'ils aimaient. Les larmes d'un homme sont déchirantes. Je le connais depuis seulement vingt-quatre heures, pourtant je suis bouleversée.

Je lui propose de rester, on pourrait chercher la boîte un autre jour. Il décline en disant que sa présence n'allégera pas le chagrin de son père et qu'au lieu de broyer du noir, l'action lui fera du bien. Nous partons dans l'air glacial et la lumière blanche, encore en pensées dans ce lieu sinistre où gît désormais sa mère, la terre de son repos dans les sillons de nos mains.

Je roule en sens inverse de la veille. J'ai l'impression de ne plus être tout à fait la même personne qui regarde le paysage dévasté.

Certaines portions sont mieux dégagées mais partout le silence de la vie suspendue est le même. Lorsque nous arrivons en vue d'Onagawa, il me demande de ralentir pour embrasser la vallée des yeux et prendre la mesure de la dévastation. Lui aussi a fréquenté ces lieux dans sa jeunesse. Nous partageons des souvenirs de sortie en famille sur les plages des îles de la baie d'Ishinomaki. Le chapardage des singes, les promenades dans les pins. La collecte de coquillages pieds nus sur les rochers. Les parties de ballon et de cerfs-volants. Le sable tombant le soir des poches et des plis de pantalons nous fait sourire pour mieux empêcher la vision des ruines de nous atteindre.

Il évoque les rares pique-niques auquel son père, toujours trop occupé, participait, l'esprit ailleurs. Sa mère préparait des *bentō* aussi raffinés que ses compositions florales, en harmonie avec la saison. Il était le seul à vraiment y prêter attention, alors elle gravait des petits animaux sur l'écorce d'une pastèque, des mots dans une carotte, faisait d'une peau d'orange enroulée une fleur pour lui montrer son amour et tenter de restaurer l'équilibre entre les frères. Ils partageaient la même sensibilité, se nourrissaient du beau. Raviver sa mémoire la retient présente.

Sa manière de parler se dépouille d'enrobage. Je réalise que la tragédie a dénudé la parole de tout artifice pour ne garder que l'essentiel.

Nous nous enfonçons dans les forêts de la péninsule. La voûte d'arbres assombrit le ciel. Hiro demande :

— Pourquoi votre grand-mère vit-elle dans un village si isolé ?

— C'est le village d'origine de mon grand-père. Ils habitaient Sendai pendant leur vie professionnelle. Ma mère et mon oncle y sont nés. À sa retraite, mon grand-père a souhaité revenir habiter là. Il avait fait construire cette maison avant, ils y venaient en vacances, je l'ai toujours connue. Il est décédé il y a une quinzaine d'années, ma grand-mère est restée.

— Et comment ont pu se rencontrer vos parents, il devait y avoir bien peu d'étrangers dans cette région à l'époque ?

— Mon grand-père était professeur en biologie marine à l'université. Il était spécialiste des bivalves, plus particulièrement des maladies des huîtres. Après la guerre, il a travaillé en étroite collaboration avec les ostréiculteurs de la région. Il faisait des recherches pour diminuer la mortalité des naissains, sélectionner les meilleures espèces, améliorer les supports de culture. Ma grand-mère, elle, était professeur de français. C'était le milieu des années soixante. Le département d'halieutique a organisé une conférence internationale sur le thème de prédilection de mon grand-père. Des Américains, des Européens sont venus, des Français du Comité d'Exploitation des Océans, et parmi eux mon père. Il était fils de poissonnier mais avait fait de brillantes études et il partageait la même passion que son futur beau-père pour ces coquillages. Celui-ci avait bien sûr mis son épouse et sa fille à contribution pour les traductions. Mon père était un beau blond aux yeux verts, dominant tout le monde d'une tête, qui possédait bien son sujet. Il a séduit le papa autant que la fille en proposant d'établir une collaboration entre la France et le Japon, l'importation d'huîtres japonaises pour pallier l'importante mortalité des huîtres françaises. À son deuxième voyage, il demandait la main de ma mère, au troisième, ils se fiançaient, au quatrième, il l'épousait et la ramenait dans son pays. Je naissais un an plus tard sur une petite île au milieu de l'Atlantique, sous la neige qui m'a donné mon nom. Voilà, vous avez un concentré de l'histoire de la famille Takeuchi-Le Bihan !

— C'est une belle histoire originale, en effet. Vous êtes revenue souvent au Japon par la suite ?

— Je suis venue pour la première fois, je devais avoir trois ou quatre ans. Les voyages étaient longs et chers, on ne pouvait pas passer par l'Union Soviétique à l'époque, en pleine guerre froide, on devait voler soit par les États-Unis, soit par le Moyen-Orient et l'Asie du Sud. C'était interminable. Je me souviens, la première fois que j'ai pu faire un vol direct au-dessus de l'URSS, c'était quelques mois avant la chute du mur de Berlin. On ne pouvait plus passer par l'Alaska à cause de l'éruption d'un volcan et les Soviétiques avaient ouvert un bout de leur espace aérien ! Heureusement à chaque voyage dans mon enfance, j'étais dans un tel état d'excitation que je ne voyais pas trop le temps passer. Quand on arrivait enfin à Tokyo, il fallait encore prendre le train pour Sendai. On mettait des jours à s'en remettre ! Avec Maman, je restais plusieurs mois, Papa repartait au bout de quelques semaines. J'étais dorlotée par mes grands-parents, une vraie princesse.

— Comment communiquiez-vous avec vos grands-parents ?

— Maman ne me parlait qu'en japonais. Même si le Japon était très dépaysant pour moi, j'en parlais mieux la langue que le français, que je n'ai pu maîtriser que lorsque je suis allée à l'école. On essayait de venir tous les trois ans, parfois deux, parfois quatre. Entre-temps, on s'écrivait des cartes ou de longues lettres sur du papier avion. Le téléphone était hors de prix, dans les 400 ou 500 yens la minute ! Quand je raconte ça à mon fils, il a du mal à l'imaginer, nous qui communiquons par Skype ou e-mail. Il ne sait même pas ce qu'est du papier avion ! Ça fait vieux de dire ça, non ?

Il sourit une nouvelle fois. C'est bon de le voir, ça nous détend tous les deux.

— Oui, un peu, mais j'ai connu la même chose avec ma fille ! Nous avons une technologie toujours un peu à la traîne là-haut dans la montagne. Elle m'a menacée de ne plus venir si je ne demandais pas une connexion Internet. Depuis, je me suis rattrapé, j'en ai profité pour créer un site Web et me faire de la pub, mais j'ai toujours un bon vieux téléphone à cadran en bakélite avec l'écouteur accroché derrière dans mon atelier. Il est plein de terre, je n'arrive pas à enlever l'argile des trous mais il marche encore !

— Je confirme, nous sommes en bonne voie de devenir vieux !

Ses yeux pétillent. Son regard est bienveillant, un peu inquisiteur.

— Est-ce que vous vous sentez pareillement chez vous dans vos deux pays ?

— Aujourd'hui, oui. Enfant, c'était difficile. Dans chaque pays, j'étais considérée comme une étrangère, la France de cette époque n'était pas encore très multiculturelle, le Japon quasiment uniracial. Mes camarades d'école me traitaient de « chinetoque », de « bridée ». Ici j'étais trop grande, j'avais les cheveux plus clairs, j'entendais des « gaijin » de la part des gamins du village. La différence inquiète toujours alors que je ne leur avais rien fait. Être « *hāfu*[1] » est très tendance maintenant mais je peux vous dire que ce n'était pas du tout le cas à l'époque. J'aurais tout donné pour appartenir, être comme les autres. À mes vingt ans, j'ai voulu couper les ponts, rejeter ma « japonité ».

— C'est un mot original ! Comme vengeance aux moqueries des autres ?

— Non. Jeune adulte, j'avais appris à accepter ma différence et même à la revendiquer. Passé l'adolescence, on cherche à s'individualiser plutôt que se fondre. Mais j'étais très en colère contre l'État japonais qui m'obligeait à choisir entre mes deux pays. Le Japon n'autorise pas la double nationalité. Je trouvais cela terriblement injuste. Comme je vivais en France et que c'est le Japon qui m'obligeait à choisir, par défiance, j'ai renié la nationalité japonaise et gardé la française, mais je me suis sentie amputée d'une partie de moi-même. C'était un véritable déchirement. De toute façon en choisissant l'un, je renonçais forcément à l'autre, c'était cela la véritable désolation.

— Je comprends qu'on puisse ressentir cela comme un rejet. Mais ce sont des histoires de passeports,

---

1. De l'anglais « half » : moitié. Terme désignant les personnes dont un parent est japonais et l'autre étranger.

d'administration, pas de cultures. Il est bien difficile de distinguer ce qui, en vous, est plus japonais ou plus français.

— C'est pour cela que je n'aime pas le terme « hāfu ». Je ne suis pas une moitié de l'un et de l'autre. Je suis un tout de chacun. Japonaise ET Française. Mais comme la cohabitation interne est parfois difficile, comme dans une carapace trop étroite, certains traits prennent le dessus. L'influence de l'un sur l'autre n'est jamais lointaine. Et cela varie selon l'endroit où je me trouve et avec qui ! Qui peut détailler la part d'imprégnation de ces rencontres ? Je me sens parfois très Japonaise en France et très Française au Japon. D'autres fois non. Au milieu des décombres, avec les réfugiés, je me sentais totalement appartenir à ce pays et j'étais fière. Parfois je souhaiterais que les Japonais bousculent les traditions, élèvent la voix, se rebellent un peu contre l'ordre établi.

— Sans doute. Moi j'ai trouvé à l'inverse que les Français l'élevaient parfois un peu trop !

— C'est sûr ! Je crois qu'ils gémissent trop sur les malheurs qu'ils n'ont pas, tandis que les Japonais ne gémissent pas assez sur ceux qu'ils ont vraiment. Quand je me sens en « conflit de cultures », je largue les amarres pour voguer dans les eaux internationales...

Nos digressions sont interrompues car nous venons d'arriver dans la clairière s'ouvrant sur la mer et le village en contrebas. Nous passons d'abord par le centre d'hébergement. Les gens s'étonnent de me voir déjà revenir. Ils demandent si j'ai pu trouver ma grand-mère et comment elle va. Je suis soulagée de voir qu'ils ont reçu du matériel d'urgence, un générateur, des vivres et des vêtements. Une équipe médicale est là pour traiter les cas les plus préoccupants. Je les ai quittés hier, j'ai l'impression d'une éternité.

Nous garons la voiture le plus près possible de la maison et descendons à pied. C'est plus dangereux que la veille car la neige recouvre tout et l'on ne distingue plus les obstacles, les trous, les débris coupants. Ce ne sont que masses informes. La boue craque, gelée en surface. Les odeurs et les sons sont amoindris, feutrés. En fermant les yeux, on pourrait croire qu'une grande paix règne. Mais la paix incite à la vie et la vie est bruyante. Même le ressac habituel, qu'on ne distingue à cette hauteur que les jours de houle, est alourdi dans son élan par l'épaisseur de déchets flottants.

Hiro siffle en voyant le chalutier dans la maison. Nous pénétrons par la cuisine à l'arrière, ne sachant pas ce que le bateau a occasionné comme dommage à la structure. Tout le mobilier est éparpillé, renversé. L'eau n'est pas montée très haut mais les murs, faits de bois, de plâtre et d'isolant, sont gorgés d'humidité et s'enfoncent sous la pression des doigts. Je redresse une chaise même si ça ne sert à rien. La table n'est plus là. J'ai souvent pris mon petit déjeuner ou mon goûter à cet endroit. La proue éventre la façade. Je peux voir la peinture écaillée de la coque et ses incrustations de bernicles. Il est encore plus impressionnant de l'intérieur.

Hiro me montre quelques objets pour savoir s'ils appartiennent à ma grand-mère. Mais je n'en reconnais aucun hormis quelques cadres que j'éponge et glisse dans un sac. La vie des autres s'est invitée ici dans un grand mélange, comme celui des marchés aux puces, un grenier fictif déversé sans tri.

L'escalier semble intact mais on ne distingue pas le palier. Hiro y monte en premier et me crie d'en haut que je peux le suivre. Les deux chambres à l'arrière et à l'est n'ont pas été touchées. Je récupère futon et vêtements, bijoux, médicaments, photos, quelques livres, dont certains en français. Dans la plus petite des deux qui s'ouvre sur la vallée, je m'arrête, trop émue pour continuer. C'est dans cette chambre-ci que je dormais. Mes cousins d'Australie y ont séjourné aussi mais, bien que géographiquement un peu plus proches, ils venaient rarement. Je m'assois sur le lit. Mes dessins d'enfants sont encore accrochés aux murs. L'un d'eux est à la peinture à l'eau. D'une belle boîte à pastilles, avec trois pinceaux, reçue pour mes sept ans. Je me souviens avoir voulu copier la vague de Hokusai, avec les barques chahutées sous l'écume déferlante et le petit mont Fuji au loin. C'est toute ma vie de petite Française au Japon qui se résume dans ce dessin, dans la tendresse des souvenirs qu'exsude cette maison qui, comme la vague, me submerge.

Hiro entre et s'assoit à côté de moi, suit des yeux ce que je regarde. Il ne parle pas, comprend que je ne pourrai pas répondre. Il ôte ses gants, se lève et décolle du mur les adhésifs jaunis, me tend la feuille et s'age-nouille devant moi. Il m'enveloppe le visage, caresse mes joues humides de ses pouces un peu rêches qui sentent le caoutchouc, replace une mèche derrière mon oreille. Il ne cherche pas à me consoler par des mots. Son sourire absorbe ma nostalgie. Il me prend la main et m'entraîne hors de la pièce.

La troisième chambre est celle de mes grands-parents, la plus lumineuse, tournée vers l'océan. Grande de dix tatamis, elle est de style traditionnel avec une alcôve et un grand placard pour ranger les futons. Ma grand-mère y avait installé un lit et un fauteuil, plus confortables à son âge. Elle avait gardé sa chambre à l'étage malgré la salle de bains au rez-de-chaussée et l'escalier à monter. C'est ce qui l'a sauvée.

La cabine du chalutier a éventré le mur. Le plancher, gauchi, s'affaisse vers l'intérieur du pont autour d'un trou béant. La paille des nattes est déchiquetée, la bordure de soie sombre arrachée. Le fauteuil de ma grand-mère se trouve à quelques pas à peine, accusant un angle plongeant. Quelle terreur elle a dû vivre en voyant le bateau déchirer sa maison... Elle a attendu des secours toute la nuit et le jour suivant, coincée dans l'angle de la chambre. Sur l'accoudoir du fauteuil est toujours posée sa bible, quelques photos sont éparpillées sur le siège et au pied le fameux coffret. Il est de couleur sombre entre le brun et le noir, un peu écaillé sur les angles, avec une belle ferrure devant. Les libellules rouges se détachent du fond, semblant à peine posées, prêtes à s'envoler de la laque satinée. On aperçoit autour du fauteuil les traces de boue laissées par les sauveteurs, certaines dangereusement proches du trou.

Hiro enjambe le lit près du mur. Prudemment, il s'avance vers le fauteuil, ramasse les photos et la bible, se baisse et sans bouger, les glisse dans le petit coffre. Celui-ci semble lourd. Il est trop loin pour le soulever à bout de bras. Il se déplace d'un pas. Un énorme craquement précède l'affaissement soudain du plancher sous ses pieds. Nous crions en même temps. Il glisse vers le trou, précédé par la boîte, sans rien pour ralentir sa chute que le réflexe de s'agripper aux fibres des tatamis cassés.

Je panique, il y a des échardes de bois et du métal acéré partout.

Après d'interminables secondes, je le vois ressortir du trou, le front sanguinolent mais indemne.

— Plus de peur que de mal, j'ai atterri sur le pont ! Le coffre est un peu fracassé.

— Vous êtes entier, c'est le principal, vous m'avez fait une telle frayeur ! Ne bougez pas, le bateau est sur sa quille, vous risqueriez de le déséquilibrer et basculer avec lui. Il vous faut descendre à travers le bastingage dans le salon. Je vous rejoins !

Au rez-de-chaussée, je distingue ses jambes sur le pont. Le bateau est plus menaçant vu d'en dessous. Hiro se tient sur tribord. Je grimpe en équilibre précaire sur un fauteuil imbibé d'eau pour récupérer la boîte abîmée. Je tends ensuite la main à Hiro pour qu'il glisse doucement, jambes en avant jusqu'au fauteuil. Il doit se mettre à plat dos contre le pont pour se faufiler sous le plancher. La tôle grince de façon inquiétante. Le navire peut à tout moment basculer. Je tire sur les jambes de son pantalon, haletante, angoissée qu'il n'ait pas le temps de se dégager et s'empale sur les échardes menaçantes du plancher. La proue oscille. Hiro se lance et j'amortis sa chute de mes bras. Enchevêtrés dans le fauteuil, je sens contre moi le poids de son corps et son souffle précipité. Un instant sa joue effleure la mienne, juste assez pour sentir la douceur et le picotement simultané de sa barbe. Mais la mousse du siège est trempée. La carcasse de métal continue son oscillation. Nous nous dégageons vite.

Dans la cuisine, je retire mes gants et examine sa plaie. Un hématome commence à gonfler. Je caresse ses cheveux sous prétexte de les éloigner de son front. L'eau est coupée mais la petite pharmacie de la salle de bains me permet de désinfecter la coupure et la protéger. Quelques rictus déforment son visage lorsque je lui fais mal. Hiro ne me quitte pas des yeux, observe chacun de mes mouvements. Je retire plusieurs échardes de ses paumes. Chaque moment si près l'un de l'autre, l'attirance mutuelle est palpable, non voilée bien que muette. La savourer et la faire durer l'accroît. Ce n'est ni le lieu ni le moment propice aux effusions romantiques. Mais elle nous permet de laisser à distance les relents de mort qui nous entourent.

Je veux partir au plus vite, refermer la vision de cette ruine de mon bonheur d'enfant. J'ai eu très peur et je crois que Hiro aussi. Nous acheminons péniblement les caisses, les sacs et le coffret jusqu'à mon véhicule. Le ventre vide depuis le matin, la fatigue commence à se faire sentir. Nous n'avons pour nous réconforter qu'un thermos de thé et quelques biscuits.

De retour à l'hôpital, la nuit est tombée. Comme l'espace est compté, je ne rapporte que les objets précieux pour ma grand-mère : sa bible, une photo encadrée de son mari et de ses enfants, *Les Chouans* de Balzac qu'elle adore, sa veste d'intérieur et quelques vêtements. Je fais la liste de ce que nous avons pu sauver. Elle est reconnaissante, elle n'espérait pas tant. Je passe sous silence l'état de la maison et l'épisode du bateau. Je ne sais pas si elle s'imagine pouvoir y retourner un jour. Nous passons le reste de la soirée à évoquer de vieux souvenirs, tandis que Hiro, à moins d'un mètre, partage les siens avec son père et pleure la disparue.

Lorsqu'ils sont endormis, nous nous regardons, les yeux rouges, les épaules tombantes.

Nous mourons de faim.

— Hiro san, j'ai de succulentes nouilles instantanées dans la camionnette, qui, au vu de la pénurie, sont des trésors gastronomiques. Est-ce que cela vous tente ?

— C'est une invitation à dîner ?

— On peut voir cela comme ça.

— Alors, laissez-moi fournir la vaisselle.

— Comment ? dis-je d'un faux air outragé. Vous ne voulez pas de mes bols en carton ?

— Disons que j'ai plus... artistique !

— D'accord, à tout de suite alors.

Je reviens avec dans une caisse des bols brûlants. Installé dans la petite allée entre les deux rangées de lits, Hiro dénoue un furoshiki indigo. Il dispose dessus un seul bol dans lequel il verse le thé. Dans deux larges coupes, il transvase le bouillon et les nouilles. Puis pose délicatement sur leur bord deux paires de fines baguettes laquées. La lumière crue des néons du couloir, atténuée par les vitres, filtre en oblique et joue sur la moire des émaux. À genoux, les mains à plat sur le tissu, il s'incline, comme lors d'une cérémonie du thé. Nous n'avons ni réchaud en fonte, ni thé vert en poudre, ni kimono chamarré, ni fleurs ou encens. Le cadre n'est guère propice à la contemplation. C'est surréaliste. Si elle peut sembler incongrue à des yeux extérieurs, futile, voire inconvenante au milieu d'un hôpital où chacun s'emploie à sauver des vies, ce rituel devient pour nous un rempart, une bulle de protection de beauté et de délicatesse.

Hiro prend le bol à deux mains et me le présente. Je le monte à hauteur d'œil, l'admire. Il a des reflets métalliques irisés vert-de-gris, rouge et or, des pans coupés, un réseau de fines craquelures. Je le fais tourner puis le porte à ma bouche. Le bord est doux aux lèvres. Le thé a ce goût de riz soufflé propre au genmaicha et une petite amertume de verdeur. Je murmure un remerciement et bois encore quelques gorgées. J'essuie le bol avec ma serviette en papier et lui tends en le saluant à mon tour. Nos mains se touchent. Il ne semble pas pressé de les retirer, fait durer l'instant. Ensuite, au lieu de faire tourner le bol de façon à ne pas boire au même endroit que moi comme l'exige la coutume, il place ses lèvres exactement où j'ai posé les miennes. Il boit en me regardant droit dans les yeux. Je sens le rouge colorer mes joues et une grande chaleur m'irradier. C'est audacieux et subtil. Il plie la serviette, pose celle-ci par-dessus comme il aurait rangé les ustensiles de cérémonie. Il s'incline de nouveau. Je fais de même. Nous nous sourions.

— Merci.

— Merci à vous. C'est un plaisir de partager ces moments avec quelqu'un qui connaît le rituel...

Je réponds en pensée : et le détourne voluptueusement !

— Vos céramiques sont magnifiques. Ces reflets sont très nuancés, est-ce dû à un émail spécial ?

— C'est une couverte à base de cuivre que je cuis en réduction, c'est-à-dire que j'étouffe l'air à l'intérieur du four. C'est le manque d'oxygène qui provoque des transformations du vert en rouge ou rose. Il est difficile de reproduire les mêmes effets. Il se passe souvent des réactions chimiques étranges. La poterie relève parfois de l'alchimie.

Il me tend le bol de nouilles.

— Comment se fait-il que vous ayez de si belles pièces avec vous ici ?

— Je suis parti avec mon véhicule de travail. J'avais encore une caisse de ma dernière exposition entre deux sièges. J'ai rempli tout l'espace de ce qui pouvait être utile ici. Il ne me reste plus de provisions, j'ai tout distribué. Avant que les secours et les approvisionnements n'arrivent, les gens avaient faim ici. *Itadakimasu !*[1]

— Itadakimasu ! C'est vrai que ces nouilles instantanées sont bien meilleures servies dans un joli plat !

— C'est de toute façon délicieux quand on est affamé ! Nous nous rattraperons avec les dorayaki. Promis, j'en laisserai à votre grand-mère, mais ils me mettent l'eau à la bouche, je n'ai rien mangé de sucré depuis des jours.

La dernière goutte de bouillon terminée, je prends un dorayaki et retire son enveloppe de cellophane. Je le romps en deux et lui tends l'autre moitié, comme en réponse à son baiser de céramique, en soutenant son regard. Au lieu de saisir la moitié du petit gâteau, il enveloppe ma main dans la sienne et la rapproche de ses lèvres pour croquer dans la pâte. Il me regarde en mâchant, puis avale une deuxième et dernière bouchée. Quand il retire sa main, je ne baisse pas la

---

1. Formule de politesse dite en début de repas par les convives en remerciement à la personne qui l'a préparé.

mienne. J'ai terriblement envie de caresser l'endroit sous sa lèvre où la barbe forme un petit triangle de poils noirs. Quelques miettes s'y sont logées. Je fais glisser mon pouce pour les chasser. C'est doux. Je vois sa pomme d'Adam monter, descendre. À mon tour de le faire rougir.

Nous rangeons en silence. C'est bien ainsi, il n'y a rien à ajouter. Nous sommes revenus dans le monde, où vont et viennent infirmières, médecins, familles, avec des bassins, des médicaments, des poches à perfusion. Notre jolie parenthèse est terminée. Elle nous a offert un instant de répit loin du deuil, un regard où se perdre dans l'encore possible.

Étendus dans la pénombre dans un silence relatif tandis que je glisse doucement vers le premier sommeil, Hiro murmure à mon oreille :

— Que diriez-vous de sandwichs d'œufs à la mayonnaise, une *okonomiyaki* comme il vous plaira, un *hojicha* bien fort, et d'autres délices indicibles.

Je ne sais pas si je rêve déjà et si les délices évoqués sont d'ordre culinaire... Je relève la tête.

— L'okonomiyaki n'est pas une recette du Nord... Comment savez-vous que c'est ma petite madeleine de Proust[1] du Japon ?

— Je l'ignorais ! L'okonomiyaki est juste le plat inratable des célibataires !

— Son goût me replonge instantanément dans mes souvenirs d'ici. Nous ne mangions jamais ce plat en

---

1. Proust est l'un des auteurs français classiques les plus connus et appréciés au Japon.

164

France, Maman ne devait pas trouver les bons ingrédients. Ma grand-mère me posait la question rituelle
de la garniture. Je faisais mine d'hésiter, cherchais
longuement pour répondre de façon invariable « aux
crevettes ». Je me souviens de ses mains qui dansaient
d'un ingrédient à l'autre avec précision. Et le son du
chou qu'elle râpait sur le comptoir de la cuisine où
nous nous tenions cet après-midi. Sa façon de casser
les œufs comme un cérémonial, mon application à les
battre pour me montrer digne de sa confiance.

— Je ne sais pas si je saurai la réaliser aussi bien
qu'elle... vous mettez la barre très haut ! Vous battrez
les œufs, d'accord ? Je dois avoir des crevettes au
congélateur. Et que penseriez-vous d'un bain ? Un
bain brûlant, de l'eau à volonté, du savon parfumé ?

— Vous me parlez d'un paradis inaccessible...

— Non. Passons la journée chez moi demain. On
peut y être en une heure et demie ou deux heures.
Nous referons le plein de provisions, rechargerons nos
batteries. Nous pourrons récurer cette odeur insupportable, la saleté accumulée. Je ne tiendrais pas un jour
de plus sans me laver.

— L'idée de laisser Obāchan ne me plaît pas. Elle
pourrait rechuter, votre papa avoir besoin de vous,
nous devons penser à eux en priorité. Et puis regardez
autour de nous tous ces gens qui n'ont pas ce luxe.

— Le fait de partager leur souffrance n'atténuera
pas la leur, hélas. Nous ne sommes pas des réfugiés,
nous devons pour nous occuper d'eux nous occuper un
peu de nous-mêmes. Nous sommes épuisés. Laissez-
vous prendre soin de vous. Laissez-moi prendre soin
de vous.

— D'accord. Je n'ai pas le courage de résister bien longtemps. L'appel du bain est irrésistible, je crois que ce sera le meilleur de ma vie...

Je n'entends pas sa réponse. Je sombre dans le sommeil à la fin de ma phrase, pour plonger dans des rêves délicieux d'ablutions sans fin.

10

Chowder party[1]

Yokohama, Mississippi Bay, octobre 1866.

Le soleil venait juste de se lever derrière la péninsule qui séparait la baie de Tokyo du grand Pacifique lorsque la petite jonque franchit le cap Honmoku. Les falaises abruptes de la baie de Negishi se coloraient de rose. L'embarcation s'éloignait de Yokohama et glissait sur une mer d'huile à la force de six rameurs. La voile peinait à gonfler. Une nouvelle route avait été construite juste en arrière du littoral et de la frange escarpée des falaises. Elle desservait le champ de courses et la baie, devenue l'un des lieux favoris d'excursions et de pique-niques des résidents étrangers. Ce jour-là, les passagers préféraient aux trots des chevaux le calme nautique. La touffeur des dernières semaines venait d'être balayée par un typhon. Des vents d'une rare violence avaient déraciné de hauts pins, barrant la route en plusieurs endroits. Les vagues avaient drossé

---

1. Chaudrée.

des navires et bateaux de pêche contre la jetée et les torrents de pluie avaient dissous les murs de torchis.

La douceur était revenue. Octobre était le mois glorieux, charnière entre été et automne, où la lumière teintait la vie de pourpre et d'or.

Les quelques heures de navigation furent occupées en conversation, en lecture, en croquis. On chanta en anglais, en japonais. Les rameurs s'encouragèrent avec des chants traditionnels, les femmes en ballades et berceuses, les hommes en chansons à boire. Les enfants, d'abord excités, babillant ou posant mille questions sur toutes les nouveautés alentour, bercés par le roulis, s'endormirent dans les bras de leurs mères. Les hameçons des lignes traînantes accrochèrent des petits poissons pour agrémenter le déjeuner. La température s'adoucit après la fraîcheur de l'aube.

Ils arrivèrent en vue de la petite baie. C'était une jolie plage en croissant de lune, large, ombragée, parsemée de coquillages. Un ruisseau traversait une vallée étroite et s'y jetait. L'une des berges formait un merlon abrupt tandis que l'autre, en pente douce, menait à un promontoire couronné de pins. Les Américains avaient baptisé l'endroit « l'anse de la chaudrée ». Ils y avaient institutionnalisé la « chowder party », cette journée de farniente, de promenade et de chasse, suivis de la dégustation d'une marmite de fruits de mer et de légumes préparée sur place avec la pêche du jour.

La voile affalée, on débarqua pieds nus, pantalons et kimonos retroussés, les enfants sur les épaules, les denrées dans de gros paniers à bout de bras. Les bateliers descendirent la marmite et son trépied. On fit la chaîne pour passer les melons et pastèques. Quelques-uns tombèrent dans l'écume. On les rattrapa précipitamment à grand renfort d'éclats de rires et de pantalons mouillés.

Plusieurs bonbonnes de liquide ambré passèrent aussi par-dessus bord avec beaucoup plus de soin et furent rapidement enterrées dans le lit humide du ruisseau pour conserver leur fraîcheur. Lorsque tout fut déchargé, les rameurs s'allongèrent sur le sable au bout de la plage pour une sieste réparatrice.

La marée était encore basse. Elle laissait à découvert un estran vaseux propice à la pêche aux coquillages. Les trois femmes se couvrirent la tête de fichus imprimés pour protéger leur peau claire. Leurs larges manches étaient nouées dans le dos par une sangle de tissu roulé.

Le petit garçon, âgé de presque deux ans, s'amusa des petits tortillons qui montaient entre ses orteils et le chatouillaient. Il y enfonça un pied après l'autre. Il voulait porter le panier, tapissé d'algues, presque aussi gros que lui. Armées de bâtons au bout crocheté, penchées en avant, les femmes guettaient les minuscules orifices qui indiquaient où creuser. C'est Sayuri qui sortit la première palourde dans un bruit de succion. Ichirō battit des mains. Il abandonna le panier pour un bâton, beaucoup plus intéressant, et observa le sable humide en imitant sa nourrice. Yumi, qui portait sa fille Emiri dans le dos, laissa au petit garçon le soin de saisir les coquillages pour éviter de trop se baisser. Kané, elle, appréciait modérément d'avoir ses pieds délicats dans ce substrat un peu gluant, mais goûtait le bonheur de son fils qui criait d'émerveillement à chaque apparition des coquilles sombres. *Asari, aoyagi, hamaguri*[1], elles

---

1. Variétés de coques et palourdes.

ramassèrent un plein panier de palourdes et coques de formes et de couleurs variées qui allaient parfumer la chaudrée, et délaissèrent les abondants dollars des sables et les concombres de mer à la chair fade.

Les hommes prirent fusils et besaces, couteaux et paniers pour explorer le vallon. À l'avant, Charles et Ernest Satow marchaient en silence. De caractères très différents, ils s'étaient apprivoisés et se complétaient bien. Ernest était aussi placide et réservé que Charles était exubérant et affable. Il savait distraire son jeune compagnon de son trop grand sérieux. Ils parcouraient souvent ensemble les routes terrestres et maritimes de l'archipel en missions diplomatiques, exploraient la lande marécageuse à l'arrière de Yokohama en quête de gibier, pour le sport et l'amélioration de l'ordinaire, la viande de quadrupèdes étant très chère. Les pigeons et faisans, oies sauvages, sarcelles, bécasses et canards, y étaient jadis abondants mais les étrangers étant de plus en plus nombreux à y chasser, certaines espèces devenaient rares.

Satow pratiquait aussi un autre type de chasse, beaucoup plus paisible celui-ci, aux raretés botaniques. Avec Hall, passionné comme lui, il avait établi un bel herbier d'espèces endémiques et se plaisait à courir la campagne à la recherche de nouvelles essences et variétés. Mais l'Américain venait de quitter le pays, le laissant seul dans sa quête. Quelques jours plus tôt, avait débarqué de Pékin un jeune aristocrate, Algernon Mitford, nommé second secrétaire de la légation britannique. Lui aussi se passionnait pour les plantes, tout particulièrement les bambous et les érables. Il marchait en retrait des deux amis, l'œil à l'affût des beautés végétales, admirant les contrastes du vert tendre des feuilles oblongues sur le fond sombre des pins.

Le cœur du groupe des tireurs se composait des Suisses et de Willis. François Perregaux et les frères Favre-Brandt étaient horlogers, importateurs de montres suisses et connaisseurs des mécanismes de précision de leurs beaux fusils. Perregaux, sous son air débonnaire et son imposante moustache noire, avait l'esprit d'un aventurier. Originaire d'une vallée reculée des montagnes suisses, c'était un terrien qui envisageait la vie avec circonspection et prudence. Il était à l'origine de la création, l'année précédente, de la Société Suisse de Tir. Si les Helvètes ne voulaient pas fréquenter exclusivement la petite dizaine de compatriotes ou leur communauté linguistique, ils devaient étendre leur réseau amical et commercial. Leur facilité pour les langues les aidait naturellement à s'intégrer. C'étaient des hommes d'une grande courtoisie, s'employant sans cesse à huiler les rapports sociaux comme les rouages de leurs fines horlogeries. La Société Suisse de Tir conviait les représentants de toutes les nations établies à Yokohama deux fois l'an à des compétitions. Leurs fêtes étaient réputées les plus belles de la place et récompensées de beaux prix.

Fusils en bandoulière, Camino et Joseph Heco fermaient la marche. Heco avait mené à bien son projet de journal en japonais mais ne partageait pas les goûts de son ami photographe pour les reconstitutions. Les deux hommes débattaient d'une récente polémique sur le *Japan Times* lorsqu'ils levèrent toute une compagnie de perdrix sans même tendre la main vers leur arme. À deux pas derrière, faisant mille efforts de concentration pour comprendre la conversation en

171

anglais, suivait un jeune Japonais de vingt-cinq ans, dégingandé et maigre, un peu embarrassé de son corps. Assistant de Félix, passionné de technique, Kusakabe Kimbei travaillait au studio depuis son ouverture. L'anglais lui était encore difficile à comprendre lors de conversations et il se gardait d'intervenir.

Une heure passa ainsi à marcher dans une nature foisonnante, où plusieurs claquements secs des fusils firent tomber quelques volatiles, où des lames affûtées prélevèrent à sa générosité feuilles, fleurs et graines de variétés inconnues.

De retour sur la plage, les hommes inventorièrent leur maigre chasse et se sentirent un peu frustrés. Ils aimaient comparer les mérites respectifs de leurs fusils, leur transposant un peu de leur vanité masculine. Par défi, ils s'occupèrent alors à tirer sur les bouteilles vides qui avaient servi à les désaltérer quelques minutes plus tôt, faisant voler le verre en éclats. Un melon servit ensuite d'objectif et explosa en mille parcelles juteuses. Puis, à court de cible, ils tirèrent sur leurs chapeaux de feutre.

Lorsque ce jeu les lassa, ils entreprirent un concours de sauts par-dessus une petite retenue naturelle dans le cours d'eau. Mitford, partagé entre un relent de snobisme et son désir de s'intégrer au groupe, se fit prier pour participer. Sa séduction évidente, son profil de dieu grec lui attiraient souvent la méfiance et la jalousie des hommes, compensées par l'admiration des femmes. Ils formèrent deux groupes de nationalités mélangées et s'élancèrent à plusieurs reprises. Plus d'un atterrit dans la mare, mouillant ses bas de pantalons. Les cris d'encouragements jaillirent dans plusieurs langues, les rires fusèrent, on applaudit bruyamment. Des bonbonnes de liquide ambré circulèrent. Les esprits s'échauffaient sur les ventres vides. Kimbei et Ernest furent les grands vainqueurs grâce à leurs silhouettes élancées, leur jeunesse et peut-être leur moindre contribution à la dégustation de whisky.

Le soleil montait et il fut temps de commencer la préparation de la chaudrée. Les femmes revinrent vers la plage. Les vaguelettes de la marée montante léchaient leurs pas. Ichirō courut vers son père pour lui montrer fièrement la plus grosse hamaguri ramassée. Charles l'accueillit en le soulevant dans les airs et rugit de bonheur. Il était sa fierté, son amour. Son fils dans les bras, il fit le tour de ses amis pour lui faire exhiber sa belle palourde et tous se prirent au jeu de le féliciter. Willis l'assit sur ses épaules, ce qui ravit et terrifia Ichirō. Du haut des deux mètres du médecin anglais, Ichirō découvrit le monde comme les géants de légende. Il était la mascotte du groupe, trop gâté mais unanimement aimé pour sa curiosité et ses manières d'exquise politesse en dépit de son jeune âge.

Sayuri vint récupérer l'enfant, guettant le regard bleu du docteur qu'elle avait érigé sur un piédestal depuis qu'il avait miraculeusement sauvé sa maîtresse pour la deuxième fois en un an. Malgré sa calvitie et son embonpoint, ses dents manquantes et ses favoris, elle était séduite par son pouvoir d'homme de sciences mystérieuses. Elle le trouvait attendrissant par son embarras à déplacer son corps immense et l'habileté de ses grandes mains. Willis s'amusa un moment à taquiner Sayuri qui tendait les bras vers Ichirō hors d'atteinte, en tournant et esquivant, faisant rire aux éclats le petit garçon cramponné à ses oreilles, et rougir la jeune femme.

Après avoir confié sa fille à Sayuri, Yumi prit la direction des opérations culinaires. Les bateliers avaient ramassé du bois et un bon feu chauffait la marmite. Des oignons si doux qu'ils tiraient à peine une larme furent émincés avec des pommes de terre, des morceaux de porc salé et les petits poissons pêchés durant la traversée. On y déversa tous les coquillages préalablement rincés et dégorgés. Poivre, vin blanc, poudres d'algues et de bonite vinrent parfumer le bouillon dans un compromis entre Orient et Occident.

Tandis que frémissait la chaudrée, le soleil encore ardent de ce début octobre incita les Suisses, par pudeur, à se réfugier à l'ombre en attendant le repas, et les autres à se rafraîchir dans l'eau en sous-vêtements. Les femmes détournèrent leurs regards amusés de ces hommes en caleçon long ou court, poilus, qui pataugeaient et s'éclaboussaient comme des enfants dans les vagues. Il aurait été impensable pour eux de s'exhiber ainsi devant des Européennes.

Ichirō, libéré de son petit kimono, courut dans l'écume au côté de son père. Kané les regarda avec tendresse, songeuse. C'était une belle journée. L'ambiance était bucolique et bon enfant. L'été touchait à sa fin. On était dans sa période préférée de l'année, quand la chaleur s'atténue, le soleil descend sur l'horizon et ambre la lumière. Charles était entouré de ses amis. Le studio prospérait. Il régnait un calme relatif à Yokohama. La communauté étrangère accueillait chaque jour de nouveaux arrivants. La ville demeurait une enclave un peu folle, à part du reste du Japon, où tout semblait excessif.

On s'y ennuyait donc on festoyait souvent, le vin consolant toutes les races. Willis soignait les nombreux cas de syphilis et les maux dus aux excès d'alcool.

Les affaires étaient toujours chaotiques du côté du gouvernement. Le shōgun Yoshinobu luttait pied à pied avec l'appui des Français contre les partisans de la restauration impériale et leurs alliés britanniques. Son frère cadet préparait le voyage d'une délégation à l'exposition universelle de Paris avec le jeune Siebold, qui ne manquait pas d'en rapporter à Charles les anecdotes pour alimenter son magazine. Ernest le tenait informé des mouvements internes dans les clans dominants au sein desquels ils avaient noué des amitiés.

Kané observa son mari de retour sur la plage, le caleçon ruisselant. Il plaisantait en français avec les Suisses, les faisant rire aux éclats par quelques-unes de ses facéties coutumières. Le travail au studio avec Félix, l'enseignement, les *Japan Chronicles* et les gravures pour l'ILN emplissaient sa vie professionnelle. Quelques spéculations heureuses sur le dollar mexicain et l'or lui avaient permis de se libérer de la dette contractée lors du rachat de son contrat.

C'était une année douce, sans drame, sans maladie. Sa santé restait fragile. Sa beauté éclatante s'était muée en beauté sombre, plus anguleuse, au regard souvent retiré en elle-même. Parfois la superstition la faisait supplier les kamis de protéger ce bonheur, ce fils adoré. Par peur de les offenser ou de les négliger, elle empilait les offrandes devant le petit autel domestique, brûlait de l'encens à en embrumer la maison.

Aujourd'hui, elle buvait la quiétude sereine. Même en regardant Félix jouer avec la petite Emiri sur son ventre, allongé sur le sable aux côtés de Yumi, elle ne ressentait pas la griffe habituelle de sa haine.

La petite fille allait fêter sa première année. Elle avait seulement onze mois d'écart avec Ichirō. Comme sa maman, elle était tout en courbes. Rondeurs du visage, rondeurs de silhouette, sans être grasse, et toujours illuminée d'un sourire allant volontiers jusqu'au rire. Toutes ses découvertes étaient accompagnées de son petit grelot, même ses échecs, ses chutes. Elle fronçait un instant les sourcils, parfois le coin de sa bouche tombait, une larme diluait le bref chagrin. Elle regardait sa mère, guettait l'encouragement et le sourire remontait à sa bouche, puis à ses yeux. Elle amusait son entourage en explorant son environnement non pas en marchant à quatre pattes mais en glissant sur les fesses, se tirant par les talons. Cette stratégie de déplacement lui permettait d'avoir le visage tourné vers le haut plutôt que vers le sol, infiniment moins distrayant. Elle tentait depuis peu de s'élever encore en agrippant ce qui passait à portée de bras et en se hissant sur ses petites jambes, pour rester quelques secondes en équilibre vacillant, et retomber sur son derrière. De Félix, elle avait les cheveux fins et ondulés, châtains, dessinant un cadre mousseux autour d'un regard curieux sur le monde. Elle tourna et retourna une palourde dans sa main, absorbée, la tendit vers son père pour le prendre à témoin tout en produisant de petits gazouillements gracieux. La naissance d'Emiri avait enfin détourné Félix de Kané et de son obsession qui le rongeait.

Deux ans auparavant, durant les semaines qu'avait duré sa convalescence, combien de fois était-il venu frapper à sa porte ? Elle refusait obstinément de le recevoir. En public, ils se comportaient civilement mais sans chaleur, ce qui contrariait Charles qui aurait souhaité que son associé et son épouse soient les meilleurs amis du monde. En juillet, la fête des étoiles de Tanabata coïncidait cette année-là avec celle de l'indépendance américaine. Une immense célébration avait animé Yokohama, mêlant Japonais et Occidentaux dans des rites différents mais une liesse commune, alors que leurs gouvernements étaient engagés dans un bras de fer politique et militaire autour du détroit de Shimonoseki. Kané avait cédé à l'insistance de Charles de participer à la fête. Les rondeurs de sa grossesse, amoindries par sa minceur et les plis du kimono porté pour l'occasion, étaient à peine perceptibles et elle avait fait promettre à son époux de garder le secret.

Les festivités battaient leur plein. À la nuit tombée, alors qu'on s'apprêtait à mettre à l'eau les papiers sur lesquels chacun avait inscrit ses vœux, Félix réussit à l'entraîner à l'écart. Elle était tendue et mal à l'aise car la vision de ces papiers dérivant la ramenait à la nuit funeste du Hina Matsuri.

— Je vous en prie, Kané, cessez de me fuir et écoutez-moi. Je ne désire pas vous importuner mais vous me rendez la tâche difficile.

— Vous oseriez vous plaindre de la distance que je tente de mettre entre nous ? Je crois avoir fait de gros efforts pour ne rien laisser paraître alors épargnez-moi vos déclarations. Dois-je vous rappeler ce qui est arrivé lorsque j'ai tenté de la conserver ?

— Justement, c'est ce que j'essaie de vous demander depuis des mois. Pour savoir si c'est à cause de moi que vous avez été si malade et pour me faire pardonner. J'étais si soûl ce soir-là, je n'ai que de vagues souvenirs et d'horribles cauchemars qui me taraudent depuis. Je sais que j'ai passé les bornes, que j'ai trahi l'amitié de Charles en vous désirant, mais je suis incapable de me remémorer mes actes et leur, comment dire... leur gravité.

Elle l'avait regardé, abasourdie, les yeux soudain embués par des larmes de colère. Sa vie entière avait basculé, elle avait lutté pendant des semaines autant contre la mort que contre le manque d'envie de vivre, et l'homme qui en était la cause ne le réalisait même pas. Elle avait serré les mâchoires et les poings, refrénant une irrésistible envie de le frapper. Elle n'avait pu que répondre, sarcastique :

— Vous voyez ces papiers de couleurs qui dérivent sur l'eau, emportant nos vœux vers les kamis. Eh bien, sur l'un d'eux, j'ai demandé qu'ils vous frappent dans ce que vous avez de plus cher en rétribution de votre acte. Lequel ? me demandez-vous, puisqu'il s'est perdu dans les tréfonds de votre cerveau alcoolisé ! Vous voulez savoir si vous avez été assez abject pour aller jusqu'au bout ? Oui, Signore Camino, oui, vous l'avez été ! Et vous vous en êtes paisiblement endormi tandis que je tentais de vous oblitérer en me perdant dans la neige.

Il l'écoutait, défait, atterré, dégoûté de lui-même. C'était tellement pire que dans son vague souvenir. Comment pourrait-elle jamais pardonner son acte ? Il lui avait dit, bafouillant ses remords, sa contrition, comme il se sentait misérable. Comment pouvait-il se racheter ? De rachat, il n'y en avait pas de possible. Et les sentiments de Félix la laissaient de glace. Qu'il se torture l'esprit après tout en vaine culpabilité, cela n'effacerait rien de son fait. Elle avait mis un terme à leur confrontation en lui donnant un conseil.

— Mariez-vous, Félix ou prenez une concubine, comme tous les célibataires ici. Vous éviterez ainsi d'envier le bonheur des autres.

Kané avait été surprise d'apprendre quelques mois plus tard qu'il avait suivi sa recommandation en rencontrant à l'atelier la jeune Yumi. Félix l'avait engagée par l'intermédiaire du bureau des douanes qui assurait les recrutements mais rarement les abus et litiges. À la différence de la plupart des jeunes femmes engagées, elle n'était pas issue de familles paysannes si démunies qu'elles devaient vendre leur fille pour leur survie. Yumi venait d'un foyer jadis aisé de fabricants et négociants en tissus de soie. Son père avait été assassiné par des rōnin isolationnistes pro-impériaux voulant dissuader par la terreur leurs compatriotes de commercer avec les étrangers. Sans leur chef de famille, l'entreprise avait périclité, les frères de Yumi trop jeunes pour reprendre l'affaire. Leur mère avait placé sa fille aînée pour la sauver de la déchéance et faire survivre ses autres enfants jusqu'à leur autonomie. Yumi avait travaillé aux côtés de son père, assuré de ses doigts agiles la comptabilité sur l'abaque aux billes de bambou. Son habile coup de pinceau l'avait amenée à créer les motifs d'étoffes à peindre ou tisser. Ce n'était donc pas une provinciale rugueuse et analphabète, mais une jeune femme accomplie que Félix avait recrutée pour tenir son intérieur et officieusement, égayer ses nuits. Elle s'en acquittait sans broncher, dévouée à la cause familiale en serrant les dents. Mais comme maîtresse d'un Occidental, elle était considérée par ses compatriotes comme étrangère, moins respectée qu'une prostituée, et souffrait terriblement de cet ostracisme.

Comme elle assurait l'ordre et la propreté de l'atelier, elle côtoyait Charles et Kimbei. Yumi n'avait pas résisté longtemps à l'appel des pinceaux et des couleurs, créant en cachette dans ses rares moments de solitude, souvent à la lumière ténue des chandelles ou des lampes à huile, des aquarelles aux arabesques dansantes et aux tonalités transparentes, sur des chutes de papier ou au dos de photographies ratées. Un jour, trouvant l'une des peintures oubliées de Yumi, Charles avait enquêté pour trouver qui, de Kimbei ou des autres aides et apprentis, avait produit cette œuvre délicate. Surpris et admiratif, il avait finalement dévoilé l'artiste par recoupements successifs. Il lui avait alors proposé de participer à la mise au point d'une technique de colorisation photographique. Pour rehausser les tirages en noir et blanc, Charles avait tenté sans succès les pigments à l'huile dilués, trop opaques, puis avec plus de réussite les pigments d'aquarelle sans gomme arabique, agrémentés de colle animale. Il avait découvert en Yumi une exécutante précise et appliquée. Les clichés de son employeur et amant prenaient sous ses doigts des nuances colorées subtiles, semblant très naturelles. Elle y plaçait des silences, comme autant d'exhausteurs de relief. Charles y trouvait la même respiration que dans les peintures des grands aquarellistes, ceux qui laissent parler le papier, pas le blanc, mais la non-couleur. Elle s'évadait dans ce plaisir et Félix n'y voyait rien à redire, encourageant même le développement de ce procédé qui commençait à faire fureur auprès du public. Lorsque, très enceinte et proche du terme, elle n'avait plus trouvé la force d'assurer tout son travail, les associés l'avaient à regret remplacée par un ouvrier d'un atelier d'estampes qui peinait à survivre à cause de l'engouement pour la photographie, mais sans jamais atteindre le même doigté.

La petite Emiri était née le 30 octobre 1865, discrètement, rapidement, dans la lumière grise d'un après-midi humide. Kané avait retenu la date à cause de l'événement marquant de la journée, qui venait clore le douloureux épisode de l'assassinat des officiers britanniques Baldwin et Bird, si mémorable pour elle. Sous une pluie battante, en présence de quelques officiels dont Satow, un jeune rōnin tremblant et abruti par l'alcool pour pouvoir faire face à son bourreau, avait été décapité d'un seul coup de lame. L'année passée, Félix avait photographié l'exécution de son chef, le vrai responsable du double meurtre, et Charles en avait écrit un rapport détaillé pour les journaux. Il y avait déversé sa révolte, son soulagement que justice soit rendue, conclusion d'un épisode qui l'avait bouleversé.

Emiri était un bébé en pleine santé. Elle avait été déclarée sous le nom de sa mère, comme la plupart des enfants nés d'unions illégitimes et souvent temporaires. Charles faisait plutôt figure d'exception en se mariant et en reconnaissant Ichirō. Kané s'était rapprochée de Yumi à la naissance de sa fille, par le lien invisible de la maternité. Elles n'étaient pas encore amies, avançant doucement sur le chemin du respect mutuel, de l'admiration déguisée. L'une et l'autre n'ignoraient rien, par le biais des commérages, de leurs parcours respectifs. Yumi, membre d'une caste considérée comme bassement mercantile, enviait le statut de Kané, fille de samouraï. Elle, en retour, admirait secrètement la résilience et le courage de Yumi. Charles ne tarissait pas d'éloges sur son talent et, insensible aux a priori sociaux, encourageait le rapprochement des deux femmes. Kané fuyait toujours la présence de Félix. Mais enveloppé de sa nouvelle bienveillance paternelle, installé dans sa tranquillité domestique, il se rendait un peu plus tolérable à ses yeux.

Depuis quelques semaines, l'avidité d'Emiri à découvrir le monde en faisait un objet de curiosité et un cobaye pour Ichirō qui n'avait pas de compagnon de jeux. Les deux femmes étaient amenées à se croiser fréquemment, les enfants se côtoyaient le plus souvent à l'atelier, surveillés de loin pour parer à leurs bêtises et encadrer leurs initiatives parfois malheureuses. Ichirō initiait volontiers Emiri à la décoration corporelle, à la peinture murale avec les pigments de son père ou à la fabrication de confettis avec le papier à encoller.

Aujourd'hui sur cette plage, tout était propice à l'exploration et l'aventure. Ichirō avait rapporté de sa baignade des algues aux vésicules ovales qu'il s'amusait à faire éclater aux oreilles de la petite fille, la faisant rire aux éclats. À son tour, elle examina attentivement la lame souple et humide et tenta de reproduire le même effet, très concentrée, y mettant toute sa force. Lorsqu'elle y parvint, elle tendit au garçon d'un air victorieux son algue écrasée accompagnée d'un bruit de gorge aigu. Puis ils martyrisèrent quelque temps un concombre de mer mou et gluant, cherchant à déterminer la tête de la queue et les propriétés de la chair visqueuse. Yumi voulut faire cesser leur jeu en leur expliquant qu'on pourrait le déguster mariné ou séché, ce qui tira à Ichirō une grimace de dégoût alors qu'Emiri tenta de le goûter du bout de la langue.

La chaudrée fut enfin prête. Son fumet tira les derniers baigneurs hors de l'eau. Ils s'installèrent sur un tronc d'arbre, sur un rocher arrondi, dans l'herbe moelleuse ou le sable chaud, à l'ombre des grands arbres, avec pour compagnons musicaux le ressac, le babil des enfants et le chant du cours d'eau. Willis, tel un empereur romain à un banquet, était allongé sur le flanc, accoudé, décortiquant de ses grands doigts les savoureux coquillages. Les autres Britanniques, en habitués des déjeuners sur l'herbe, conservaient une certaine prestance dans leur posture et leur dégustation. La scène était digne d'être figée pour le souvenir, ce que fit Charles à la mine de plomb et Félix aux sels d'argent, dans la parfaite lumière du début d'après-midi.

À l'aide de larges coquilles de palourdes pour cuillère, le festin fut vite englouti. On savoura ensuite les melons et pastèques rafraîchis dans le ruisseau. De nouvelles bouteilles furent ouvertes et vidées. Les convives, au milieu de leurs agapes, virent descendre de la colline un prêtre en longue robe noire, au crâne rasé, un bracelet de perles de bois au poignet. Il venait du temple voisin à la rencontre des intrus sur son domaine. Saluts, sourires et paroles rassurantes furent échangés. On l'accueillit avec un verre de vin en guise de bienvenue, qu'il goûta en maîtrisant une grimace due à l'acidité du breuvage, mais déclara délicieux. Il fut donc encouragé à en vider un autre. Il repartit l'esprit un peu embrumé, rassuré que ces étrangers fort dénudés se comportent d'une manière décente.

L'alcool et la savoureuse chaudrée tournèrent les têtes et alourdirent les jambes. La chaleur aidant, une douce torpeur gagna les convives qui s'abandonnèrent, pour quelques heures, à la somnolence de l'après-repas.

Le soleil déclinait, il fut temps d'envisager le retour. La vaisselle fut rincée, les ustensiles de pêche et de cuisine rassemblés, les fusils remisés dans leurs étuis, les trésors de chasse, volatiles et verdures, collectés. Les paniers, plus légers, furent hissés à bord de l'embarcation. Certains arrière-trains eurent du mal à passer le bastingage ce qui provoqua des éclats de rire. Les bateliers levèrent l'ancre tandis que s'enflammait le crépuscule. La voile, dans la brise du soir, se gonfla plus généreusement qu'au matin et leur fit rapidement traverser la baie, accompagnés de la flotte industrieuse des bateaux de pêche. Les étoiles se levaient lorsqu'ils virent les lumières de Yokohama au détour du cap. Les enfants s'étaient endormis, repus de découvertes et de grand air. Les compagnons naviguèrent en silence, nourris d'amitié et de liberté. De telles journées, rares, faisaient reculer pour un temps la nostalgie du pays, les incertitudes commerciales ou diplomatiques, la violence latente. Les femmes se sentaient rassurées, un peu plus unies à travers l'aventure commune que leur faisaient vivre leurs conjoints ou employeurs occidentaux.

Ils débarquèrent à la lune montante, un goût de sel sur les lèvres, les yeux fatigués de trop de soleil. Les derniers rires fusèrent lorsque les hommes mirent leurs chapeaux troués sur la tête. Ils partagèrent le gibier et se séparèrent en se félicitant, se promettant de recommencer, sans faute, au printemps prochain.

11

Hako[1]

En route, 19 mars 2011.

L'habitacle est bien chauffé, les vitres un peu embuées, je me laisse conduire. Je tente de détourner mon esprit coupable en admirant le paysage escarpé, les nuances des bruns de l'hiver associés aux verts des persistants. Les rizières ne sont pas encore en eau. Les tons tristes dominent la terre nue, les branches nues et les âmes nues, affligées que nous sommes. C'est une fuite, une échappée vers le réconfort et la douceur. Je veux rassasier mon ventre gourmand des délicieuses nourritures promises. Je rêve de laver mon ventre gourmand avec toute l'eau claire de la montagne. Je désire assouvir mon ventre gourmand de son corps tiède et doux. J'espère ainsi masquer la laideur et l'effroi de ces derniers jours, ensevelir les cauchemars sous le bien-être. Je regarde Hiro, son profil qui parfois tourne son sourire vers moi. Il n'est pas gêné lorsqu'il sent mes yeux sur

---

1. La boîte.

lui, il semble au contraire boire ma présence. Une évidence règne entre nous.

Pour le distraire, je dessine sur la buée des carreaux. Nous roulons avec mes derniers litres d'essence sur un itinéraire plus long que la normale, pour éviter l'autoroute du Sanriku réservée aux véhicules prioritaires. Dans l'arrière-pays de Sendai, les petites vallées livrent le tsutsumiyaki, les céramiques typiques de la région. Il est plus facile, au milieu des champs et des rivières, dominés par les sommets enneigés, de jeter temporairement un voile sur la plaine souffrante, plus bas. Le coffret aux libellules rouges est à l'arrière, prêt à libérer ses souvenirs comme une boîte de Pandore émotive.

Nous arrivons au bout du monde, dans un pays suspendu dans le temps. À quelques dizaines de kilomètres de la côte et déjà en moyenne montagne, si loin du tumulte urbain. C'est un petit bourg tendu vers la pente, le long d'une rue centrale en pierre. Elle mène à une côte coupée de larges marches jusqu'à l'entrée d'un sanctuaire, marquée par un torī peint d'un orange fatigué. Hiro m'explique que plusieurs ateliers ont périclité faute de succession. Les grands fours restent froids et silencieux, leurs heures de gloire lointaines. Ils ne sont plus que deux potiers dans le village et Hiro s'éloigne de la tradition en créant des pièces sculpturales contemporaines. Sa maison est en retrait de la route. Un chemin bourbeux y mène et le 4 x 4 patine un peu. On devine à peine les dernières maisons derrière le rideau d'arbres.

En descendant de voiture j'ai le sentiment étrange, non pas d'être arrivée à notre destination, mais d'être arrivée. À destination. Là où je dois être. Hiro me demande d'attendre, fait glisser la porte qui n'est pas fermée à clé et m'apporte une grosse veste molletonnée. La buée sort de nos bouches et les nuages, lourds de neige, sont menaçants. Les plus bas s'accrochent aux cimes des grands cryptomères. On ne perçoit que les petits bruits de la nature en hiver, bruissements de paille, souffle du vent dans les frondaisons, un rongeur qui détale en froissant les herbes mortes.

Hiro me fait faire le tour du propriétaire. La bâtisse est ancienne, le toit de chaume moussu très épais, pentu comme dans les pays de neige. De lourds volets coulissants, en bois sombre patiné par le temps et les intempéries, ferment la véranda, doublée de parois vitrées. Des cloisons de papier filtrent la lumière le long de la coursive. Plus loin l'atelier s'adosse à la pente. Il referme un espace en trapèze orné d'un ravissant jardin dessiné autour d'une petite cascade. Dans la pente, après des rocailles et un bosquet de bambous, je distingue un potager avant le grand espace libre d'un pré. Je suis subjuguée par la beauté du lieu, la sérénité qui s'en dégage. J'ai visité et photographié de très nombreux jardins japonais dans tous les styles, de toutes tailles et de tous âges à travers l'archipel. J'ai écrit plusieurs articles à leur sujet car ils m'émeuvent et me fascinent. Je suis devant un jardin unique, entre tradition japonaise ancestrale, de végétal, de pierre et d'eau, et œuvre contemporaine d'argile et de bois qui s'y épanouissent en parfaite harmonie, bonifiée par l'érosion des éléments. Certains composants essentiels comme la lanterne ou les pas japonais ont été revisités par Hiro. Il y a un peu de laisser-aller dans la taille des arbres, çà et là les mauvaises herbes agrandissent leur emprise. J'y retrouve le même charme débonnaire qu'en son créateur.

Le bruit de notre marche dans le gravier fait écho à celui de la source qui chante à travers un bambou sur une grosse roche polie par l'écoulement. Si les érables et autres feuillus sont encore nus, le vert dégrade sa palette sur chaque buisson, bosquet, arbuste persistant ou pin tourmenté et noueux. Certaines tiges et jeunes pousses tirent sur le rouge, animent le contraste. Je suis émue, silencieuse. Je sens le regard de Hiro. Il guette mes réactions. L'envie de le photographier dans son jardin vient quand je réalise, pour la première fois, que je n'ai pas mon appareil et que je n'ai pas pris une seule photo depuis ma rencontre avec lui. J'ai plongé ces derniers jours dans la réalité sans mon rempart, mon œil artificiel. Je vais le chercher dans la voiture et essaie de prendre Hiro sans qu'il pose. Il incarne ce jardin, il fait corps avec ce lieu.

L'intérieur de la maison est traditionnel, hormis la cuisine. L'entrée est en terre battue, nous y laissons nos bottes. Une pièce aux belles proportions laisse apparaître jusqu'au toit la structure de piliers et de poutres polis par les ans, noircis par la fumée de l'*irori*. L'âtre carré s'ouvre en son centre. Une grosse théière en fonte pend à la crémaillère ornée d'une carpe en bois sculpté. Les tatamis ne sont pas récents. Ils ont le beau lustre doré de la paille doucement usée par les milliers de pas. La pénombre règne. Les panneaux à l'éclat fané semblent se nourrir des rares rayons du dehors pour faire ressurgir un peu de leur gloire.

La poussière danse dans notre sillon. Le parquet chante l'éloge de l'ombre.

Plusieurs pièces s'ouvrent sur la salle centrale dont la chambre de Hiro, où le futon est étendu dans un désordre de livres et revues accumulés en piles. Céramique, jardinage, romans, en japonais et anglais. Une table basse chauffante lui sert de chevet et d'écritoire. Une pièce en parquet est aménagée en bureau, avec l'habituel entrelacs de fiches et de câbles d'ordinateur, un écran plat dans l'angle et un fauteuil en cuir avachi, patiné. Comme la chambre de Hiro, elle ouvre sur le jardin. Plusieurs pièces en tatami se succèdent. Elles sont vides hormis un décor dans chaque alcôve, un dessin ou une calligraphie pendue à un rouleau de soie, un vase en attente de ses fleurs. Elles servent aux élèves de passage. La maison dégage le charme de l'ancien, des années lentes, de la roue des saisons.

Il y fait un froid mordant, comme dans toutes les maisons japonaises offertes aux courants d'air. On s'y réchauffe par les bains du soir et les petits poêles à fioul qui crachotent une odeur nauséabonde à l'allumage, une maigre chaleur à un mètre à la ronde et dont la flamme ne dure même pas jusqu'à l'aube. Étudiante, j'ai habité une de ces habitations où en hiver, tandis que des écoliers en short cheminaient dans la neige vers l'école, je cassais la glace pour faire coulisser la fenêtre. À l'inverse, au cœur de l'été, lorsque la chaleur devient écrasante et l'humidité collante, les rares souffles d'air circulent avec leur parfum de paille chaude, et l'on se réfugie dans la pénombre protectrice. On se prend alors à rêver de murs épais en pierre, suintant la fraîcheur, contre lesquels apaiser le feu de la peau.

Hiro m'entraîne vers la salle de bains, au bout de la maison, près de la cuisine. Elle est carrelée sur les murs de dalles de grès façonnées de ses mains, dans les tons céladon s'étendant du gris au vert en passant par le turquoise pâle. Leur texture est satinée ou translucide, piquetée de cristaux iridescents. Certaines sont bordées d'une fourrure sombre. Je m'approche pour observer l'étrange géométrie ressemblant à des flocons de neige.

— Lorsqu'on joue avec certains composants, plusieurs descentes de températures, des paliers et des remontées successives, on obtient ce phénomène de cristallisation, m'explique-t-il.

— C'est beau et original. Chaque carreau est unique.

— Merci ! Vous pourrez tout à l'heure les détailler à votre aise. Je vais mettre l'eau à chauffer.

La salle comporte bizarrement deux bains dont l'un, situé dans un angle, est un traditionnel et ancestral goemonburo, un chaudron circulaire, dans lequel on prend le bain assis, jambes pliées, avec un couvercle de bois afin de conserver la chaleur pour le baigneur suivant. Le deuxième en ciment, au bord carrelé, est plus grand. Il se trouve sous une grande paroi vitrée embrassant la vallée. Un délice de contemplation.

— Le goemonburo est d'origine mais ce n'est pas très confortable. J'ai installé le deuxième pour mon confort et lorsqu'on est nombreux.

Je m'étonne justement auprès de Hiro de l'extrême isolement qu'il doit ressentir en cette saison. Cette immense bâtisse pour un seul homme.

— En hiver, je savoure ma solitude. Aux beaux jours, j'y suis rarement seul. J'anime des stages de tournage et de modelage et l'été, de cuissons raku dans le pré. Les stagiaires m'aident à alimenter le grand four qui nécessite plusieurs stères de bois. Ils dorment sur place, on allume des barbecues géants, on monte des tablées pour vingt, trente parfois, on fait des fêtes, on chante, on danse à la fin de la semaine, c'est très convivial. Lorsque j'enchaîne trois, quatre stages à la file, pendant les vacances universitaires au printemps ou en été, j'aspire à la quiétude. Mais c'est une de mes sources de revenus non négligeables et j'aime ces moments de partages amicaux, je m'y fais toujours des copains, je garde le contact avec certains. Mais, généralement ce sont des parenthèses, les gens retournent à leur travail, leur famille, la ville. Parfois j'ai des apprentis qui restent plus longtemps pour en faire leur métier. Venez, je vais vous montrer l'atelier. Vous verrez pourquoi je vais devoir annuler mes prochains stages.

L'atelier est à l'écart de la maison. Il est relié par une coursive ouverte en bois, abritée par un auvent en tuiles vernissées piquées de lichen. Une grande pièce en terre battue, aux parois de torchis ocre et éclairée de larges vitres, sert à la création des poteries. Le long des murs, des estrades en planches sont percées à intervalles réguliers d'ouvertures carrées d'où émergent les tours électriques. Chaque emplacement dispose d'un petit coussin et d'un baquet en bois. La pièce est jonchée de débris de poteries éclatées sur le sol, tombées des claies. L'une d'elles est renversée, à terre. Elle en a entraîné dans sa chute une deuxième, tendant ses montants et ses planches gauchies vers le plafond, comme un animal implorant et blessé.

— Je n'ai touché à rien. Je suis parti après l'annonce du tsunami lorsque le silence de mes parents a commencé à devenir inquiétant. Ce sont toutes mes pièces crues de ces derniers mois.

Il me montre des sellettes renversées, aux pieds desquelles gisent ses sculptures.

— Les seules qui sont à peu près sauves sont les pièces dégourdies empilées dans le four à gaz, qui refroidissaient de la première cuisson. Elles sont tellement serrées qu'elles ne pouvaient pas tomber, mais le séisme était si violent qu'elles se sont entrechoquées et ébréchées pour certaines. Ce four-là est intact, mais l'autre est en ruine.

Nous traversons une autre pièce plus petite dans laquelle le four à gaz cubique, imposant, occupe l'angle. Sur les claies encore debout s'alignent des coupelles, des pots enduits d'émail, prêts à être enfournés. À leurs pieds s'entassent des seaux sur lesquels sont écrits au feutre des noms poétiques.

À l'extérieur sous un grand auvent s'élève un four des plus étranges, en briques, ressemblant à une chenille sur une montagne. Plusieurs chambres à voûtes rondes se succèdent en montant sur la pente. Elles sont toutes effondrées sauf une.

— Un jour, je le reconstruirai. Je ne m'en servais plus beaucoup puisque je ne fais plus de production de masse. Mais c'était un fidèle compagnon, je ne peux pas le laisser à terre comme ça, il fait partie du patrimoine potier du village. Il faut d'abord réparer le toit avant de s'attaquer à la reconstruction des voûtes.

Le pilier d'angle s'est affaissé, toute la structure a été fragilisée.

Cela représente un travail considérable pour un seul homme. Je l'observe à la dérobée devant les ruines de son travail. Je vois sur les commissures de ses lèvres qui s'inclinent le découragement devant l'ampleur de la tâche, je sens dans les poings serrés qu'il plonge dans ses poches le désarroi et l'amertume.

— Est-ce que cela vous dirait de vous essayer au tournage pendant que le bain chauffe ou bien préférez-vous manger un encas avant le déjeuner ?

— Non, merci, je préfère attendre les okonomiyaki promises ! Je n'ai jamais essayé le tour mais je me souviens que j'adorais triturer l'argile à l'école, je me fabriquais des dînettes. Mais, ne fait-il pas trop froid ? L'eau doit être gelée !

— En effet, il faut être assez endurant. Mais vous vous réchaufferez dans le bain après.

Il nous enveloppe dans de grands tabliers, remonte ses manches, puis ouvre un pain d'argile qu'il détaille en gros cubes avec un fil à couper. Sur une table en bois, il pétrit cette terre en l'écrasant avec le côté de ses paumes, la ramenant du bout des doigts. J'observe les longs muscles de ses bras et de son cou se gonfler, se tendre. Il aligne deux boules sur une planche à côté d'un tour situé à l'écart des autres, face au jardin. Puis il remplit d'eau une petite bassine et ajuste le tabouret. Plusieurs instruments dont j'ignore le nom et l'usage sont regroupés dans des pots et coupelles près d'un autre tour. Hiro me dit qu'il fonctionne à la force du pied et sert à tournasser, dégrossir les pièces, affiner leur ligne, donner le galbe final d'une courbe.

Des manches en bois, en métal, aplatis, dentés, arrondis, en S, en L, certains coupants, tranchants, pour repousser, polir, extruder... Des mirettes, ébauchoirs, estèques, autant de mots exotiques en japonais, que j'ignore alors tout autant en français.

Il allume le tour sur le côté, s'assoit tout contre, les jambes de part et d'autre pour, me dit-il, avoir les yeux au-dessus du centre de la pièce. Il jette violemment une boule sur la girelle en métal, la tape pour la centrer et lance le tour à pleine puissance en appuyant sur la pédale. Ses mains mouillées enserrent l'argile qui surgit vers le haut. Il la rabat de sa paume, puis la fait remonter pour la rabattre encore. Il m'explique tout le processus des forces en jeu, avec quelle partie de la main ou des doigts il exerce une pression, quel bras agit. Fascinée, je vois la terre se tordre, comme habitée d'une force intérieure propre. Il mouille fréquemment ses mains, recouvertes d'une couche de barbotine liquide. Il perce le centre avec ses pouces, tire avec son majeur, pince le renflement. Cela va vite, le geste est précis, ses doigts dansent. Les bords s'élèvent, puis s'écartent, se resserrent, s'allongent. Un petit vase ventru apparaît. Soudain, avec la base du pouce, il rabat tout et le vase redevient motte.

— À vous !

— Quoi ? Mais je serai incapable de sortir la moindre forme ! Ça a l'air si facile dans vos mains...

— Peu importe ce que vous sortirez de cette boule, probablement rien la première fois. Il faut d'abord sentir l'argile, sa plasticité, sa résistance, sa douceur, comment elle répond, si elle se laisse faire, si elle se cabre parce qu'elle est dure, si elle s'affaisse parce que trop molle.

— Vous en parlez comme quelque chose de vivant.

— Mais c'est vivant ! Enfin, c'est de la matière minérale, mais c'est une forme et un objet en devenir et c'est vous qui décidez de ce devenir, pas elle ! Vous devez cependant tenir compte de son caractère, ses spécificités. Il faut la respecter pour ce qu'elle nous donne.

Je m'installe à sa place sur le tabouret, le bassin collé au bac qui reçoit l'eau. Le pied sur la pédale, j'appuie doucement, timorée. Je mouille mes mains, craintive du contact. La terre est tiède, douce, très lisse. C'est grisant de plonger dans cette masse humide. La barbotine chatouille le creux entre les doigts. Je presse mes paumes vers le centre et la terre monte. Elle révèle des appuis et des sensations cutanées dont j'ignorais l'existence. J'essaie de faire comme Hiro, de la rabattre avec ma main gauche, mais elle part en biais et tout se décentre. La boule tourne par à-coups, vrillée. Je tente de la recentrer en poussant plus d'un côté, mais l'effet s'accentue. Je fais gicler de l'argile partout, nous rions de ma maladresse, éclaboussés. Hiro se place alors derrière moi sur un autre tabouret, jambes écartées le long des miennes, son bassin contre mes fesses. Il met ses bras sur les miens, couvre mes mains des siennes, doigt pour doigt et imprime les pressions à ma place, reprenant le centrage, m'expliquant comment positionner mon coude contre ma hanche pour retenir la force. Il me fait appuyer plus fort sur la pédale. Tous les muscles travaillent, je suis tendue, focalisée sur cette masse tournant à toute vitesse devant moi en une danse hypnotique. Je sens l'argile obéir sous nos doigts. Je finis par lâcher prise et me laisse guider. Il saisit mon poignet de ses mains pleines de terre grise et me dit de tirer avec mon majeur en creusant.

— Vous sentez comme la terre répond ?

Je sens surtout sa joue contre ma tempe, son souffle chaud, et j'ai beaucoup de mal à me concentrer. Ses doigts entremêlés aux miens, son torse contre mon dos et une certaine dureté dans le bas qui me fait douter de sa propre concentration.

— Vous êtes très pédagogue, vous prenez l'enseignement à bras-le-corps ! lui dis-je.

— C'est seulement pour les élèves très... assidues.

— Et vous avez souvent des élèves aussi assidues ?

— Jamais ! murmure-t-il à mon oreille.

Je dégage ma main et la monte vers sa joue, juste au-dessus de mon épaule. Je la caresse de mes doigts argileux, maculant sa barbe, les plonge dans sa nuque et ses cheveux. Il ne recule pas devant la terre familière. Je tourne ma tête de côté, ma bouche juste au bord de ces lèvres charnues, gourmandes, que j'ai trouvées désirables dès notre première rencontre. Il me serre fort contre lui, imbriqués que nous sommes l'un dans l'autre. Nous nous embrassons avec l'avidité que l'attente a accumulée, tel un ressort qu'on relâche. Nous parcourons visages et corps de nos mains grises, traçons des sillons, des fresques étranges, mouvantes. Nos doigts dénouent et arrachent les dix couches de vêtements nous séparant l'un de l'autre.

L'atelier jonché de tessons étant peu propice à des ébats fougueux, Hiro me soulève de terre, pousse du pied les cloisons coulissantes et en quelques enjambées nous jette sur son futon où nous parachevons plus confortablement nos tatouages réciproques, notre exploration impatiente. Il est fougueux mais attentif, gourmand et doux, puissant et délicat, avec la même superbe dualité que j'ai pu apercevoir dans ses céramiques, un mélange créatif de tradition et d'innovation. Il me pétrit avec cette force que je lui ai sentie au tournage. Il me façonne dans l'amour de ses doigts experts et de ses lèvres friandes, malaxe ma chair, caresse les replis secrets. Comme au raku, la montée en température est très rapide et le choc thermique intense, créant un réseau de tressaillements jusqu'au cœur.

Nous restons une éternité l'un en l'autre. Je veux le retenir en moi. Le sentir encore en bougeant à peine. Je ris, les larmes aux yeux, autant de bonheur que de regret, en pensant à toutes ces années de jouissance perdue. Je m'étais résignée, passé quarante ans, à des étreintes furtives qui rassasient sans nourrir, à des émotions ternes, des relations en demi-teintes. Je sens avec Hiro une connivence évidente. Pour la première fois réciproque. Non pas que d'autres hommes ne m'ont pas désirée ou aimée auparavant, mais aucun ne m'a aimantée comme lui, par sa sensualité, son charme d'artiste bohème et pourtant rigoureux, la séduction de sa liberté sans attache, sa curiosité de voyageur sans jugement.

Il sent mon émotion. Comme dans les décombres de la maison, il caresse mes paupières et m'entraîne vers d'autres réflexions.

— Viens dans le bain, il doit être brûlant depuis le temps. L'argile sèche commence à craqueler, ça chatouille. Je vais te frotter, laver tes cheveux, nettoyer toute la barbotine dont tu nous as copieusement enduits ! Avoue que tu as adoré ça ! Tu m'as rejoué la scène du film *Ghost*, sauf que les deux héros, hors champ, s'essuyaient les mains et continuaient leurs ébats avec des mains propres, eux !

— J'avais en effet trouvé cette scène très sensuelle... J'avais eu le feu aux joues en la regardant. J'ai un souvenir étrangement précis de ce film.

— Je serai bien incapable d'en dire autant, je ne sais même plus si je l'ai vu au cinéma ou à la télé. C'était un bon divertissement mais pas un chef-d'œuvre.

— Non c'est sûr. Je m'en souviens à cause des amis avec qui j'étais, ce dimanche après-midi à côté de Tokyo, et dont je n'ai plus beaucoup de nouvelles. Après mes études de journalisme à Paris, j'ai obtenu une bourse du ministère de l'Éducation à Nichidai[1] en photographie. C'était mon premier long séjour au Japon à la fin des années quatre-vingt. Dans le département voisin, il y avait un Philippin et un Indonésien que j'avais retrouvés par hasard le dimanche à la messe. J'y allais encore assez régulièrement à l'époque. Ça nous a rapprochés. On est devenus des amis inséparables jusqu'à la fin de nos études.

— Tu ne fréquentais pas de Japonais ?

— Si bien sûr, pour la plupart des étudiants de ma classe, et certains rencontrés dans les petits boulots qu'on faisait tous pour arrondir nos fins de mois. J'enseignais le français et l'anglais, je chantais dans un restaurant, je faisais de la pub pour des ordinateurs, je posais pour des photos de voiture ! Il ne me restait pas beaucoup de temps libre. Avec mes amis japonais, je faisais des activités japonaises ; des hanami, des

---

1. Abréviation de Nihon Daigaku, la plus grande université du Japon, composée de nombreux départements sur plusieurs campus.

soirées karaoké, des beuveries tardives dans les *izakaya* de Roppongi. Avec Pablo et Prijo, le dimanche après l'église, on restait tous les trois et je leur cuisinais des crêpes ou d'autres spécialités françaises. Lorsqu'il faisait mauvais, on passait l'après-midi à regarder des tournois de sumo à la télé, des films de samouraïs, ou à aller au cinéma. J'étais toujours assise entre eux deux. Ils gloussaient comme des gamins, me poussaient du coude. Combien de fois on a reparlé de ce film par la suite en riant... Si j'avais pu imaginer que je vivrais moi-même une scène aussi torride...

Je m'allonge sur lui en disant cela, me frotte contre son torse et l'embrasse avidement. Je sens ses bras se refermer mais je lui échappe avant que le désir ne nous submerge de nouveau. Je saute sur mes pieds, nue, étrange amazone à la peau zébrée, et cours vers la salle de bains dans le froid glacial.

Les vitres sont rendues opaques par la vapeur. J'essuie la buée pour admirer le paysage. Il fait partie du bonheur des ablutions. Hiro me dit qu'un jour il construira un bain dehors, un *rotenburo* bordé de pierres dominant toute la vallée. Il me fait asseoir sur un tabouret bas et à l'aide d'une grande louche en bois m'asperge la tête et le corps d'eau brûlante. Il me lave longuement les cheveux, masse mes tempes, ma nuque, mes lobes d'oreilles. Divin. Inoubliable. Puis je le fais pour lui. Il en grogne d'aise. Je l'observe tandis qu'il s'abandonne les yeux fermés. Son corps est athlétique, sec, glabre. Chaque muscle est dessiné, sans relâchement. Ses hanches sont étroites. Son sexe doux repose entre ses jambes étendues.

Assis derrière moi, il me frotte le dos avec un linge, comme font souvent les mères avec leurs enfants, les couples ou les amis proches. Je m'identifie aux singes qui se prélassent dans les bains chauds au Nord du Japon et s'épouillent pour apaiser les tensions dans le groupe tel un rituel social de connivence, d'apaisement, de renforcement des liens. Il dit : « Je prends soin de toi, je vais te faire du bien. » Il frotte avec douceur et fermeté, pas trop vite. Il a un temps d'arrêt. Puis dessine du bout de l'index le contour de ma cicatrice qu'il vient d'apercevoir, pose sa paume dessus dans le creux de la hanche, sans rien dire. Sa main seule m'interroge. Peut-il deviner par la forme de quelle blessure il s'agit ? J'enferme ses doigts dans les miens. J'hésite à raconter mon passé, livrer mes errances. Pourquoi ne pas se repaître de la légèreté du moment, comme les bulles de savon qui éclatent sur nos corps ? À un autre, je parlerais d'une éraflure, il faut regarder de près pour distinguer la forme ronde aux bords renflés caractéristiques.

— C'est la marque de la balle qui a tué le père de mon fils.

Ça sonne abrupt même à mes oreilles. Cette blessure a vingt ans, mais il m'arrive encore d'en cauchemarder. Je cherche la bonne formulation, Hiro patiente, silencieux.

— Juste après mon retour du Japon, je suis partie avec le reporter qui avait supervisé mon mémoire. Je cherchais à me former en allant sur le terrain. Il m'a emmenée en Yougoslavie. On était en 91. Ça ne te dit sans doute pas grand-chose, le Japon était en pleine crise, plus préoccupé des retombées de la première guerre du Golfe. C'était le début d'un sale conflit en plein cœur de l'Europe qui opposait d'anciens voisins proches devenus ennemis lors de l'éclatement du bloc soviétique. J'ai sauté sur l'occasion de faire mon baptême du feu. Nous avons traversé la Bosnie vers le Sud, Sarajevo, la Croatie jusqu'à Dubrovnik. Là-bas, nous avions un interprète, Carol. Il était étudiant en français, musicien. Nous avons assisté à des pillages, des exactions atroces. On s'est retrouvés à couvrir le siège de la ville prise en étau entre la marine au pied de la citadelle et les collines qui la surplombent. Vers décembre, l'armée pilonnait la ville, nous n'étions plus en sécurité nulle part et nous ne pouvions plus partir, nous vivions dans la terreur permanente. J'avais voulu un baptême du feu, j'étais amplement servie. Carol n'était pas un combattant, c'était un artiste doux, rêveur, mais il a pris les armes comme tous les hommes, pour défendre sa ville des assaillants dix fois plus nombreux. Un soir, dans une maison ravagée par les obus, on a fait l'amour, pour se rassurer, se faire du bien. Par désespoir. Avec frénésie, par peur de mourir le lendemain. Ça a été le cas pour lui. Pour moi, c'est passé tout près. La balle, d'un calibre énorme, a pénétré juste au bord de ma hanche, en emportant un morceau. Elle lui a perforé le poumon et l'artère. Il est mort dans mes bras, en suffoquant dans son sang. À la fin de l'année, il y a eu un cessez-le-feu, on a pu être évacués. Je ne sais même pas où il a été enterré. J'ai découvert que j'étais enceinte après mon retour en France. D'une seule et brève nuit.

— Ken'ichi connaît-il l'histoire de son père ?

— Oui. Petit à petit, lorsqu'il a demandé pourquoi il n'avait pas de Papa, puis en grandissant, je lui ai donné plus de détails. Je sais qu'il a souffert de l'absence. Mes parents ont été très présents. Comme ta mère avec ta fille. C'est grâce à eux que j'ai pu élever mon fils de façon équilibrée, harmonieuse.

Lui livrer cette histoire est un don. À part mes parents, un seul homme la connaît. Le seul que j'ai fréquenté quelques années avant qu'il ne se lasse de m'attendre. À Hiro, je la livre d'emblée, comme une onction à notre relation naissante. Il me serre contre lui, reconnaissant de cette parcelle importante de ma vie. Il embrasse ma cicatrice et me prend sur lui, sur ce petit tabouret, tout doucement, lentement, presque sans bouger, peau humide contre peau humide, dans la vapeur et la quiétude de la nature environnante.

Le thermostat a maintenu le bain à la température fixée. Il faut grandir au Japon pour ne pas avoir la sensation, en y pénétrant, de s'ébouillanter vivant. Je profère mille obscénités silencieuses et borborygmes. Nous y marinons longtemps, jambes enchevêtrées, nous frottant l'un contre l'autre, emmagasinant la chaleur et le bien-être, jusqu'à ce que la faim et l'eau tiédie nous incitent à sortir.

À la cuisine, vêtue d'un de ses yukatas, appuyée contre le comptoir parce qu'il m'interdit de l'aider, je le regarde préparer notre festin. Je respire le hojicha fumant dans ma tasse. Le parfum du thé vert torréfié me projette vers l'été et fait remonter des réminiscences que Delerm ne renierait sans doute pas. Je préfère le hojicha glacé, celui dont la première gorgée commence bien avant les lèvres. Les senteurs de chaume s'immiscent, comme si l'on s'allongeait sur des tatamis neufs. Le chant des cigales enveloppe et rassure, lancinant, régulier. L'odeur plus distante d'herbes chauffées au soleil se mêle à celle du thé. La tasse refroidit les doigts dans la chaleur intense, les humecte de condensation. Puis vient le baiser glacé du bord extérieur un peu rugueux, l'intérieur si lisse. La fraîcheur coule sur la langue, le palais, puis dans la gorge et se diffuse en une sensation de bien-être climatisé. La seconde gorgée apporte encore un plaisir vert, mais l'amertume l'emporte déjà. Il faut attendre le lendemain, ou l'été prochain pour revivre la première gorgée de thé.

Le crissement familier du chou sur la râpe me ramène au présent. Hiro me demande de battre les œufs mais je préfère le regarder. Il incorpore la farine, le bouillon de bonite, épluche les crevettes, sort la sauce brune, le gingembre rose, les algues vert foncé, verse l'eau bouillante sur le miso rouge. Une incroyable palette culinaire colorée se déploie sous ses mains. L'odeur qui s'en dégage est iodée, on y reconnaît sans peine l'essence du Japon. On peut identifier un pays les yeux fermés à l'odeur de sa cuisine.

Hiro nous sert sur la table chauffante dans sa chambre, assis sur de simples carrés de soie grège à même la paille des tatamis. Nos jambes s'entremêlent sous la couette qui préserve la chaleur. Je sens la caresse de ses orteils à l'intérieur de ma cuisse. En même temps, il dispose avec précision les divers éléments du repas sur des plateaux laqués. Chaque condiment, chaque mets est servi dans un récipient de sa création. Minuscules coupelles céladon à l'émail translucide et craquelé, bols rouge sang, couvercles hésitant entre le gris et le bleu de cobalt. L'assiette dans laquelle trône une copieuse crêpe a une texture de gouttes d'huile, d'un noir profond aux reflets argent. Les porte-baguettes sont des animaux fantasmagoriques aux sourires de gargouilles hilares. Les baguettes sont incrustées de nacre. Cette vaisselle unique mériterait mieux qu'une simple okonomiyaki mais c'est pour moi plat de fête, un régal pour les yeux et le palais. Je m'incline profondément vers Hiro en le remerciant. Après mon reportage sur l'art gastronomique japonais, je pensais ne jamais goûter une cuisine supérieure. Pourtant ce soir, je la savoure plus riche de générosité.

De la table au futon, il n'y a qu'un pas, rapidement franchi. Sirotant de l'alcool de prune, ma tête reposant au creux de son aine, Hiro ouvre la boîte aux libellules et me passe des photos au hasard. Je commente, nomme les figurants, raconte les anecdotes associées. Je plonge allègrement dans l'écume des souvenirs, parfois incertains, parfois enjolivés des événements d'enfance, de fêtes familiales. Certains éveillent des réminiscences communes comme celle où je montre fièrement à l'objectif mon nouveau ballon sur la plage d'Ajishima.

— Moi aussi je suis photographié avec mon ballon sur cette plage, à côté de mon frère qui disait tout le temps que c'était le sien et ne me laissait pas jouer. Mon père a pris ma fille au même endroit. Hélas, ces photos doivent flotter quelque part au milieu du Pacifique ou se décomposer dans la boue, mélangées à d'autres photos d'autres familles...

— C'est désolant et irremplaçable. Mais l'essentiel, ce sont les souvenirs que tu gardes dans ton cœur, non ?

— Sans doute, mais j'aurais aimé les laisser à ma fille. Il arrive un âge où l'on commence à avoir envie de transmettre.

Je ne reconnais pas toutes les photos. Plusieurs sont antérieures à ma naissance. Rares sont celles de ma mère et mon oncle enfants, pendant l'après-guerre. Il y a une photo de mariage de mes parents, en noir et blanc. Mon père est radieux, ma mère un peu plus réservée dans son joli kimono. D'autres photographies sont d'une génération antérieure, un peu bistre, aux bords dentelés, aux attitudes posées, rigides. Par la date manuscrite au dos, je retrouve celle du mariage de mes grands-parents, en 1940. Il est difficile de reconnaître Obāchan dans cette jeune femme. Et mon grand-père dans ce jeune homme bombant le torse. Il pose sur une autre en tenue militaire. Le sourire a disparu.

Quand tous les clichés sont sortis, Hiro remarque au fond deux grandes enveloppes qu'il me laisse le soin d'explorer. Il y a aussi une pièce de tissu en soie rouge pointillée de blanc. Elle révèle un éventail ouvragé au subtil parfum de santal. S'y trouve aussi un petit objet en os ou en ivoire, finement ciselé, de quelques centimètres de diamètre, représentant un petit rat sur du cordage enroulé. Le matériau est poli, usé à certains endroits, d'une belle couleur crème. La sculpture est si précise qu'on peut sentir sous la caresse d'un doigt la rugosité de la corde, le soyeux du pelage.

Nous sommes de plus en plus curieux et excités. Dans le dernier repli, il y a une chaîne en or et un médaillon en forme de cœur, aux motifs de gui en relief. En l'examinant, j'appuie sur un petit mécanisme qui l'ouvre. Il se développe en un trèfle à quatre feuilles.

Dans chacune d'elles, une photo minuscule. L'une est à peine visible, passée, on y distingue juste des silhouettes. Une autre montre le portrait d'un jeune homme assez beau, portant un uniforme d'école ou d'université. La deuxième, une femme au visage rond éclairé d'un sourire avenant, et enfin sur la dernière, celle d'une petite fille. C'est un ravissant bijou, d'une grande originalité. Il est difficile de le dater mais il doit avoisiner le siècle. Il ne semble pas de manufacture japonaise et le motif végétal évoque l'Art nouveau.

De l'une des enveloppes je sors des photographies vraiment anciennes. De l'autre, des lettres et des documents, dont plusieurs semblent des journaux avec des dessins humoristiques.

— Il y a peut-être des lettres d'amour de mes aïeux !

— Regarde la date au dos de cette photo, 1863 ! C'est incroyable, je ne savais même pas qu'il y avait des photographes au Japon à cette époque. Ça remonte à avant Meiji !

— Oui, ça devait être encore assez rare. Je crois que les premiers daguerréotypes ont été réalisés au moment des bateaux noirs de Perry au milieu des années 1850.

— Eh, j'oubliais que j'avais affaire à une photographe professionnelle, me dit Hiro en piquant un baiser sur mes lèvres.

— Je ne connais pas la généalogie de ma famille au-delà du début du siècle. Ma grand-mère maternelle est née en 1913, mon grand-père en 1910, mais je ne sais rien de mes arrière-grands-parents. Je crois avoir entendu dire que l'un de mes arrières grands-pères a fait la guerre russo-japonaise, mais je ne sais même pas de quel côté. Je vais interroger Obāchan pour savoir à qui appartenait ce médaillon. Je suis certaine ne l'avoir jamais vu à son cou, alors qu'il est si joli.

— Regarde celle-ci, Yokohama 1871, ça a l'air écrit en français, non ?

— Société Suisse de Tir ! Ça alors ! Quel rapport avec ma grand-mère ? Regarde tous ces hommes en chapeau, ils ont tous moustaches ou barbe, c'était à la mode. On voit des drapeaux. Il y a l'Américain, un autre avec des bandes horizontales, un bout d'Union Jack. C'est bizarre, on ne voit ni le Suisse, ni le Français. Je ne sais pas s'il y avait une société de tir anglaise ou une de chaque nationalité, parce qu'il ne devait pas y avoir tant de Suisses que cela au siècle dernier dans ce pays. Et pourquoi plusieurs photos de Yokohama et sa région quand ma famille est originaire du Tōhoku ?

— De lointains aïeux venaient peut-être du *Kantō*. Tiens, jette un œil à celle-ci. La pose est élégante, c'est une belle femme, n'est-ce pas ?

— En effet, mais elle a un air un peu, comment dire, méfiant. Tiens, regarde les enfants là, ils sont charmants. Un peu intimidés. On dirait qu'ils sont dans un salon occidental, en habits d'apparat. Ils ont quoi, huit ans, dix ans au plus ?

— À peu près, oui. Crois-tu que ce pourrait être tes arrière-grands-parents, ou arrière-arrière ?

— Je l'ignore. Pourquoi les deux petites filles sont-elles en crinoline ? Tu vois une date au dos ?

— 1873, et quelque chose à côté dans une drôle d'écriture. Ce n'est pas du thaï, ni du sanskrit. Du russe ?

— Je ne sais pas. Du grec peut-être, on dirait les mêmes lettres que l'on retrouve dans les symboles mathématiques. 1873 à 1910, ça peut faire une génération ou deux, ça dépend. Ça devient très mystérieux et passionnant tout ça. Je m'attendais à replonger paisiblement dans des souvenirs de famille et tout un pan inconnu de mes ancêtres se dévoile, sans nom, sans âge, c'est étrange, tu ne trouves pas ?

— C'est une grande chance et tu vas pouvoir découvrir cette histoire avec ta grand-mère retrouvée. C'est la chose positive que t'aura offert le tsunami...

— Le tsunami nous a fait nous rencontrer...

Je sens un réel enthousiasme pour moi dans sa voix et une tout aussi profonde amertume de sa propre perte. Explorer l'histoire de ma famille à travers ces clichés creuse la blessure de son deuil, la perte de tout ce qui jalonne une vie de souvenirs. Je range les photos dans l'enveloppe ; des Japonais travaillant dans un magasin de tissus, un homme en manteau accoudé à la coursive d'un temple qui me donne un sentiment de déjà-vu, un groupe d'Occidentaux et de femmes japonaises avec des enfants sur une plage, des paysages et des villages, des lettres écrites en japonais et en anglais. Je remets à plus tard la découverte détaillée de ces vies révolues, pour me consacrer à celle, bien présente, chaude et tendre qui s'est invitée dans la mienne au moment le plus inattendu.

Le soleil est caché derrière la montagne, la pénombre gagne. La chaleur emmagasinée dans le bain se dissipe. On se serre l'un contre l'autre, en silence, absorbant nos sentiments mutuels. Nous n'avons pas le courage de rentrer. Nous faisons taire notre culpabilité sous les

bruits du plaisir, jusqu'au sommeil qui vient doucement dérober les émotions, la fatigue, l'excitation, de
son voile impalpable de songes.

Aux premières lueurs, la lumière est diffuse, atone.
Le silence a la qualité unique de la nature reculée.
Juste un glissement infime sur le toit, un craquement
dans la charpente. Pas de chant d'oiseau lointain, de
gouttes d'eau. La paix est complète parce que aussi
intérieure qu'environnante. L'air de la chambre est
glacial. La chaleur du corps de Hiro, lové contre mon
dos, est trop douce pour m'en extraire. Mais il guette
mon réveil, sans bouger. Qu'il est doux ce premier
baiser du premier matin, sur ce sourire encore embrumé
de rêves ! Hiro, à contrecœur, rampe nu sur les tatamis
pour ouvrir les cloisons et les volets de bois et vite
revenir dans la petite enclave chaude.
À notre surprise et émerveillement, la neige est
tombée en abondance pendant la nuit, ses milliards de
flocons ont virevolté sans bruit sous leur infime poids.
Sa luminescence graphique souligne chaque ligne
végétale ou minérale. Les nuages se déchirent lentement et les pâles rayons de l'aube font étinceler la
blancheur. Le paysage est si différent de la veille. Les
matières ont disparu pour faire place à des masses.
La petite mare est prise dans la glace. Ses lotus gainés
de givre ont abandonné leur grâce flottante. La source
au tuyau de bambou est figée dans son élan fluide.
Les sculptures de Hiro sont partielles, dérobées d'une
partie d'elles-mêmes, modulées d'autres épaisseurs,
d'autres tonalités. La paix est telle que nous n'osons
bouger de peur de déranger notre contemplation.
Il faut se repaître de beauté, d'harmonie paisible, de vie

juste endormie, en gestation. Nous sommes montés vers un presque paradis, il est difficile d'envisager de redescendre vers l'enfer.

Notre silence contient aussi le questionnement de l'après. Quelle place aura cette journée dans nos vies ; une délicieuse parenthèse sans lendemain où chacun regagnerait son quotidien ? Nos malades méritent toute notre attention. Mais j'ai le cœur réjoui d'un bonheur de neige et d'argile, comme une bulle de douceur à l'intérieur de moi, qui me fait flotter au-dessus de la douleur. Cet homme me l'a façonné à son image et je donnerai tout pour qu'il continue à le ciseler jour après jour.

Dans mon cou, je sens le souffle chaud de Hiro, dont les bras et les jambes m'enlacent.

— Dis-moi, mes montagnes ne te font-elles pas trop peur ? Je sais que plein de choses te retiennent, ta grand-mère, ceux que tu aimes en France. Quand tout cela sera apaisé, tu repartiras courir le monde. Est-ce que tu retrouveras le chemin de temps en temps ?

— Tu voudrais juste me voir de temps en temps ?

— Je voudrais me réveiller chaque matin comme ce matin.

Je ne promets rien, je souris juste et le serre plus fort contre moi. Le soleil darde ses premiers rayons au-dessus de la montagne.

— Regarde, il répond à ma place.

12

Daikasai[1]

Yokohama, 26 novembre 1866.

Le ciel, ce lundi matin, était d'un bleu lavé, pur,
strié de petits moutons galopant, comme ceux qui our-
laient les vagues de la baie. Un vent froid soufflait en
violentes rafales. Les passants marchaient courbés et
rabattaient sur le visage un fichu pour se protéger de la
terre soulevée par les tourbillons. La ville japonaise
était déjà en pleine activité, tandis que la ville occidentale se préparait doucement à commencer une nouvelle
semaine. Dans le Miyozaki, beaucoup de femmes dor-
maient encore.

Satow et Willis étaient attablés à leur petit déjeuner,
peu bavards. Chaque mot se réverbérait dans leur
crâne et derrière leurs paupières avec douleur. Ils tentaient d'éclaircir à l'aide de thé brûlant une gueule
de bois tenace. Traductions et patients les attendaient,
ils se devaient de retrouver leur acuité mise à mal. Ils
finissaient leur dernière tasse lorsque la cloche

---

1. Grand incendie.

d'alarme à incendie retentit. Un son funeste à leurs oreilles. Ils bondirent immédiatement sur leurs pieds malgré leur fatigue et montèrent sur un petit guet en bordure de la toiture. Ils étaient bien conscients des possibles conséquences d'une telle menace.

La calamité du cheval dansant, comme l'appelaient les Japonais, était l'une des terreurs des habitants de l'archipel. Nombreux étaient ceux dans la petite cité ayant encore en mémoire le dernier grand séisme d'Edo, onze ans auparavant, qui avait laissé plus de dix mille morts sous les décombres, ensevelis, brûlés ou noyés par les incendies et les tsunamis.

De leur promontoire les deux Anglais, cinglés par les bourrasques, aperçurent des flammes jaillir vers le ciel à environ un demi-mile, en droite ligne sous le vent. Leur domestique chinois leur cria d'en bas que le feu faisait rage à quelques pâtés de maisons à peine. Après un court conciliabule, Satow se couvrit et se précipita dans la rue pour déterminer d'où venait la conflagration. Willis se mit à trier parmi leurs affaires les plus précieuses et transportables. Comme leur habitation se situait en bordure du quartier japonais, Satow ne fut pas long à trouver celle qui reliait Benten-dori au Miyozaki, au bout de laquelle le brasier se répandait à une vitesse fulgurante.

Les habitants paniqués par la rapidité de la propagation tentaient de sauver leurs possessions empilées sur des charrettes dans le plus grand désordre, encombrant la seule voie de secours possible. Les braises sautaient de toiture en toiture, trouvant tels des monstres virevoltants et avides de nouvelles victimes à dévorer. Ernest essaya en vain de dégager avec d'autres hommes une carriole cassée qui obstruait la rue, puis participa à une chaîne pour passer quelques seaux d'eau bien inutiles devant la voracité des flammes. Il réalisa qu'il ne pouvait être d'aucune aide et se retira vers la zone dégagée autour du Miyozaki, pensant que la bordure du marais serait protégée de la fumée suffocante.

Satow avait déjà assisté à des décapitations, des batailles navales, des corps-à-corps. Ce qu'il vit là, impuissant, dépassa en horreur tout ce dont il avait déjà été témoin. Le quartier des plaisirs était transformé en fournaise. Le seul pont d'accès était complètement congestionné. Comme dans la ville, les femmes cherchaient à sauver leurs possessions plutôt que leur propre vie, ne comprenant pas l'ampleur du danger. Le piège se refermait sur la citadelle. Des cris de désespoir en montaient, bientôt couverts par les feulements et les crépitements du brasier qui se nourrissait des plus belles soieries, de panneaux sculptés, de cloisons ornées aussitôt réduites en cendres. Cette neige grise et légère fut poussée par le vent et vint couvrir la surface de l'eau comme un miroir de plomb. Seuls deux bateaux surchargés se trouvaient sur le canal. Leurs passagères, immobiles et pétrifiées, oubliaient d'accoster et de renvoyer les embarcations pour sauver leurs compagnes. Les femmes dépenaillées, acculées par les flammes, sautaient par désespoir. Mais ne sachant pas nager ou alourdies par leurs vêtements, elles disparurent dans les flots, échappant à un élément pour être englouties par un autre.

Une soudaine déflagration tira Ernest de sa contemplation macabre. Des colonnes de fumée noire et épaisse montèrent vers le ciel, immédiatement déviées et dispersées par les rafales. Un magasin d'huile venait de prendre feu. Le jeune homme réalisa que sa propre habitation était condamnée et se hâta d'aller y sauver ce qui était encore possible. Il sentait une sueur âcre couler le long de son dos, autant de peur que de fatigue à courir de toutes ses forces. À bout de souffle, il monta l'escalier raide et se précipita sur son bien le plus précieux : le dictionnaire anglo-japonais qu'il mettait au point depuis deux ans, réduit à néant si le manuscrit n'était pas mis à l'abri. Willis, de sa force herculéenne, déplaçait en ahanant commodes et coffres lorsque les deux hommes virent arriver un groupe d'amis qui, sans se concerter sur la sélection, les aidèrent à charrier les livres, pièces légères, tout ce qui était facilement transportable.

***

Algernon Mitford se rasait en contemplant son reflet flatteur dans le miroir. Durant le dernier sommeil du petit matin, il avait confondu le martellement des bourrasques sur ses volets avec les élancements sous-crâniens. Il avait l'esprit aussi embrumé que ses amis par le saké qui avait copieusement arrosé sa pendaison de crémaillère la veille. Il logeait dans l'habitation voisine de la leur, une copie conforme de leur maison de poupée, avec sa véranda miniature et son jardinet, qui avait servi dans un passé récent de consulat à quelque nation étrangère.

Mitford traînait en caleçon pour pouvoir ranger à son aise, n'ayant reçu ses meubles et ses malles que la veille. Lorsque son domestique chinois vint lui dire que le feu faisait rage dans la ville, il lui répondit qu'il finissait sa toilette et irait jeter un œil dès qu'il serait habillé. Lorsqu'il eut terminé et passa un regard par la fenêtre, curieux des cris de voix familières, les flammes encerclaient déjà l'îlot. Mitford n'eut que le temps de se jeter sur une vareuse et le premier pantalon venu et se rua dehors.

Ici, pas de combustion bruyante, les maisons brûlaient dans un grésillement similaire à celui de l'étoupe ou d'une mèche de bougie. Mitford qui, par manque d'expérience, avait réagi trop tard, regarda abasourdi la demeure où il n'avait passé que quelques jours se consumer en l'espace d'un instant, à peine assez pour réaliser que toutes ses affaires étaient à l'intérieur et qu'il ne possédait plus que ce qu'il portait sur lui.

Les Occidentaux crurent que le feu s'arrêterait à Nippon-odōri, la vaste avenue qui séparait le quartier japonais de la ville étrangère. C'était sans compter les bardeaux enflammés soulevés par les bourrasques. Les hommes aperçurent bientôt des flammes surgir de l'autre côté de l'artère centrale. Cela signifiait que leurs biens étaient à nouveau en danger. Ils évacuèrent donc une nouvelle fois leurs possessions dans un entrepôt à l'épreuve du feu, en pierre et torchis. Là, les volets couverts de cuivre furent fermés et les interstices colmatés de boue. À peine l'obturation terminée, ils virent le tout nouveau consulat américain s'embraser, suivi par le bureau des douanes et la caserne des pompiers. De là, l'incendie gagna le front de mer et commença à ravager les élégantes demeures du Bund. L'une des résidences les plus anciennes de la cité au n° 1, Jardine, Matheson & Co, partit en fumée suivie de ses entrepôts. Constatant la vitesse galopante du sinistre, les hommes surent que, quoi qu'ils fassent, leurs biens seraient réduits en cendres.

Les marins débarquèrent des vaisseaux ancrés dans la baie. Les militaires descendirent de leur poste sur le Bluff, la colline qui bordait la ville au Sud, pour participer à la contre-attaque. Mais les quelques véhicules de pompiers importés à grands frais étaient inopérants. Les tuyaux, craquelés et poreux, fuyaient. L'approvisionnement en eau était trop éloigné. Alors ils luttèrent vainement avec des seaux et des bassines de façon désorganisée, dérisoire.

Puis ils se dispersèrent dans la ville. Nombreux furent ceux qui mirent la main sur de l'alcool et se soûlèrent, laissant les civils lutter seuls avec des moyens inadaptés. Le chaos était complet.

***

À l'autre extrémité de la ville occidentale, Kané tentait depuis le balcon à l'étage de suivre l'évolution de l'incendie. La maisonnée avait été éveillée par les violentes bourrasques sifflant dans la toiture. Lorsque avait retenti la cloche, on n'apercevait qu'une lointaine colonne de fumée. Charles et Kané n'ignoraient pas que dans ces villes de bois et de papier, le feu pouvait être dévastateur. Ils s'habillèrent en hâte et décidèrent de réunir les affaires à mettre à l'abri vers la colline toute proche au cas où le brasier se rapprocherait. Kané était un peu désorientée, ne sachant quelle priorité donner à leurs possessions. Tout lui semblait essentiel. Ichirō oscillait entre peur et excitation. Sur ordre de Sayuri, il réunit dans un baluchon tous ses jouets : une toupie en bois aux couleurs vives, un canard à roulettes qui claquait du bec, un jeu de quilles venant du lointain pays de son père et surtout un bâton à tête de cheval. Il l'avait chevauché inlassablement, brandissant son petit sabre miniature en bambou, regard noir et sourcils froncés comme un farouche samouraï. Une fois noué, le baluchon était plus gros que lui. Tandis que Kané empilait ses plus beaux kimonos dans un coffre, Sayuri ordonna à Hanzō de rassembler les objets transportables dans l'entrée, à la cuisinière de réunir l'essentiel des ustensiles les plus précieux, elle-même s'occupant des biens de son maître. L'œil rivé sur le ciel, Charles partit vers l'atelier situé dans la trajectoire du vent. Stratégiquement placé en bordure du quartier occidental et proche de la ville japonaise, il attirait une clientèle toujours plus nombreuse et variée de toutes les nationalités présentes à Yokohama.

Sur place, Félix, Kimbei et les apprentis empilaient dans la rue albums et clichés, les chambres photographiques, le matériel de prise de vues, de peinture et de dessin, les tableaux et gravures. Yumi, avec Emiri accrochée dans son dos, réunissait les affaires de l'appartement qu'elle occupait avec Félix dans la cour à l'arrière du bâtiment.

Charles vint leur prêter main-forte et se mit d'accord avec Félix pour porter les objets les plus précieux chez lui, puisque c'était l'endroit le plus éloigné du brasier. Le temps qu'ils fassent un aller-retour avec les appareils, les flammes étaient aux portes de la ville occidentale.

Malgré le vent glacial, tous étaient en sueur. Les hommes s'activaient en bras de chemise, les traits marqués par la suie. Parfois le bas du visage dissimulé derrière des foulards, tels des voleurs prêts au larcin. Ils aperçurent Satow et Willis, leurs collègues et domestiques chinois, porter en courant des coffres et commodes en direction des entrepôts, criant que leurs maisons étaient en cendres et que l'incendie serait là d'un instant à l'autre. Mitford suivait à distance pieds nus, l'air hagard, désemparé. Yumi, les bras chargés de vêtements et de vaisselle, courut sur ordre de Charles se mettre à l'abri chez lui auprès de Kané.

La chaleur devint insupportable. L'air sentait la résine et la paille brûlées, desséchait la bouche et irritait les poumons. On respirait mal. Des relents âcres et gras des denrées calcinées s'y mêlaient. Le vent était chargé de cendres et de brandons. Les yeux piquaient. Soudain, Kimbei montra du doigt la toiture. De la fumée commença à sortir par-dessous les tuiles, comme d'une marmite mal fermée. Puis des flammèches apparurent. Les cloisons translucides de l'étage s'illuminèrent d'une lueur orange, prirent feu et se consumèrent instantanément. En apercevant ces ombres chinoises dansant avant leur embrasement, Félix cria et se précipita dans l'atelier, affolé. Charles s'élança à sa poursuite, le tirant par le bras pour le faire ressortir avant l'effondrement du plancher incandescent. Félix se débattit, chercha à se dégager violemment de sa prise. Il hurla pour couvrir le vacarme de la conflagration que les négatifs étaient stockés dans la réserve à l'arrière de la cour. Tout son travail de trois ans serait anéanti s'ils brûlaient. Dans l'affolement, il avait pensé à ses appareils, ses albums, mais pas aux précieuses plaques qui permettaient de reproduire les clichés. Peu importaient les portraits de commande, ceux des clients en studio, rien ne pouvait remplacer les extérieurs, les paysages lointains immortalisés lors des missions diplomatiques et militaires.

La première poutre craqua, s'inclina, puis s'effondra dans une gerbe d'étincelles, leur barrant l'accès à la cour. Les deux hommes reculèrent, effrayés. Charles entraîna hors de la pièce Félix, qui s'y serait immolé de chagrin. Kimbei avait continué à faire des allers-retours en courant de toute la force de ses longues jambes. Il arriva dans la rue à bout de souffle, épuisé, à temps pour voir les deux hommes surgir du brasier, puis projetés à terre par l'explosion du stock de produits chimiques. Les vitres de l'atelier, qui étaient les plus grandes de Yokohama, lui conférant la qualité unique de sa lumière, transformées en mille particules tranchantes, lacérèrent leur dos et s'incrustèrent dans le bois des maisons d'en face. Charles et Félix se relevèrent sonnés, ruisselant de sueur et de sang. Ne pouvant plus rien sauver, ils reculèrent devant les flammes. Tel un château de cartes, le toit s'effondra sur lui-même en son centre, puis le plancher céda, emportant le reste de la façade. Ils contemplèrent, impuissants, l'anéantissement de leur fierté, de leur travail, de leur collaboration. Les maisons mitoyennes furent aussi ravagées. Il n'y eut plus rien à sauver. Dans le visage de ces hommes, au fil des rues, on pouvait lire le désespoir, la fatalité, l'abattement. La poussière noire sur leurs joues était, chez certains, zébrée de larmes. Charles et Félix espéraient que le feu avait épargné leur dernier refuge. Ils se dirigèrent, mines sinistres, vers le Sud, bien décidés à ne pas laisser disparaître le reste de leurs précieux biens.

Vers le début de l'après-midi, les Occidentaux se préparèrent à l'anéantissement complet de la cité, se disant qu'il faudrait trouver asile sur les bateaux. Il fut décidé de faire sauter certaines maisons et entrepôts afin de stopper l'avancée du sinistre, malgré les objections véhémentes de leurs propriétaires et des consuls. Hélas, le vent avait tourné en tempête et rien n'aurait pu arrêter la pluie d'étincelles. Sur le Bund, l'hôpital français échappa de peu à la destruction intentionnelle, n'eût été le fait qu'il servait déjà de refuge à de nombreux blessés.

Vers 16 heures, le vent changea de direction. L'incendie emporta alors dans son insatiable voracité les entrepôts et résidences dans lesquels avaient été mises à l'abri les possessions évacuées durant la matinée.

Lorsque la nuit commença à tomber, le vent s'atténua enfin. L'incendie cessa de se propager. Toute la nuit, les habitants aspergèrent les ruines fumantes de peur que de nouvelles bourrasques n'attisent les braises incandescentes le matin venu.

Au lever du jour, les hommes étaient exténués, noirs de suie, certains avaient perdu leurs sourcils, même des cheveux d'avoir approché les flammes de trop près. Willis soigna bon nombre de brûlures aux mains et aux bras, les coupures de ses amis. La maison de

Charles et Kané était sauve et pleine, refuge pour tous les occupants de l'atelier anéanti. Ichirō et Emiri s'étaient endormis dans les bras l'un de l'autre sur leurs baluchons. Félix était inconsolable de la perte de ses négatifs dont il imaginait la masse informe fondue dans les décombres. Il se retrouvait de nouveau l'hôte de Charles et Kané, bien malgré lui. Celle-ci n'était pas mécontente de le voir malheureux et déconfit, mais son mari l'était tout autant. Charles avait pu sauver la plus grande partie de ses œuvres et de son matériel mais restait consterné par la perte de son lieu de travail et de l'investissement qu'il représentait. Quant à Yumi, silencieuse et résignée, accablée encore une fois dans son laborieux destin, elle se consolait en pensant que pour eux, les pertes n'étaient que matérielles.

Satow, Willis, et Mitford ne possédaient plus que ce qu'ils portaient sur eux. Ernest avait réussi à protéger son précieux dictionnaire en le gardant glissé dans son pantalon. Sans chapeau, ils regrettèrent les vieux feutres nonchalamment troués au pistolet quelques semaines plus tôt. Ils reçurent de leurs amis quelques vêtements. Dans les ruines fumantes de ce qui avait été très brièvement sa demeure, Mitford trouva sous une commode à moitié consumée le petit cadavre carbonisé de son chien.

Satow fut accueilli chez un ami durant quelques jours avant de partir s'installer avec Mitford à Edo. Sir Harry Parkes, le ministre britannique obtint rapidement d'y réinstaller la légation, abandonnée après les deux attaques.

Les employés de Sa Gracieuse Majesté furent indemnisés. Les compagnies d'assurances durent débourser des millions de dollars mexicains pour couvrir les pertes des compagnies commerciales et demeures parties en fumée. La ville occidentale étant détruite au tiers, une centaine d'Européens et d'Américains se trouvèrent sans toit. Dans les jours qui suivirent, le prix des loyers et des denrées de premières nécessités s'envolèrent. Il y eut pénurie de vêtements occidentaux et le peu qui resta disponible s'arracha à prix d'or. Nombreux furent les hommes qui allèrent tête nue avant l'arrivée des premières cargaisons.

Bien plus tragiquement, dans la ville japonaise brûlée aux deux tiers, on aligna par centaines les cadavres calcinés, en majorité des femmes ; des geishas, des courtisanes, des prostituées, des apprenties et des cuisinières. Le Miyozaki avait été complètement ravagé, le si joli et élégant Gankirō réduit en cendres. Certains corps étaient noyés, échoués dans la boue du canal à marée basse. Les deux geishas qui avaient distrait Mitford et ses amis étaient alignées là, sans vie, à peine reconnaissables. Presque toutes les anciennes compagnes de Kané avaient péri, y compris sa jeune apprentie. Elle aurait pu s'y trouver si elle avait repoussé Charles. Plus que la perte de l'atelier de son époux, c'était ce nouveau deuil qui la frappait. Elles avaient été ses compagnes pendant plusieurs années, ses sœurs de cœur, les témoins de son amour né au Gankirō, consumées comme les feuilles légères des éventails qui décoraient les pièces de réception, comme les ailes diaphanes des papillons d'écaille piqués dans leurs chignons.

L'incendie avait commencé comme un banal feu de cuisine dans une gargote vendant de la viande de porc. Il allait profondément changer la physionomie de la ville et effacer l'aspect aventurier et sauvage. Sa reconstruction plus spacieuse, solide, lui ferait acquérir une réputation plus respectable, mais au prix d'un bien lourd tribut.

À l'aube des bouleversements qui allaient précipiter le Japon dans la modernité, Yokohama renaîtrait plus belle de ses cendres, telle le Hoo Hoo, le phénix japonais n'apparaissant qu'au commencement d'une ère nouvelle.

13

Omoide[1]

En route vers Ishinomaki, 20 mars 2011.

Le soleil levant saupoudre d'or rose notre réveil. La neige éclatante, le silence irréel, nous donnent une impression de premier jour du monde.

Puis nous repassons de l'autre côté du miroir...

La voiture s'enfonce dans la couche nuageuse, l'or devient acier, le rose, gris sale. Je me demande en redescendant si je n'ai pas rêvé cette parenthèse enchantée. Je tente de distraire mon esprit pour l'empêcher de se tourner vers le futur immédiat. Je n'y arrive pas, mes yeux piquent, ma gorge se noue. Nous restons silencieux, les mots semblent maintenant superflus. Nous avons beaucoup parlé. Nos corps ont exprimé le reste. Nous tendons juste la main vers l'autre de temps en temps pour vérifier qu'aucun esprit facétieux n'a pris forme humaine pour nous jouer un méchant tour et disparaître. Une caresse sur la nuque, une étreinte de la main, autant de témoignages qui

_____
1. Souvenirs.

nous retiennent à ce lieu et à ce temps où nous avons été brièvement heureux.

Plus nous descendons, plus je me fustige. Dans quel état vais-je retrouver ma grand-mère ? A-t-elle fait une infection foudroyante, une attaque, que sais-je, tandis que je batifolais dans les bras de mon amant ? Au lieu de me gonfler d'énergie, cette parenthèse m'a boule-versée tant est difficile la transition, la peur brutale du manque, l'inquiétude qu'elle ne se répète jamais. Elle m'a renouvelée parce que je ne suis plus la même femme que celle montée dans la direction opposée la veille, mille ans plus tôt. Je ne regarde plus avec les mêmes yeux, ne ressens plus avec le même cœur. Hiro, en l'entrouvrant, a brisé la carapace construite patiemment au fil des années qui protégeait ma vulné-rabilité. Indépendante, libre et forte auparavant, je me retrouve soudain désemparée, à nu devant la tragédie. Je cours le risque de me drainer de mon empathie comme on se vide de son sang. Je ne trouve même pas la force de prier parce que je me suis égarée depuis longtemps loin du chemin de la foi. Ou parce que je suis en colère contre Dieu. Seul l'amour de Hiro, doré-navant, peut colmater la brèche. Je ne dis rien, je fais comme si. Mais sur le parking de l'hôpital dans la voi-ture à l'arrêt, Hiro, qui a tout ressenti, m'étreint, me rassure. Je me greffe sur sa force.

Nous trouvons son père assis sur le lit parlant à un docteur. La perfusion n'est plus là, il a repris quelques couleurs et sans être volubile s'exprime plus volontiers, sans trop tousser. Il parle en médecin, de collègue à col-lègue. Même si le jeune confrère ne l'a pas connu du temps où il exerçait, le ton est respectueux et déférent.

Il est préférable pour son rétablissement complet qu'il quitte l'hôpital au plus vite pour s'installer chez son fils. Hasegawa san a du mal à s'en réjouir. Il ne veut pas s'éloigner de sa ville, des sépultures de son épouse et son fils, être une charge pour Hiro. Il sait au fond de lui qu'il n'a pas toujours été juste, que beaucoup de non-dits encombrent leur relation. Mais en mauvaise santé et sans toit, il n'a pas d'autre choix.

Obāchan aussi est plus alerte, semble avoir retrouvé sa concentration. Elle me fait raconter en détail nos menus, la maison de Hiro, le plaisir du bain. Le même médecin me prend à part, me demande où j'habite et si je peux m'occuper, avec l'aide du personnel administratif, de la faire admettre dans un hôpital près de mon domicile. Des ambulances en provenance d'autres régions circulent et peuvent dorénavant évacuer les malades. Il la juge suffisamment stable pour un trajet jusqu'à Tokyo.

À peine arrivés, un peu surpris de ce soudain changement de situation, nous passons les heures suivantes absorbés par les préparatifs du départ et l'organisation du transfert. Nous tentons de repousser l'idée de la séparation imminente. Je trouve une place dans un hôpital de Tokyo et une ambulance pour le surlendemain. Je tiens mes parents informés de notre retour et ma mère réserve immédiatement un vol. Dans le sens Paris-Tokyo, les avions sont quasiment vides alors que les listes d'attente s'allongent dans l'autre.

Après avoir terminé les démarches et rangé les affaires, Hiro vient saluer Obāchan et replace le coffret aux libellules rafistolé au pied de son lit de fortune.

— Il y a des trésors dans cette boîte, Takeuchi san. Votre petite-fille a plein de questions à vous poser à leur sujet. Je vais devoir vous quitter, je rentre chez moi avec mon père. J'ai été ravi de faire votre connaissance. Il va falloir vous battre pour retrouver une pleine santé mais vous êtes forte et courageuse ! Prenez bien soin de vous.

— Prenez soin de vous aussi et de votre père. Et s'il vous plaît, Hasegawa san, vous prendrez bien soin de Yukiko, n'est-ce pas ? Son cœur est fragile, il a besoin de beaucoup de tendresse.

Hiro lève les yeux vers moi, sourcils en accent circonflexe.

— Oh, ne faites pas l'étonné. J'ai beau avoir la vue basse, je remarque encore les choses importantes. La façon dont vous vous regardez tous les deux ne trompe pas. J'en suis très heureuse et je vous demande sincèrement pardon de vous la voler. Soyez patient, je ne vivrai pas bien longtemps.

Devant notre air indigné, elle sourit.

— Allons mes enfants, ne soyez pas tristes, l'essentiel est d'avoir la certitude de se retrouver. L'éloignement nourrit la passion, vous verrez ! Pendant la guerre, mon mari était au front dans le Pacifique, j'étais seule avec ma fille, des mois sans nouvelles. Je vivais dans la peur qu'il soit tué d'un jour à l'autre. Ce n'est pas l'absence qui ronge, c'est l'incertitude. Regardez autour de vous tous ces gens qui cherchent leur famille, qui oscillent entre espoir et désespoir. L'affirmation de la mort vient parfois comme une délivrance pour eux, ils peuvent commencer leur deuil. Pour ceux qui retrouvent des vivants, chaque jour à venir sera une fête. Adieu, Hasegawa san. Que chaque jour avec votre Papa soit béni !

Hiro a les yeux humides, ébranlés par la sagesse de la vieille femme. Il s'incline avec respect vers elle.

Nous conduisons le père de Hiro bien emmitouflé, marchant lentement et la respiration encore sifflante, vers la voiture. Le jour décline déjà. On se retrouve tous les deux sur le parking enneigé, soufflant dans nos mains, les pommettes rougies, face à face. Hiro replace une mèche de cheveux derrière mon oreille, caresse ma joue. Je prends sa main dans la mienne et embrasse le creux de sa paume, si doux, rendu lisse par l'abrasion de l'argile. J'essaie d'être forte. On se garde à distance pour ne pas flancher. Il finit par m'attirer contre lui dans un geste brusque, m'enveloppe de ses bras, embrasse mon visage, mes cheveux, dévore mes lèvres. Il murmure à mon oreille :

— Ne crois pas que ce soit plus facile pour moi de te quitter. Je pensais avoir encore une nuit pour m'habituer à l'idée. Même si ce n'était que pour te regarder dormir et ne pas pouvoir te toucher ! Tout est venu si rapidement, je suis désolé.

— Je t'en prie, ne le sois pas, tu peux enfin rentrer chez toi et remettre ton père d'aplomb.

— Quand tu seras rentrée sur Tokyo, je t'appellerai tous les jours.

— ...

Je ne peux plus parler, je fais un signe de tête. Il n'y a rien à projeter, rien à prévoir, il va falloir vivre au jour le jour.

Il desserre son étreinte et sans me regarder fait le tour du véhicule. Il se ravise, revient vers moi et dans la neige dense accumulée sur le muret à côté de moi, trace l'idéogramme de l'amour. Puis il monte en voiture, manœuvre et s'éloigne sans un signe. Je crois apercevoir son regard dans le rétroviseur.

Déglutir et respirer est laborieux, un étau enserre ma poitrine. Mes larmes et mon nez coulent sans que je les arrête. Je reste debout sur ce parking un temps infini, grelottante, engourdie de froid et de chagrin, pensant pouvoir retenir encore un peu Hiro en ne quittant pas des yeux la route qui l'a happé. Je me sens vide, avec un trou béant taillé à la serpe dans le cœur. Comment ai-je fait pour vivre « avant » ? Sans lui.

Je regarde l'idéogramme en creux. La neige en fondant va le faire disparaître. Elle s'écoulera sur l'asphalte sale, pénétrera la terre, rejoindra la mer et se diluera à jamais.

Un jeune bénévole en veste fluo me demande si ça va, si j'ai besoin d'aide. Je le regarde comme venant d'une autre planète. Je le remercie, me sentant encore une fois coupable, comme si je « volais » la considération due aux vraies victimes. Pendant une journée j'ai oblitéré le malheur, je ne l'ai plus regardé parce que Hiro m'en avait détournée. Il me revient soudain en pleine face.

À l'intérieur, à la place de son père, il y a déjà un autre malade. Je me rends compte que la disposition des lits a changé, plus serrés par endroits. Certains visages aussi ne sont plus les mêmes. Je reviens à la réalité. Lorsque je m'assois dans l'espace réduit près d'Obāchan, elle pose sa main sur la mienne, rassurante.

— C'est un chagrin heureux.

Je ne comprends pas tout de suite. Mais elle a raison. Mon cœur souffre du vide laissé par Hiro comme un appel d'air. La différence de pression d'amour aspire le bonheur à venir.

Ma grand-mère ne s'apitoie pas sur son sort. Courage, abnégation, dignité, qualités ô combien japonaises dans l'adversité. Elle ne montre rien.

Autour d'une tasse de thé fumant, j'étale sur sa couette quelques photos en noir et blanc, d'autres un peu sépia de temps lointains où elle n'était sans doute pas encore née, et glisse dans la paume le petit médaillon en forme de cœur.

— Je ne me souviens pas de ce bijou, je ne t'ai jamais vu le porter.

— Il me vient de ma mère, qui le tenait elle-même de sa grand-mère. Je le trouvais ravissant, mais ma mère ne le portait pas. Elle était triste lorsque je le sortais de son écrin. Peut-être à cause des photographies à l'intérieur. Mets-le donc, je serais heureuse que tu le portes plutôt qu'il dorme dans cette boîte.

L'or est patiné, un peu noirci dans les charnières. Le contact du métal est soyeux, la chaîne juste assez longue pour ne pas me serrer. J'accroche, ravie, plus d'un siècle d'histoire familiale autour de mon cou.

— J'étais surprise hier en regardant les photos anciennes, d'en trouver plusieurs portant au dos l'inscription Yokohama et des dates des années 1860 et 1870. Je croyais que ta famille venait de Sendai.

— Du côté de mon père, oui. J'y suis née et j'y ai grandi, mais ma mère était originaire de Yokohama.

— Je l'ignorais. Maman ne m'en a jamais parlé. J'ai trouvé des photos surprenantes que je ne m'attendais vraiment pas à découvrir dans ta boîte. Regarde celle-ci : Société Suisse de Tir, Yokohama 1871. Je n'imaginais même pas des Suisses si tôt au Japon et encore moins qu'ils aient créé des clubs de tir. Tous ces hommes en chapeau avec leurs fusils, avec leurs grandes moustaches et l'air fier. Mais ce sont presque tous des Occidentaux, il n'y a que quelques visages japonais, là, à droite.

— Le grand-père de ma mère devait sans doute en faire partie. C'est lui qui a pris la photographie.

— En 1871, il ne devait pas y avoir beaucoup de photographes amateurs japonais à Yokohama. Le matériel était coûteux et la technique assez élaborée. C'était une activité réservée aux professionnels.

— Il n'était pas Japonais en fait, il était Anglais.

— Anglais ? Tu as du sang anglais dans les veines ?

— Tout à fait, bien dilué depuis. Il était assez connu. Regarde les autres photos, certaines sont des tirages numérotés qui devaient faire référence à un catalogue ou un album, mais sur une ou deux d'entre elles, son nom est marqué au dos avec une date.

Les prenant toutes à l'envers, je trouve en effet deux photographies annotées. L'une est celle d'une très belle femme en kimono jouant du shamisen que Hiro m'a fait remarquer la veille, l'autre montre un homme occidental en chapeau et manteau accoudé à la cour-sive d'un temple. Le nom calligraphié à la main m'est tellement familier que je ne comprends pas immédia-tement, emportée par l'excitation toute professionnelle qui me saisit.

— Il a fait appel à l'atelier de Félix Camino ? Ces photos ont énormément de valeur si ce sont des tirages originaux ! Il est écrit à l'encre, au dos : « Yokohama,

1863, O Kanekichi. » Et l'autre : « Kamakura, 1864, Hachiman shrine. »

— C'est lui, Camino.

— Oui, c'est incroyable que tu aies des photos de Camino ! Te rends-tu compte de leur valeur ? C'était certainement le plus grand photographe des périodes Bakumatsu et Meiji, et le plus célèbre. Il a immortalisé les premières années de Yokohama lorsque ce n'était qu'une bourgade malfamée, et aussi le Tōkaidō, des sites touristiques, certains grands événements. Pendant mes études à Nichidai, j'ai souvent travaillé sur ses prises de vues, les procédés techniques de l'époque, j'en ai aussi admiré au Musée Guimet à Paris, et plus récemment ici même au musée d'Edo, mais je n'en avais jamais eu entre les mains. C'est incroyablement précieux !

— Eh bien, tu auras hérité de ses gènes sans doute.

Je la fixe, perplexe, remonte dans ma tête le fil de la conversation pour retrouver où j'ai pu m'égarer.

— Tu veux dire que c'est lui, c'est Camino l'aïeul anglais dont tu parles ?

— En effet, et c'est donc aussi le tien.

Je reste bouche ouverte à la regarder, incrédule, abasourdie. Coite quelques secondes devant l'énormité de la révélation, je finis par balbutier, m'empêtrant :

— Non ! Ce n'est pas possible ! Je descendrais de Félix Camino ? LE photographe Camino, mon aïeul ? C'est... c'est dingue ! Et je découvre ça à plus de quarante ans après avoir passé ma vie professionnelle dans la photo... Je suis sidérée ! Tu dis que je serais donc... attends.

Je m'arrête pour réfléchir et compter sur mes doigts, comme une enfant.

— Je serais son arrière-arrière-arrière-petite-fille ? Cinq générations d'écart, c'est bien ça ? Je n'en reviens pas ! Pourquoi tu ne m'en as jamais parlé, ou Maman ? Vous ne pouviez pas ignorer qui il était et l'importance que cela aurait pour moi !

— Je ne savais pas qu'il était connu en France.

— Mais enfin, je suis photographe ! Il n'est pas connu du grand public, mais lorsque l'on s'intéresse à cette période ou à la photographie en Asie, il est incontournable ! Tous les livres d'histoire du Japon ont des photos de lui. C'est un des premiers reporters de guerre, en Inde, en Chine, en Corée, en Afrique. Son nom est tout de même célèbre ici, non ?

— Pour les gens de ma génération, certainement. Pour les plus jeunes, je ne sais pas.

— Je n'ai jamais étudié sa biographie de près mais j'ignorais qu'il avait eu des enfants. Aucun descendant ne semble avoir particulièrement défendu la postérité de son œuvre.

— Non, en effet. Je ne connais pas sa vie en détail. Tu sais, à cette époque, les unions interraciales étaient mal vues et les enfants nés de pères étrangers rarement reconnus.

— J'ai donc d'autres racines occidentales lointaines. Comme si l'histoire de la famille faisait une boucle et liait encore une fois dans mes veines l'Europe et le Japon. Je doute qu'il existe des gènes du talent photographique, mais au fond, j'aimerais bien y croire. C'est donc comme cela que ces clichés d'une immense valeur se trouvent dans ta boîte à souvenirs mélangés à mes photos d'enfance. Dire qu'elles ont failli disparaître dans les vagues...

— Pour moi, tu sais, qu'elles soient d'un photographe célèbre m'importe assez peu. Mes plus beaux trésors sont les images de ma famille, ceux que j'ai connus, partis ou encore bien là, comme toi et tes cousins, mes deux enfants, mon mari, mon frère, mes parents. Je n'ai jamais connu mon arrière-grand-père, c'est donc sans doute pour cela qu'il est parti dans les oubliettes de la mémoire familiale.

— C'est lui, n'est-ce pas, l'homme en manteau et chapeau au sanctuaire d'Hachiman ? Il y a peu de portraits de lui. Comme tous les photographes, il était rarement devant l'objectif. C'est pour cela que cette image me semble familière, j'ai dû la voir dans des monographies sur le Japon au XIXe siècle. Est-ce que tout cela a un rapport avec le fait que tu sois devenue professeur de français ? Pourquoi pas plutôt d'anglais ?

— Ma mère avait été éduquée dans une école chrétienne anglophone de Yokohama, la Sōshin Girl School. Le pays se développait à toute vitesse et les influences européennes étaient nombreuses. Les puissances étrangères se disputaient leur part d'influence auprès des membres du gouvernement et dans l'entourage de l'empereur. Il y avait beaucoup d'ingénieurs français pour le développement de la marine, ainsi que dans l'industrie et le commerce de la soie dans lequel travaillait la famille de ma grand-mère. Elle a été encouragée à apprendre cette langue en plus de l'anglais. Plus tard, elle est devenue professeur et j'ai à mon tour repris le flambeau, comme ta mère par la suite. Quand elle a épousé ton père, un Français, c'était à travers elle la concrétisation d'un rêve.

— C'est par son éducation dans une école chrétienne que ta mère l'est devenue, je suppose.

— Sa propre mère, que je n'ai pas connue, avait été éduquée dans la même école et s'était convertie. Il y avait à l'époque très peu de Japonais chrétiens. C'est toujours le cas aujourd'hui d'ailleurs. La religion avait été interdite pendant plusieurs siècles et n'a été autorisée qu'à la restauration Meiji. Seuls ceux en contact avec les Occidentaux y étaient exposés. Mon grand-père n'était pas chrétien mais c'est de lui que je tiens la bible de ma grand-mère, ainsi que les lettres que tu trouveras dans la grande enveloppe et les dessins. Je crois que la femme sur l'éventail était sa mère.

Je sors l'éventail du tissu qui l'enveloppe et l'ouvre délicatement, tirant un à un les plis de papier aux arêtes jaunies dans un petit claquement sec. Comme une aile de papillon qui se défroisse au sortir du cocon, le dessin apparaît, révélant le portrait de trois quarts d'une femme mélancolique au chignon de jais, dessiné à la mine de plomb. Je rapproche le cliché de la femme en kimono, lui trouve une ressemblance évidente.

Obāchan regarde une photographie de groupe annotée au dos : « Negishi, oct. 66. » Des femmes japonaises avec de jeunes enfants sont assises sur de gros rochers, à l'ombre des pins. Des hommes occidentaux en bras de chemise ou torses nus, tous dépenaillés. Quelques Japonais dont l'un porte des vêtements étrangers. Tous sont souriants, au milieu des reliefs de repas.

— Regarde cette photo. Lorsque j'étais encore enfant, mon grand-père, sentant sans doute la mort approcher, m'a donné ces objets et photographies, accompagnées de tout un tas de noms, dont hélas j'ai retenu bien peu. Il était sur cette plage.

— Sur la gauche, là, il y a encore cette belle femme. Et ces trois ou quatre-là ressemblent à ceux de la photo de 1871 de la Société Suisse de Tir. Dommage qu'il n'y ait pas les noms des convives au dos.

Je reste silencieuse à considérer ces instants saisis sur le vif d'une belle journée lointaine.

— Tu sembles soudain nostalgique.

— Oui. C'est une sensation douce-amère. C'est tout ce qui subsiste d'un Japon disparu à jamais. Juste quelques clichés en noir et blanc ou des couleurs pastel affadies comme seuls témoins d'une époque révolue, d'êtres qui ont, en quelque sorte, conditionné nos vies. Peut-être restera-t-il aussi peu de nous dans plusieurs générations... Des photos décolorées avec des noms oubliés au dos, des vidéos de fêtes et d'anniversaires, rendus illisibles sur des supports démodés.

— Ce seront autant de témoignages de notre époque, comme les as laissés ton ancêtre en ignorant sans doute que la sienne disparaîtrait si vite. Tes photos aussi serviront à transmettre une période qui finira par disparaître, des événements qui s'oublieront.

— Oui, c'est triste mais tu as raison. On ne peut pas figer le temps, juste le retenir dans un cliché. Justement demain, je te laisserai quelques heures si tu veux bien. Je ne peux pas repartir d'ici sans image montrant l'ampleur de la tragédie.

— Bien sûr, mon petit, bien sûr. Mais ça ne l'amoindrira pas de la partager avec des spectateurs qui ne l'ont pas vécu. Ça aidera peut-être à se sentir moins seuls quand il faudra relever la tête... Je me sens lasse, ma petite-fille, tu veux bien qu'on continue demain ? Tout cela m'épuise et j'ai un peu froid.

— Oui, je comprends, je vais ranger et te laisser te reposer. Te sentirais-tu capable d'avaler un peu de riz et une soupe de miso ? Je vais aller faire la queue.

— Un tout petit peu alors.

Avant d'aller chercher de la nourriture, je fais sa toilette. J'intercale un paravent pour préserver sa pudeur. Je déshabille son corps décharné. J'éponge doucement ses membres à la peau fripée, je regarde ces seins vides qui ont nourri ma mère, je frictionne les fesses meurtries aux escarres naissantes. Tout ce corps endolori, usé, dont je suis issue. Elle sent bon le savon et le linge propre. Prendre soin d'elle apaise mon chagrin. Je voudrais pouvoir lui rendre un tout petit peu de la tendresse qu'elle a déversée en moi au fil des années.

Lorsque je reviens avec son maigre repas, elle dort déjà profondément. Je le mange à sa place lentement, fais durer chaque bouchée. Je murmure une action de grâce toute simple pour ces aliments qui ont perdu leur évidence. La prière me revient sur les lèvres sans que je la cherche. Je me propose pour relayer les bénévoles à la distribution, occuper mes mains et ma tête. L'amour a cela de bon qu'il s'use d'autant moins que l'on s'en sert.

En dépliant mon futon quelques heures plus tard, fourbue, je regarde l'endroit où Hiro dormait. Il doit maintenant être allongé dans celui où, ce matin encore, dans la lumière de l'aube, nous avons si tendrement fait l'amour. Peut-être cherche-t-il au même instant mon odeur dans les plis du coton. Je lui adresse toutes les révélations d'Obāchan qui tournent inlassablement dans ma tête. Je me sens dépositaire et héritière d'un lointain photographe anglo-italien qui a immortalisé ce pays alors dans la tourmente du changement et de la modernité. Je sais cette nuit-là que je ne dormirai pas seule.

***

Au matin, je pars étrangement remplie d'une énergie nouvelle. Mon œil électronique à mes côtés, je vais franchir la porte de l'hôpital quand j'aperçois un jeune homme livrant des journaux imprimés. Il se met à les distribuer autour de lui. Juste à côté, placardé sur le mur entre les milliers de papiers d'annonces de recherches, il y a encore un journal manuscrit du *Ishinomaki Hibi Shimbun*. Sur un poster blanc écrit au marqueur, il signale que l'électricité est revenue dans 10 000 foyers et avec celle-ci, le retour de l'espoir. Je lui dis combien j'admire le remarquable travail de son équipe qui a disséminé ainsi les nouvelles dans la ville. Privée d'électricité, d'ordinateurs et de rotatives, l'équipe a rédigé le journal à la main en plusieurs exemplaires. Dans notre société visuelle où l'écrit se dilue de plus en plus noyé sous la masse des images, il a eu ici une force de pénétration immense.

En voiture, je roule vers le port et l'embouchure de la rivière jusqu'à ce que les déchets et l'eau m'empêchent d'aller plus loin. Il est très difficile de se frayer un passage, il faut aller à pied. L'eau entre dans mes bottes. La marée noie dorénavant le bas de la ville.

Les façades arrachées laissent à nu l'intimité qu'elles recelaient, telles des maisons de poupée ouvertes

livrant aux petites filles la vie cachée de leurs personnages. Je me penche sur les amoncellements de débris
pour découvrir ce qui forme l'essence de la vie quotidienne. J'en sors des visages, tant de visages... des
sourires de bébés, de photos de classe, de cérémonies
de remises de diplômes, de visites touristiques, de
grands-parents avec leurs petits-enfants, de mariages,
d'amoureux, en costume occidental, en kimono, en
uniforme d'école, des photos en noir et blanc, aux
couleurs passées, aux couleurs vives, celles d'hier,
parfois lointaines, et celles d'aujourd'hui. Elles disent
presque toutes le bonheur d'être ensemble, d'avoir
réussi, de s'amuser, de découvrir, de célébrer. Je
ramasse celles que je trouve pleines de boue, délavées
sur les bords, collées entre elles, de gens que je ne
connais pas.

Ce sont ces visages qui reviennent souvent hanter
mes nuits. Durant les jours, les semaines et les mois
qui suivent la catastrophe, des bénévoles affluent de
tout le Japon et même du monde entier pour aider à
soigner et nourrir, pour reconstruire, apporter du
réconfort. Et pour sauvegarder la mémoire. De la boue
sont extraites des centaines de milliers, peut-être des
millions de photographies. Patiemment, ils lavent,
sèchent, trient, remettent en albums, rassemblent les
vies de ceux qui ont tout perdu. Je les rejoindrai pour
accomplir les mêmes tâches. Ne plus prendre des photos mais les restituer à leur propriétaire. Redonner un
instantané de vie aux disparus. Des femmes et des
hommes, jeunes, vieux, pleurent en retrouvant la trace
vivante et colorée de leur vie détruite ou la précieuse
relique du sourire d'un défunt sur papier glacé.

Je reprends mon errance, mes jambes sont trempées et je grelotte. Un éperon rocheux comme un coin saillant barre la ville près du port. Arrivée à son pied, l'odeur de brûlé et d'essence est particulièrement forte. La vague, en heurtant la crête, a amoncelé plus haut qu'ailleurs encore son abjecte mixtion. Mon dosimètre indique des valeurs de radiations doubles de celles de Tokyo. Je ne me sens pas en sécurité, j'ai envie de fuir toute cette horreur et regagner la quiétude. Une allée a été tracée au bulldozer parmi les carcasses de voitures calcinées. Je longe un bâtiment de deux étages partiellement brûlé. Sur le toit du bâtiment est écrit en bleu « assurer à l'enfant un sain développement physique et moral ». La version japonaise de notre *« mens sana in corpore sano »*. C'est une école. Les murs de toute la façade droite et du dernier étage gauche sont noircis par les flammes. J'hésite à pénétrer, redoutant l'insoutenable. Quelques souvenirs et témoignages de compassion, fleurs, jouets, nounours sont déposés devant les marches.

Le hall d'entrée où s'alignent les casiers à chaussures est noir de suie, le sol recouvert d'un mélange de boue et de cendres. Je longe des classes aux vitres éclatées, aux rideaux en lambeaux, au mobilier renversé, sous des dessins d'enfants de primaire. Si les classes du rez-de-chaussée sont dévastées, à l'étage, elles donnent l'impression d'attendre leurs élèves, comme partis la veille. Au tableau noir est écrit à la craie que Hayate et Yū sont les aides du jour. Les pupitres et les chaises en bois sont alignés bien en ordre. Je photographie le cœur serré, ne connaissant pas le sort des enfants qui les ont occupés. Prenant mon courage à deux mains, je traverse le couloir vers les murs noircis, en suivant les tentacules des gaines et des fils à nu du plafond. Tout le mobilier en bois est parti en cendres, ne reste que la structure tubulaire en métal. Au rez-de-chaussée les classes et les bureaux ont d'abord été inondés de débris, puis brûlés. Un déchaînement de flammes a réalisé ici des sculptures dantesques d'empilements fondus, plus folles que dans l'imagination d'un artiste délirant. L'odeur âcre finit par me faire fuir. Dehors devant l'école, les monceaux de véhicules calcinés laissent entrevoir le déroulement du drame.

L'école élémentaire de Kadonowaki a servi de refuge aux gens fuyant le tsunami. Ils sont montés dans les étages pour fuir l'eau qui progressait. Au péril de leur vie des héros anonymes ont évacué un à un sur leur dos les gens piégés à travers des passerelles de fortune tendues vers la colline. Les voitures et les citernes portuaires amoncelées contre le bâtiment ont explosé, transformant la plaine en océan de flammes. Ceux qui ne sont pas morts noyés l'ont été brûlés. Heureusement, la plupart des élèves réfugiés sur la crête à l'arrière avant l'arrivée des vagues ont été sauvés.

Dans une autre école élémentaire non loin de là, l'océan a remonté le lit de la rivière. Il y a eu désaccord entre les responsables de l'évacuation sur la route à prendre. Indécision et mauvais choix ont coûté la vie à quatre-vingt-quatre élèves et professeurs, ensevelis, perdus. Des parents y ont perdu plusieurs enfants. Une mère désespérée retourne inlassablement avec un engin de chantier la terre à la recherche du corps de sa fille, seule raison de vivre lorsqu'il faut ouvrir les yeux chaque matin sur l'absence.

Je découvrirai plus tard un enfer plus sournois, un lieu de verts pâturages et de paysages bucoliques. Au cœur de l'été dans la touffeur humide, j'accompagnerai un groupe de chercheurs en radiophysique dans la zone d'exclusion autour de Fukushima. Là les écoles, en plus d'avoir été ébranlées par le séisme, pour certaines noyées par le tsunami, sont irradiées. Aucun enfant ne viendra plus jamais animer de ses rires les classes désertes, écrire sur ses tableaux noirs les nouveaux caractères. Elles semblent figées dans un temps irréel où les humains ont disparu. Autour d'elles règne un silence pesant juste animé par quelques chants d'oiseaux, par le cloc-cloc des sabots de vaches abandonnées errant sur le bitume, meuglant à fendre l'âme, par le crépitement du compteur Geiger bloqué sur ses valeurs maximales. Près du rivage, les ensevelis sont encore nombreux avec pour seul linceul la fange qui les a tués. Les particules invisibles ont chassé leurs sauveteurs. Leurs appels au secours, déchirant le silence, se sont perdus dans la longue nuit déserte et glacée.

Seule dans ce champ de désolation, on se sent vite coupable d'être en vie. Les survivants portent ce fardeau-là. Je pousse un cri silencieux de rage et pleure pour toutes ces âmes enfuies.

14

Sōryōji dono[1]

Yokohama, 6 août 1873.

La moiteur poisseuse collait les vêtements à la peau.
Les hommes en cravate enviaient le décolleté des
femmes, les femmes corsetées enviaient les manches
larges et les cotonnades de celles en kimono, tous
cherchaient les courants d'air dans le grand salon et
fuyaient le soleil. Pas un frémissement n'agitait les
rideaux des grandes fenêtres ouvertes sur la baie. La
ville semblait avoir été mise sous globe. Les dames
appréciaient le retsina frappé, les hommes penchaient
pour l'ouzo plus fort. Ceux qui n'appréciaient pas
l'anis se rabattaient sur le champagne et le whisky. On
picorait les *mézés* disposés sur les tables en attendant
les discours qui débuteraient lorsque tous les invités
seraient réunis. Les olives en saumure et les pois
chiches, les figues, les raisins secs et toutes les boissons typiquement grecques avaient été importés à
grands frais. Mélangés avec talent aux légumes locaux

---

1. Son Excellence le Consul Général.

par la seule cuisinière expérimentée, ils constituaient une très digne représentation culinaire des terres hellènes.

La nouvelle aile du Grand Hôtel, à l'angle du Bund, n'était pas encore officiellement ouverte au public. Les ouvriers s'affairaient encore sur les finitions des chambres et de la salle de billard, les jardiniers sur les plates-bandes de l'entrée. En tant qu'actionnaire, Félix avait bénéficié d'une faveur pour y tenir sa prestigieuse réception.

Les hôtes étaient nombreux. Les membres des corps diplomatiques étaient les plus représentés, ainsi que les hauts fonctionnaires japonais de Yokohama. Les convives s'éparpillaient dans la grande salle à manger, le bar et même quelques curieux dans les étages, à l'affût des dernières modernités offertes par le luxueux établissement. Les salutations protocolaires se mêlaient aux poignées de main, les redingotes aux kimonos. Le vêtement japonais, chez ces hauts fonctionnaires, se perdait de plus en plus au profit du costume occidental.

Le magistrat du port, habillé à la dernière mode londonienne, discutait avec le responsable français du nouvel arsenal. L'architecte américain le plus en vue, Bridgens, tenait sa cour, admiré pour la finesse des décors du bâtiment qui les recevait et la conception innovante de la gare, de l'office des douanes et du nouvel hôtel de ville. Autour de lui, les ingénieurs discutaient adduction d'eau et sécurisation du réseau de becs de gaz. Les conversations étaient rythmées par le va-et-vient cadencé des menus servant à s'éventer, le tapotement des mouchoirs sur les fronts et les nuques.

Félix s'entretenait avec le gouverneur Terashima. Cet homme fin était pétri de culture occidentale.

Lorsque le shōgun avait été forcé d'abdiquer, l'influent clan Satsuma dont il était issu avait soutenu le jeune Mutsuhito pour faire émerger la fonction impériale de sa longue réclusion et restaurer son pouvoir en 1868. Sa famille et ses alliés avaient investi les hautes fonctions du nouvel État et il faisait jouer ses appuis afin d'obtenir pour sa ville les accords indispensables au développement moderne comme le raccordement au réseau télégraphique. Félix tentait de s'insinuer dans ses bonnes grâces.

Un aréopage froufroutant égayait cette assemblée très masculine autour de Mme Marshall qui animait le salon le plus en vue de la ville. Ces dames commentaient les tenues, l'étrangeté des mets, se gaussaient et se moquaient en s'éventant de leurs larges éventails. Le champagne tournait déjà les têtes et leurs voix montaient dans les aigus.

Un petit groupe de jeunes Japonais manipulait et déplaçait plusieurs appareils. Les photographes circulaient dans les salles pour immortaliser les invités venus célébrer l'accession au titre de Consul Général de Grèce de leur patron Félix Camino. Les affaires du quotidien étaient désormais gérées par son assistant américain Woolett. Kimbei, l'ancien apprenti de Félix, avait pris son indépendance quelques mois auparavant pour fonder son propre studio.

Charles déambulait en observant de son œil acéré et goguenard les travers de ses contemporains, les gravait dans sa mémoire pour les restituer avec malice dans ses pamphlets satiriques.

Son épouse avait disparu. Il soupçonna qu'elle fuyait la foule en quête de tranquillité et partit à sa recherche. Il croisa son fils Ichirō, en tenue des grands jours, poursuivi par sa fidèle complice Emiri, ainsi qu'une autre petite fille du même âge, courant tous trois entre les tables. Charles admonesta son fils.

— Où courez-vous donc comme ça ? Ichirō, crois-tu que ce soit le lieu et le moment pour jouer à « chat » ?

— Pardon Père, mais on s'ennuyait.

— Et vous, mesdemoiselles, pensez-vous qu'il soit élégant pour des jeunes filles dans de si jolies robes neuves de remonter vos crinolines et montrer vos jupons en courant après un garçon ?

— Pardon, nous ne recommencerons plus, répondit Emiri en lissant du plat de la main les plis de sa robe de soie.

— Emiri, tu dois faire honneur à ton père aujourd'hui ! Il faut être fier de lui, c'est quelqu'un d'important. Regarde tous ces hommes avec leurs belles décorations. Va donc le voir, il te présentera à eux et à leurs épouses et tu leur feras une belle révérence. Montre-moi donc comment tu fais.

La petite fille s'exécuta, un peu timide et gauche, mais attendrissante.

— C'est bien. Et toi, Chiyo, sais-tu aussi faire la révérence ?

— Oui, monsieur.

Elle s'exécuta à son tour et jeta un œil à Ichirō dont elle guettait la moindre réaction d'assentiment.

— Très gracieux. Restez avec Ichirō et promettez-moi de bien vous tenir. Allez, filez ! Ichirō, veille sur elles.

— Promis, Père.

— Attends Ichirō, as-tu vu ta mère ?

— Je l'ai aperçue près du grand escalier tout à l'heure.

— Merci mon fils.

Charles le suivit des yeux, le sourire aux lèvres, fier, si fier intérieurement malgré la remontrance. Bienheureuse Emiri qui avait un indéfectible ange gardien, Chiyo une fidèle amie et un galant protecteur. Ichirō avait le regard de sa mère, aussi séducteur, commandant l'attention. Grand pour son âge, mûr et posé, on le pensait souvent plus âgé que ses neuf ans.

Les deux filles avaient un an de moins et étaient de même condition. Chiyo était la fille du négociant britannique Frederick Cornes, fondateur de l'une des plus anciennes maisons spécialisées dans le commerce de la soie et du thé. Celui-ci, retourné et marié en Angleterre, l'avait placée à la Sōshin Girls School, comme Félix l'avait fait avec Emiri, où les filles recevaient une stricte éducation chrétienne. Elles s'y étaient liées d'amitié. Toutes deux étaient issues de concubines japonaises. La mère de la petite Chiyo était d'une famille très respectable et faisait partie du cercle d'amies de Kané. Les enfants nés d'unions mixtes avaient tendance à se regrouper pour éviter le regard parfois malveillant et snob des autres, qu'ils soient Japonais ou Occidentaux. Ichirō avait succombé au regard admiratif de sa nouvelle compagne de jeu, l'admettant bien volontiers dans leur cercle restreint.

Charles passa une tête dans le bar de l'hôtel où les fauteuils étaient encore recouverts de housses. Il attrapa deux coupes de champagne sur le plateau d'un serveur et grimpa deux à deux les marches conduisant vers les chambres. Il ralentit en arrivant au palier, essoufflé, se disant qu'il manquait d'exercice. L'étape des quarante ans, l'année passée, avait dans son esprit marqué le début de sa vieillesse.

Douze ans déjà qu'il était au Japon, pensa-t-il. Il y était heureux. Il avait bien parfois des bouffées nostalgiques pour l'Europe et envisageait brièvement de partir, aussitôt retenu par la pensée de sa compagne et de son fils, à la différence de certains de ses contemporains qui laissaient sans remords derrière eux leur progéniture.

Son quotidien étant nourri de riches échanges avec ses étudiants, de voyages excitants maintenant que Tokyo, l'ancienne Edo, était ouverte aux étrangers. Il avait même visité la mystérieuse et superbe Kyoto, l'ancienne cité impériale aux mille temples. Il avait à cœur de capturer dans sa mémoire et ses carnets de croquis le Japon traditionnel, se demandant combien de temps encore il survivrait sous la pression de la modernité qui effaçait ses plus attachantes coutumes.

Il aperçut Kané par la porte-fenêtre, appuyée au balcon de l'étage. Agrémentée de colonnes élancées en pierre claire, la structure ajourée tranchait élégamment sur le rouge de la brique. Charles caressa son épouse du regard derrière la vitre. Elle avait si souvent été en représentation, soignant son maintien, l'inclinaison de son cou, le déplacement de ses mains, maîtrisant sa démarche, que lui seul connaissait l'abandon de son corps. C'était son privilège unique et pour cela, il la désirait encore. Il contempla son profil, l'arc de son bassin appuyé contre la balustrade. Le rouge de la ceinture de soie soulignait son cou si long, si gracieux, support délicat de ses cheveux coiffés en savant chignon. Ses lèvres carmin dispensaient tant de volupté. Ses yeux enfin pouvaient incendier de concupiscence ou de mépris.

Charles poussa la porte et fit sursauter Kané. Elle l'accueillit d'un sourire bienveillant. Il s'enroula autour de son dos, déposa un baiser sur sa nuque et glissa la coupe de champagne dans sa main. Elle essuya la bouche de Charles du bout de son pouce.

— Tu t'es mis de la poudre sur les lèvres.

— Ce sont les risques de la gourmandise... Tu semblais perdue dans tes rêveries. À quoi penses-tu donc ?

— Oh, à rien en particulier, à tout à la fois. En regardant la ville qui change si vite sous nos yeux, je pense à Ichirō qui grandit. Penser à Ichirō me fait penser à l'autre enfant que je ne t'ai pas donné. En observant toutes ces femmes en bas, je pense à l'absence criante de Yumi, à l'étoile montante de Félix qui finira peut-être par lui brûler les ailes...

Charles se mit à rire.

— Que de pensées philosophiques ! Moi qui ne songeais qu'à un bain de mer pour nettoyer cette sueur collante, j'étais beaucoup plus terre à terre que toi ! Pourquoi ressasses-tu ces idées sombres en un jour festif comme aujourd'hui ? La naissance d'Ichirō a failli te coûter la vie. Willis nous avait mis en garde que tu ne pourrais peut-être pas avoir d'autre enfant. Ce sont de vieilles histoires ! Est-ce si difficile pour toi de faire le deuil d'un être qui n'a jamais existé ?

— J'aurais tant aimé un autre bébé. C'est un manque difficile à expliquer à un homme.

— Mais il n'est pas trop tard après tout, tu es encore jeune et nous nous entraînons assidûment, dit-il d'un air coquin. À propos de bébé, je viens d'avoir des nouvelles de Willis par Ernest. Il vient d'être papa d'un petit Albert ! J'ai eu un télégramme ce matin m'avertissant en même temps de l'heure d'arrivée des membres de la légation.

— Non ! Un deuxième garçon ! s'exclama Kané d'un ton envieux.

— En fait, c'est son troisième. Il en avait déjà eu un en Angleterre lorsqu'il n'était qu'étudiant. Il ne le criait pas sur les toits et n'en était pas très fier. Et puis il y a le petit Georges qui vit ici avec sa mère Ochino.

— Pauvre Sayuri, sa naissance avait fait son désespoir.

Willis avait pris la tête du nouvel hôpital de Kagoshima, la capitale de l'île méridionale. Le médecin britannique n'avait hélas pas été sensible à la quasi-vénération de Sayuri et avait fini par épouser là-bas la fille d'un puissant samouraï.

— J'espère qu'il est un meilleur compagnon pour cette femme qu'il ne l'a été pour Ochino ou que Félix pour Yumi, remarqua Charles, d'un ton désabusé.

— Ce ne sera pas très difficile.

Ils se remémorèrent ensemble la scène très embarrassante qu'ils avaient vécue presque au même moment l'année passée à la mairie. Devant une assemblée composée d'amis proches et de sa fille, Félix, pris de panique, avait abandonné sa promise Yumi avant la signature fatidique de leur union. Après neuf années de vie commune à servir et à contenter, la naissance d'Emiri, la disparition d'une autre enfant en bas âge, Yumi mortifiée avait quitté le domicile avec sa fille pour se réinstaller chez sa mère. L'attitude de Félix avait jeté un sérieux froid dans ses relations. Pour un temps seulement car les hommes semblaient indulgents pour des actes qu'ils reconnaissaient secrètement pouvoir commettre eux-mêmes. Kané, indignée, avait soutenu Yumi de son mieux. Elle avait négocié pour son amie, par l'intermédiaire de Charles, le maintien des frais de scolarité d'Emiri, ainsi que le versement d'une substantielle pension de dédommagement sans que cela n'écorne trop les revenus pourtant fluctuants de Félix. Celui-ci avait de nombreux défauts, mais n'était pas avare. Délaissant de plus en plus son activité photographique, il spéculait parfois de façon hasardeuse sur le marché des métaux précieux et investissait ses bénéfices dans les nouveaux développements immobiliers du Bluff.

Beaucoup plus sagement, Yumi avait investi son pécule dans la version modernisée du métier de sa famille. Le tissage de la soie s'automatisait de plus en plus, elle avait donc pris des parts dans les nouvelles filatures de Tomioka. Brunat, un entrepreneur lyonnais, avait introduit les premières machines Jacquard au Japon. Encouragée par Charles qui avait révélé ses talents d'aquarelliste, Yumi collaborait désormais aux recherches de coloris, de texture, et au dessin des cartons. Elle développait des modèles de robes portées par des Japonaises de plus en plus avides de mode occidentale. Le drame de son abandon avait fait naître en Yumi la fibre d'une femme d'affaires avisée, admirée de tous. En déplacements fréquents, Emiri avait trouvé chez Charles et Kané un deuxième foyer.

Ils suivirent des yeux le nuage de fumée qui barra soudain le ciel. Consultant sa montre, Charles observa :

— C'est le train d'Ernest. Il devrait être là dans peu de temps. Il ne doit pas, comme moi, regretter les longues heures à trotter au pas sur de mauvais chevaux dans la presse du Tōkaidō.

— Je garde un souvenir émerveillé de l'inauguration l'année dernière quand nous avons pu voir l'empereur !

— Voir est un bien grand mot. Entr'apercevoir le bout de sa tunique blanche serait plus exact. Mais j'admets que l'arrivée du train en gare au son du « Sabre de mon père » avait un certain panache.

— C'est bien le terme qui convient à la fumée qu'il dégageait.

— Quel fracas quand la locomotive a freiné ! Tu étais terrorisée et tu t'es jetée contre moi lorsqu'elle a craché sa vapeur en sifflant !

— Moque-toi de moi. C'est injuste ! Tu l'avais déjà pris en Angleterre. Je t'accorde que c'est beaucoup plus confortable et rapide que les palanquins bringuebalants et étouffants. Mais tous ces changements me font peur. Nos coutumes sont emportées par le vent de la modernité. Cette frénésie qu'a l'empereur de vouloir rattraper l'Occident...

— Le changement fait toujours peur, parce qu'on sait ce qu'on a mais pas ce qu'on aura. Dans le cas de ce pays, je ne regrette pas la disparition de certains archaïsmes !

— Imagine que ta Reine supprime d'un trait de pinceau l'aristocratie anglaise, abolisse le pouvoir des Lords comme il l'a fait de celui des seigneurs ! On parle même d'interdire le port du sabre aux samouraïs.

Heureusement que mon père n'est plus là pour voir ça...

— Et à quoi servirait leur sabre devant les canons et les fusils ? Faut-il te rappeler le nombre de tombes du cimetière occidental ? À toi qui as si souvent tremblé pour moi ? Te voici bien réactionnaire !

Kané se sentait toujours déchirée, partagée entre cette modernité naissante apportant confort, sécurité et puissance, mais qui ébranlait tous les fondements sociaux, effaçait les traditions de son pays, les coutumes et costumes. Même la poésie des heures et des années du chien, du rat ou du tigre était vaincue par le calendrier grégorien et la rigueur des horaires ferroviaires, la rapidité des cliquetis du télégraphe, l'étendue des voyages transocéaniques.

Il n'était plus rare de croiser dans les rues des hommes en redingote sur kimono, chapeau melon et geta aux pieds, double sabre à la ceinture et parapluie à la main, incarnant la mutation de la société et la fusion des cultures.

— Regarde notre ville, murmura Charles dans l'oreille de Kané tout en la serrant contre lui. Elle a presque été anéantie par le feu et la voici plus belle, plus rayonnante, comme le soleil rouge du nouveau drapeau qui flotte là-bas, au mât de l'hôtel de ville. Cela s'appelle le progrès ! Ne trouves-tu pas tout cela positif et excitant ?

— Si, bien sûr, admit-elle, vaincue par l'enthousiasme de Charles et la réalité de ses arguments.

— Respire, hume l'air ! Tu te souviens des relents du marais les jours de grosse chaleur comme aujourd'hui.

L'air est sain depuis qu'il a été asséché et les canaux drainés, les cas de fièvres disparaissent.

— Depuis que le marais a été comblé, vous avez surtout un beau terrain de cricket tout neuf ! C'est cela au fond la vraie raison du bonheur des Britanniques... Une maison close accueillante, un terrain de cricket, du whisky et du thé en abondance et l'Anglais est heureux !

— Quelle mauvaise langue ! Tu sais pertinemment que je ne mets jamais les pieds au Nectarine puisque tu me combles de félicité domestique.

— Mais tu ne manques pas de visiter le Yoshiwara à Tokyo...

— C'était pour accompagner Satow et Rickerby, tous deux célibataires à l'époque ! Et j'y suis resté chaste comme un bonze. Tu ne vas pas me le reprocher toute ma vie !

Kané aimait le titiller pour qu'il lui prouve son inébranlable fidélité. Il la fit tourner sur elle-même et vérifiant du coin de l'œil que personne ne les observait, il l'embrassa à la croisée des pans du kimono, à défaut de sa bouche fardée de rouge. Les multiples tours de la ceinture et les couches superposées de tissus rendaient le vêtement peu propice à l'exploration corporelle. Sa main s'égara sans succès dans les replis. Il huma le parfum de tubéreuses dans le creux de son cou. La chaleur appelait à la langueur, éveillait les sens. Il se prit à rêver de sieste et de pénombre, nu avec elle sur les tatamis ; peaux humides, caresses, crissement des cigales, parfum de paille sèche, bruissement des feuilles du magnolia, gémissements, somnolence.

— Tu es ailleurs...

— Hummm, avec toi, dans notre chambre, tout à l'heure...

— Plus pour longtemps hélas, j'aperçois le *jinrikisha* d'Ernest.

Un véhicule approchait en effet de l'hôtel. Cette charrette légère à traction humaine, avec ses deux grandes roues, avait envahi les rues de toutes les grandes villes, supplantant les autres moyens de transport inconfortables et lents.

— Mais regarde donc qui va là ! Notre ami Satow est en charmante compagnie. Ne serait-ce pas la très jolie Takeda Kané qu'il nous a présentée l'année dernière ?

— En effet. On dirait qu'il profite de l'absence de son ministre pour la présenter, officieusement du moins. Viens, allons les retrouver. Les discours vont bientôt commencer.

Ils firent un signe de la main en direction du véhicule qui s'immobilisa devant le porche.

— Cela ne te fait-il pas bizarre, dit Kané en descendant lentement les marches accrochée au bras de Charles à cause de l'étroitesse de son kimono, après ces années de collaboration avec Félix, avoir été son plus proche ami, de le voir maintenant se disperser dans le commerce et la diplomatie et gaspiller son talent artistique ?

— J'ai tiré un trait sur notre association il y a longtemps, pas sur notre amitié, même si elle a été mise à mal. L'incendie de l'atelier était l'occasion de prendre notre indépendance. Après tout, nous avions assez de travail et de renommée pour voler chacun de nos propres ailes. Si Félix a envie de jouer au promoteur immobilier, risquer son argent, aller photographier des expéditions en Corée et maintenant négocier pour la Grèce des accords commerciaux, c'est son droit, que puis-je y faire ? J'essaie déjà de limiter les dégâts avec sa fille. Ce poste est une belle opportunité et je m'en réjouis pour lui. Mais je ne dis pas que le conte Collodion di Policastro ne sera pas égratigné par une prochaine caricature dans mes chroniques...

— Qui aime bien châtie bien ! Tu es un grand tendre au cœur fidèle et c'est pour cela que je continue, année après année, à te chérir...

De cet homme qu'elle côtoyait depuis plus d'une décennie, elle connaissait les méandres complexes de la personnalité : sa générosité, son anticonformisme, la verve, l'humour, l'exubérance, l'insatiable curiosité. Mais aussi les fragilités cachées de ceux qui semblent toujours forts ; la sensibilité exacerbée aux critiques, ses accès de nostalgie. Il n'avait pas si bien vécu la fin de l'association avec Félix. Charles avait déroulé pour lui ses contacts diplomatiques, ses talents linguistiques et artistiques. Aujourd'hui les deux hommes étaient connus et reconnus, tant du microcosme occidental que des personnalités japonaises émergentes du pays. Son mari était une référence incontournable auprès des artistes étrangers de passage. Mais avec la modernisation en route, les ingénieurs, les nouveaux négociants, des juristes affluaient dans le pays et diluaient la communauté des pionniers. On croisait sans cesse de nouveaux visages. Tokyo avait un pouvoir d'attraction plus fort que Yokohama. Elle le soupçonnait d'avoir peur d'y perdre sa place, de se fondre dans l'anonymat de la masse grandissante et voir se dissoudre l'âme chérie du Japon. Et si l'angoisse distillait son venin, seuls les sentiments de son épouse pouvaient contrer l'intoxication lente.

Charles s'arrêta sur le palier du grand escalier, ému. Cela faisait bien longtemps que Kané ne lui avait murmuré ces mots-là. Elle pouvait être parfois cassante, dure, tandis qu'il n'aspirait qu'à ses gestes caressants. Il savait que leur amour était profond mais le faire remonter à la surface de l'attachement, effleurer l'ancienne ardeur, faire vibrer la tendresse, c'était ranimer l'exaltation des premières années où leur passion avait fait fondre les neiges du Mont Fuji. Il prit sa main si blanche, si fine dans les siennes et la baisa en fermant les yeux. Il transmettait par ce geste l'étendue de l'enracinement qu'elle avait planté en lui, s'enroulant autour de son cœur comme des lianes de banyan. Il aurait été impossible de dénouer les fibres de son adoration, de les séparer sans drainer la vie en même temps que l'amour.

Kané passa sa main libre sous la veste de Charles, sentant les percussions rythmées s'accélérer sous la fine batiste. Elle se pressa contre lui, l'oreille sur sa poitrine. Enlacés l'un contre l'autre, Charles murmura :

— Il ne battra jamais que pour toi, jusqu'à mon dernier souffle.

— Ne t'avise pas de partir avant moi, je n'y survivrai pas...

— Cela te ressemblerait bien de te mettre en colère contre moi pour oser envisager de mourir sans ta permission ! dit-il en riant, écartant volontairement un peu de l'émotion qui les avait submergés. Allons ma mie, nos obligations nous appellent.

Ils regagnèrent le grand salon où s'étaient réunis tous les convives, saluèrent les derniers arrivants. Takeda san attirait les regards. Elle était inhabituellement grande et avec ses talons, presque de la même stature qu'Ernest. Sa taille fine élégamment corsetée était mise en valeur par un arc plissé en taffetas de soie ramené vers l'arrière en étroite corbeille. Point de décolleté mais un col montant asseyant l'ovale de son visage allongé, élégant. Elle arborait pour sa première présentation publique un air réservé, mais assuré de son bon droit d'être là, aux côtés d'Ernest, rayonnant de fierté. Les deux Kané se saluèrent courtoisement et se toisèrent avec bienveillance et intérêt, renseignées l'une sur l'autre par leurs amants respectifs.

Le tintement d'un couvert sur le cristal focalisa les regards vers une petite estrade autour de laquelle se pressaient les quelques résidents grecs de Yokohama et les nombreux invités. Félix fit un discours en grec un peu rouillé puis en anglais, éloquent, empreint de sa chaleur méditerranéenne, rappelant ses origines vénitiennes et son enfance à Corfou pour ceux qui s'étonnaient de le voir accéder à un tel poste. Il remercia les convives de leur présence, certains en particulier de leur longue amitié, et exposa la teneur de ses nouvelles fonctions, puis invita en japonais le gouverneur à venir s'exprimer.

Après les discours, des mézés sucrés furent servis ; bougatsa et baklava, figues rôties au miel, loukoumades, accompagnés de café fort. Pour les enfants, Mme Thedoracopoulos avait confectionné une vassilopita dans laquelle était caché un porte-bonheur, en l'occurrence une pièce d'un yen. Comme ils étaient peu nombreux, ils furent gratifiés d'énormes parts à la croûte dorée, couverte de cristaux de sucre et d'amandes, accompagnées de sirop d'orgeat pour se rafraîchir. Les gourmands croquèrent avidement dans la pâte moelleuse, léchèrent leurs doigts collants. C'est Chiyo, extatique, qui trouva la pièce et fit un vœu dans le secret de son cœur. Quand elle serait grande, elle épouserait Ichirō.

Tandis que les enfants questionnaient Chiyo sur l'utilisation de sa nouvelle fortune, ils virent s'approcher Kimbei portant l'un des appareils du studio Camino.

— Ton père, Emiri, m'a demandé de vous prendre tous les trois.

Kimbei connaissait la petite fille et Ichirō depuis leur naissance. L'atelier de leurs pères respectifs, où il était assistant à l'époque, était leur deuxième terrain de jeu. Il avait essuyé leurs mentons, nettoyé les taches de peinture et les avait sauvés d'explorations hasardeuses à tant de reprises qu'il se sentait comme un grand frère pour eux. Kimbei chercha le meilleur angle pour un décor de fond. Il évalua la lumière pénétrante de l'après-midi et aligna les enfants. Les filles entourèrent Ichirō.

Sur les sels d'argent s'imprimèrent le sourire un peu figé des trois compagnons, la main fermée de Chiyo sur sa pièce, son regard interrogatif qui guettait l'assentiment de son compagnon, la similitude de leurs traits, leurs cheveux un peu plus fins et clairs, les paupières moins étirées. L'objectif captura les ombres dansantes du taffetas, le reflet brillant sur le bijou en forme de cœur au cou d'Emiri, le torse bombé d'Ichirō, les poignées de main échangées à l'arrière-plan un peu flou, les verres abandonnés, les reliefs des plats qui avaient surpris l'assemblée. Ce que la chimie ne put révéler derrière ces sourires sur l'albumine du papier, c'était la fierté d'Emiri de sa première robe de soie, l'admiration pour son père le héros de la fête, sa rancœur muette contre lui d'avoir quitté sa mère. C'était l'attirance secrète de Chiyo pour Ichirō et sa jalousie un peu sournoise d'Emiri pour la relation d'amitié qu'elle entretenait avec le garçon. C'était la fierté du meneur, le confort dans lequel s'épanouissait Ichirō, adulé par ses deux amies, tiraillé entre elles. Et tout au fond de la photo, tel un halo enveloppant, le regard maternel bienveillant, protecteur.

15

Kako e no tabi[1]

Yokohama, 7 avril 2011.

Des flocons pâles tombent sur mon visage. Trois
semaines auparavant, ils déposaient une morsure glacée sur la peau, un frisson refroidissant les os et l'âme.
Aujourd'hui, ils tournoient dans le soleil, soulevés par
une brise tiède, se déposent en caresses veloutées aux
fragrances sucrées. Les pétales roses envahissent mon
ciel immédiat. Ils peuplent d'entrelacs fleuris mon
horizon renversé.

Je me suis assise quelques instants sur un banc, la
nuque pliée vers l'azur. Le Japon est entré dans l'une
de ses deux grandes apothéoses végétales. La floraison
des cerisiers au printemps et le rougeoiement des
érables en automne donnent lieu à contemplation lors
de pique-niques festifs et voyages, comme autant de
pèlerinages à la gloire de l'éphémère nature. Mais
cette année le hanami est en deuil, par respect et empathie pour les victimes. Les réunions sont moins

1. Voyage dans le passé.

ostentatoires, les processions à la beauté plus sobres. Seule, sous un arbre alourdi de cette écume pastel, je me repais de douceur enrobée de césium.

J'apprécie la solitude, loin des terres disloquées. Les trépidations continuent à agiter le sol, le sommeil et l'humeur. La vie dans le Kantō a repris son cours même si les médias diffusent en boucle les malheurs du Tōhoku et les nouvelles de Fukushima. Les plus grandes inquiétudes s'orientent dorénavant sur la piscine du réacteur n° 4. Des taux d'iode radioactif faramineux sont relevés en mer. Des légumes contaminés venant de plusieurs préfectures ont été retirés de la vente. Si les rayonnages sont à nouveau approvisionnés à Tokyo, on s'inquiète de la qualité de ce qu'on y trouve. On reçoit comme pain béni les nouvelles de Tepco, les paroles rassurantes du premier ministre Kan, relayées par des journalistes confiants, sans trop contester la transparence et la bonne foi de la compagnie au cœur du désastre. Des interrogations émergent à mots feutrés. Mais les Japonais n'aiment pas bousculer l'ordre établi et mettre en doute ce qui vient d'en haut. L'ambassade de France a distribué des pastilles d'iode. Mes compatriotes français, du moins ceux qui n'ont pas d'attache familiale ici, ont fui. Je ne me sens pas le droit de les juger. Les informations sont si contradictoires que la prudence incite à l'éloignement.

J'ai ramené Obāchan il y a deux semaines, la livrant aux bons soins des médecins locaux. Depuis, elle s'étiole doucement, se nourrissant à peine. Elle est lasse de l'acharnement à vivre que nous lui imposons. Les petits dysfonctionnements et contrariétés de son environnement immédiat prennent des proportions envahissantes. Sa conscience s'envole de plus en plus longtemps, telle une hirondelle pressée de retrouver les contrées australes mais revenant sur le fil dans l'attente du signal de la nature. Maman, épaulée par mon père, est auprès d'elle. Elle soigne la douleur du départ proche avec le baume des souvenirs.

Pas à pas, je reconstitue le puzzle de l'histoire familiale. La généalogie est complexe. Je tente d'interroger ma mère, dont les pensées préoccupées se dérobent, et ma grand-mère dont l'esprit fluctue et s'échappe. Dans ses moments de lucidité, sa jeunesse semble revenir au premier plan de ses réminiscences. Elle évoque en pleurant la disparition de son petit frère et de son père dans l'incendie qui a suivi le grand séisme de 1923, comme si c'était la veille. Douleur intense ressurgie de sa lointaine mémoire à cause, sans doute, du traumatisme récent et tellement similaire, à 88 ans d'intervalle. Les photographies de la boîte aux libellules la relient à son époux défunt, à leur mariage à l'aube du conflit mondial, au départ de mon grand-père l'année suivante. Elle se confie à mi-mots sur l'âpreté de l'après-guerre avec deux jeunes enfants et préfère relater les anecdotes des années heureuses du boom économique, de la carrière de son mari. Elle peut encore me raconter dans le détail leur voyage à Matsushima avec leur première voiture. Parfois elle lui parle comme s'il était à côté d'elle, déjà réunis. Elle me fait lire des versets de sa bible. J'ai vite compris qu'ils me sont destinés plus qu'à elle-même, car je me rebelle encore contre la dureté divine et le manque de sagesse humaine.

Je parle tous les jours à Hiro, mon onguent psychologique quotidien, chacun dans un monde si dissemblable. Nous dormons mal, tous deux assaillis, nuit après nuit, par les mêmes images de l'hydre monstrueuse et vorace. Je me nourris chaque jour de son visage aux traits un peu tirés. Sa barbe est retaillée, les fils argentés de sa chevelure jouent avec la lumière. Son sourire est apaisant, tendre. Je me languis de sa peau, hors d'atteinte derrière la frustrante paroi lisse de l'écran. Je tais l'inquiétude des retombées radioactives qui le font vivre en sursis. Pour moi, il promène sa webcam vers le jardin où la végétation tarde encore à s'émanciper. La neige en fondant a restitué les matières et les couleurs et devient un souvenir émerveillé de ce premier matin dans ses bras. Son père, perdu en contemplation sous la véranda, me salue de loin d'une main alourdie de tristesse. Hiro partage l'avancée de ses réparations et remises en état. Sa voix se casse lorsqu'il évoque l'évacuation de ses créations en morceaux. Il s'échappe de cette éprouvante corvée en m'aidant dans les recherches liées aux documents de la boîte. Je scanne des photos, des lettres, qu'il m'aide à déchiffrer. Il s'use les yeux sur les idéogrammes manuscrits tandis que je m'endors au cœur de la nuit sur les récits des acteurs diplomatiques et commerciaux d'autrefois. Hall, Cornes, Sir Alcock, Ernest Satow, Mitford et d'autres, ambassadeurs, secrétaires de la légation britannique, négociants, ingénieurs dans la ville naissante de Yokohama, ont laissé à la postérité des récits trouvés sur les sites des bibliothèques américaines, ou que je fais expédier de l'autre bout du monde. Ils y parlent des grands hommes

d'influence, Occidentaux et Japonais, des soubresauts guerriers qui ont émaillé la chute du shōgun et
la renaissance du pouvoir impérial. Ils évoquent les
artistes qui ont diffusé ces changements et façonné la
perception romantique du japonisme. Plusieurs parlent
explicitement de leur amitié ou de leur collaboration
avec Camino. Page après page, ils dévoilent des
facettes inattendues de l'homme que j'arrive encore
difficilement à intégrer dans mon arbre généalogique.
Cela m'occupe tout entière. M'obsède presque. J'ignore
pourquoi cette recherche devient si importante à ce
moment particulier de ma vie. Peut-être parce que je
sens la fin imminente pour celle qui détient encore
certaines clés. Un moyen pour me sentir encore plus
proche d'elle. J'ai pourtant très bien vécu sans savoir.
Avant. Avant que les visages remontent de la boue et
se figent dans un présent sans avenir. Est-ce de cela
dont j'ai peur ? De l'incertitude de mon avenir si je
n'en connais pas le passé ?

Depuis le matin, j'arpente la cité sur les traces de
l'époque lointaine, 150 ans auparavant, qui a vu naître
cette cité gigantesque, deuxième par sa population
après Tokyo. De la ville basse au niveau de la mer, il
ne reste rien des origines, anéantie par le grand séisme,
les bombes incendiaires de la Seconde Guerre mon-
diale, dévorée par l'urbanisation, l'extension du port,
des tours et des centres commerciaux. Les cités de
bois, si elles renaissent de leurs cendres, ne laissent
hélas pas de strates où chercher des vestiges pour la
postérité. Seuls les noms de quelques grandes artères
ou quartiers subsistaient, empreinte immatérielle pour
l'histoire. Nihonodōri, Benten-dōri, Motomachi...

La rivière Nakamura qui court au pied du Bluff, jadis empruntée par les jonques, est couverte par les piles de béton de la voie rapide. Comparant le vieux plan de Yokohama dans un guide du Grand Hôtel avec le plan actuel, je reconnais encore le dessin du cœur historique. Le stade de base-ball à la gloire de l'équipe des Baystars est érigé sur le terrain de cricket, lui-même tracé sur les décombres de l'ancien Miyozaki, le joli monde des fleurs et des saules parti en cendres. Quel spectateur applaudissant un pitch imparable se souvient des splendeurs et du raffinement du célèbre Gankirō ?

Des immeubles en pierre de style européen, datant pour les plus vieux du début du XXᵉ siècle, jalonnent les grandes avenues, transformés en banques, musées, hôtels, universités. Dans l'ancien consulat britannique qui abrite le musée des archives, je traîne un long moment au-dessus des vitrines où sont exposés les premiers journaux publiés au Japon, des estampes aux couleurs un peu criardes, des planches du *Illustrated London News*, des lettres manuscrites d'Ernest Satow à sa famille.

Je longe le front de mer, l'ancien Bund. Le soleil est doux, mon esprit embué de nostalgie se connecte difficilement avec la modernité environnante. Je passe devant l'Hotel New Grand, de style années vingt, adjoint d'une haute tour moderne et d'un McDonald's. Il est situé à un jet de pierre de l'emplacement de l'ancien Grand Hôtel, en briques et pierres à l'angle du port et de la rivière, immortalisé par Camino. Il est remplacé par un musée ultramoderne en béton brut. Entre l'emplacement de l'ancien et du nouveau s'élance la haute silhouette de la Marine Tower. Elle sert de phare et domine la ville d'une centaine de mètres. Elle se situe exactement à l'endroit du deuxième studio de Camino, ouvert après l'incendie de 1866 qui a ravagé la cité.

En franchissant le seuil pour y monter et découvrir la vue panoramique, je suis saisie d'une émotion particulière. Marcher dans les pas de mon ancêtre me bouleverse. J'ai envie de prendre les gens à témoins autour de moi, leur crier qu'ici travaillait mon aïeul, le grand Félix Camino ! La majorité des visiteurs, tout au moins ceux de mon âge ou plus âgés, reconnaîtraient peut-être son nom, ou à défaut ses photographies si caractéristiques de l'époque. Savoir qu'à cet endroit même Camino a travaillé est la seule relique immatérielle qu'il me reste de lui dans cette ville.

Mon exploration matinale de la ville basse me laisse un peu sur ma faim. Je reprends le train vers le Sud, au-delà du cap Honmoku qui ferme la baie. Je n'y suis jamais allée et je souhaite voir les lieux de villégiature des résidents occidentaux évoqués dans leurs mémoires, le champ de course, les collines verdoyantes où les hommes chassaient, se promenaient à cheval, les falaises blondes au pied desquelles les villageoises pêchaient de délicieux coquillages.

Erreur. Il n'en reste rien. Mais à l'inverse du centre-ville de Yokohama qui a développé un certain cachet, ici la laideur a déchiré un paysage qui jadis a été si charmant. Immortalisés par Camino et Kimbei, les collines verdoyantes et les villages aux toits de chaume ont disparu. Des falaises crayeuses, on devine à peine le sommet au-dessus de la barre de l'autoroute.

Les rivages ont été remblayés, occupés par des stations d'épuration et des raffineries à perte de vue, citerne après citerne, piquées de tours de distillation. Horribles banlieues barrées de grands blocs d'immeubles, coincées entre voies rapides et zones industrielles, mer invisible repoussée par les avancées tentaculaires des docks. Je fuis et regagne en une station de train le Bluff. Je grimpe les sentes escarpées et quitte le tumulte urbain. Il règne sur cette colline un calme inhabituel, hors du monde.

Je marche vers le cimetière et m'arrête devant une maison ancienne, survivante d'anciens sursauts tectoniques, une petite construction en bois vert pistache à gâbles et frises que j'aurais plutôt imaginée dans des alpages. C'est le musée des archives du Yamate. Il recèle des photos de ces mêmes rues quelque 120 ans plus tôt, par Kimbei et quelques autres. Des temples enfouis dans la végétation où se tiennent aujourd'hui des maisons particulières en verre et béton. Des vues de la ville en contrebas, forêt de toits de tuiles, avec les trois-mâts au mouillage dans la baie. Ma nostalgie heureuse se dilue en regrets de temps que je n'ai pas connu.

Je fais une halte devant un immeuble blanc récent de cinq étages. Mon vieux plan de Yokohama indique le numéro des parcelles. Je me tiens devant le 102. À cet endroit a dû exister une jolie maison en bois avec un jardin assez vaste, tournée sud-ouest vers les rayons du soleil, près du bord de la colline. La mer, à l'époque, n'était qu'à deux ou trois cents mètres en contrebas. On devait y sentir, les jours de vent, l'iode et le sel. C'est là qu'a vécu, jadis, Charles Pearsall.

Calme et silence autour de moi, sous la voûte frémis-sante. Juste le murmure lointain de la ville alentour, au-delà des murs du cimetière. Mes voisins ne peuvent pas me déranger depuis leur profondeur terrienne et temporelle. Étrangement, les alignements de tombes anciennes ne m'assombrissent pas. Ici les morts ont été enterrés dignement. Après avoir pataugé dans l'agonie de l'océan, ce paysage ordonné est reposant. Le cimetière étranger de Yokohama ne ressemble pas à un cimetière japonais, où les stèles se dressent, rec-tangulaires et serrées. Ici, les croix de toutes formes et symboles religieux sont nombreux au milieu des arbres bourgeonnants. Quelques mémoriaux civils et militaires jalonnent les parcelles. Elles s'étagent à contre-pente, raccordées par des sentes envahies de couvre-sol et de petits escaliers, ou traversées de che-mins pavés. Parfois un pin noueux dispute à la pierre son espace vital, soulève un angle, repousse le gravier de ses racines. De mon banc dans la végétation renais-sante, je peux voir la ligne lointaine des gratte-ciel de Yokohama dominée par les angles épais de la Landmark Tower.

Autour de moi, dans des tombes aux tons gris-vert gravées sobrement ou sculptées de fioritures, résident les Occidentaux morts loin de leur pays natal, sous les sabres des samouraïs ou de causes naturelles : Richardson, un marchand britannique tué sur le Tōkaidō, l'architecte Bridgens à qui la ville doit plu-sieurs bâtiments, Perregaux et Favre-Brandt, horlogers suisses, parmi tant d'autres. Je me recueille quelques instants près de deux dalles identiques, simples, sous lesquelles les major Baldwin et lieutenant Bird reposent côte à côte, compagnons dans la mort par leur assassinat simultané en novembre 1864, voisins d'éternité. Camino parle d'eux dans l'un de ses albums, trouvé quelques jours plus tôt sur le Web. Ses mots trahissent son émotion à les avoir côtoyés juste avant le crime. On y voit des photographies des sites visités avec son associé Charles Pearsall, le lieu du meurtre, une reconstitution en studio de la décapitation de l'un des assassins. En parcourant cet album, j'ai trouvé une planche identique à celle de la boîte aux libellules ; l'homme au chapeau près du sanctuaire d'Hachiman. Il s'agit bien de Camino, mon aïeul.

Une autre photo montre les deux artistes assis sur une volée de marches du même lieu. Ils se sont rencontrés en Chine durant la guerre de l'opium. Pearsall, curieux d'un pays dont on ignorait presque tout, est tombé sous le charme du Japon et y a attiré son ami. Mais Camino repose loin d'ici, à Florence, depuis 1909. Cela fait une semaine que je passe tout mon temps libre en sa compagnie. Je tente de suivre ses traces dans toute l'Asie où il fut l'un des tout premiers photojournalistes. Je me sens bien minuscule face à la postérité de son œuvre. Le poids de cet héritage me semble presque lourd à porter. Mais c'est la qualité de son travail qui m'incite à creuser, à chercher l'homme, peut-être pour essayer de m'en montrer digne, ou bien pour tenter de l'atteindre à travers le temps.

Pearsall, lui, repose ici même, au milieu de ses contemporains qu'il a croqués avec humour dans ses *Japan Chronicles*. La ville de Yokohama lui rend hommage cette année même par une grande exposition commémorative au Musée préfectoral pour le 150ᵉ anniversaire de son arrivée au Japon.

Je finis par quitter mon banc pour trouver sa tombe. C'est pour lui que je suis dans ce cimetière. En tirant le fil de l'écheveau familial, je l'ai croisé à maintes reprises.

Charles Pearsall repose sous un imposant sarcophage, étrangement posé de biais par rapport à l'alignement des autres tombes. La dalle est à pans coupés, gravée sur toutes ses faces en anglais. Il est écrit :

« En mémoire de Charles Pearsall. Artiste.
Né à Londres et mort à Yokohama le 18 février 1891.
Âgé de 58 ans.
Durant trente ans résident de Yokohama.
Correspondant spécial du Illustrated London News *et éditeur des* Japan Chronicles.
Ce mémorial est érigé par ses amis au Japon. »

Sur les deux petits triangles de chaque côté, des notes plus intimes et affectueuses, preuves de l'attachement de ses amis :

« Il aimait le Japon. »
« "A fellow of infinite jest." Shakespeare »

Je suis touchée en lisant ce vers fameux de Hamlet, contemplant le crâne de Yorick, le fou du roi. C'est ainsi que ses amis définissaient le caractère de cet homme pour qui je commence à ressentir une réelle affection : « un homme d'une verve infinie, d'une fantaisie exquise ».

Le 18 février, jour anniversaire de sa mort, se tient ici un festival. Des dessinateurs de mangas se réunissent chaque année autour de la tombe de celui qu'ils honorent comme le père de leur art. Vu l'ampleur qu'a pris ce genre au Japon et dans le monde entier, il est une figure tutélaire immense dont lui-même n'a sans doute jamais envisagé le rayonnement.

À défaut de me recueillir sur la tombe de mon ancêtre Camino, j'adresse à son meilleur ami mes salutations posthumes. Je caresse la pierre froide, émue. Des rumeurs sur la toile laissent entendre que son corps ne se trouve pas ici mais à quelques distances de là au temple Zengyō-ji, auprès de son épouse bien-aimée Ogawa Kané. Excès de romantisme ou vérité historique, peu importe où est son squelette, c'est sa mémoire que je viens rencontrer. Celle de l'homme fantasque et drôle au trait de plume acerbe, au geste vif, aux jeux de mots mordants. Quelques exemplaires des *Japan Chronicles* se trouvent dans la boîte aux libellules. Le tout premier numéro date de 1862 et le dernier de 1887, quelques autres des années soixante soixante-dix. C'est en feuilletant ces pages jaunies que s'est éveillée ma curiosité pour Pearsall.

Hiro a déchiffré des feuillets en japonais, à l'écriture pâlie, datés de mai 1867 et libellés de différentes villes qu'il a identifiées comme barrières de péage sur le Nakasendō. Cette route reliait Kyoto à Tokyo par l'intérieur du pays et était empruntée par les seigneurs de province pour se rendre auprès du shōgun. Les lettres décrivent des paysages, des rencontres avec quelques officiels de rang modeste, les aléas du voyage en palanquin, des traversées périlleuses de rivières à gué et même une attaque de rōnin en pleine nuit. Les lignes parfois s'incurvent autour de charmantes saynètes dessinées au crayon dans les marges. Signées d'un C. ou du portrait caricatural d'un homme au long nez, les lettres s'adressent à une femme aimée. Entre les pages se trouvent des pétales de fleurs, un haïku pour la saison :

> *« Le printemps s'incline*
> *au soir la luciole*
> *allume les étoiles. »*

C'est en lisant les mémoires d'Ernest Satow que je comprends qu'il s'agit de la correspondance de Charles Pearsall à sa compagne Ogawa Kané. Les deux hommes ont voyagé ensemble pendant quelques semaines pour rejoindre Tokyo après une ambassade du corps diplomatique à Osaka. C'est un document exceptionnel car hormis un courrier à son frère, rien ne subsiste de ses relations épistolaires. Satow y appelle Pearsall « l'artiste ».

La présence dans le coffret de ce courrier intime me laisse perplexe. Profitant d'un de ses moments de lucidité lors de mes visites quotidiennes à l'hôpital, je glisse les feuilles jaunies entre les doigts de ma grand-mère. Lorsque je mentionne le haïku, elle réagit d'un sourire nostalgique.

— Je me souviens de ce poème, mon grand-père me l'avait lu et m'apprenait à en composer. Où l'as-tu entendu ?

— Il est écrit sur un joli papier en fibres naturelles, de nombreuses fois plié, glissé entre les pages de ces lettres que je t'ai apportées. J'ai fait pas mal de recherches ces derniers jours sur Camino et ses contemporains. Je crois que ce courrier appartient à son associé Pearsall.

— ...

— Et je me demande comment elles sont arrivées là.

— Toutes les photos anciennes, les courriers de l'enveloppe et les objets étaient dans la boîte aux libellules. C'est mon grand-père qui me l'a donnée. Je l'ai utilisée par la suite pour mettre mes propres souvenirs. J'avais neuf ans en 1922 lorsqu'il est mort, j'étais trop jeune pour m'intéresser.

— Comment était ton grand-père ?

— C'était un homme très doux mais triste. D'une tristesse nostalgique, emplie de regrets ou de remords, je ne sais pas. Il vivait seul depuis le décès de son épouse que je n'ai pas connue. On ne se voyait pas souvent mais je l'aimais beaucoup, d'autant que mes grands-parents paternels habitant Kyoto, nous les fréquentions peu. De Yokohama nous prenions le train, ma mère me déposait chez lui, à Tokyo, un peu plus au sud d'ici, et on passait l'après-midi ensemble. Il m'emmenait au parc, au zoo, m'achetait des *taiyaki* ou des *kakigōri* selon la saison. Il travaillait dans une grande administration, à la justice ou aux affaires étrangères, quelque chose comme ça. Pour des yeux de petite fille, il avait l'air d'un monsieur très important et m'intimidait lorsqu'il mettait son chapeau haut de forme.

Il me disait souvent que j'étais son rayon de soleil. Mais sa santé déclinait. Je suis sûre qu'il y a une photo de lui dans la boîte, un monsieur en costume tenant la main d'une petite fille avec des rubans dans les cheveux et un cerceau à la main. Il m'avait emmenée dans un studio de photographie à Ginza qui avait appartenu à un ami d'enfance, Kimbei quelque chose.

— Kusakabe Kimbei ?

— Oui, peut-être.

— C'était lui aussi un photographe japonais très connu. Un élève de Camino.

— J'oublie les noms, les dates. Ça se mélange dans ma tête. Les souvenirs de mon enfance sont étrangement plus nets que toutes ces dernières années. Celui de cette séance chez le photographe en est un merveilleux. Tout le monde était aux petits soins et mon grand-père y semblait très à l'aise, tandis que moi j'étais impressionnée par les gros appareils. Il n'avait pas souhaité de décors peints en fond, juste nous deux. Je serrais fort sa main, comme si l'objectif allait m'avaler en s'ouvrant. C'était une sensation délicieuse d'excitation mêlée de peur. Le cerceau n'était pas à moi. C'était un accessoire du studio, mais j'en avais eu tellement envie qu'en sortant, nous nous étions mis en quête d'en trouver un. J'ai été si triste lorsque mon grand-père est mort. Peu de temps après, le grand séisme a emporté mon père et mon frère et mes chagrins se sont mêlés, indissociables, pour ces trois êtres que j'adorais. Je crois que je n'ai plus jamais vu ma mère sourire depuis ce jour funeste. Elle a survécu grâce à sa foi immense et peut-être un peu à moi, qui continuais à vivre et à rire pour deux. Pardonne-moi, je ne suis pas bien gaie. La boîte aux libellules fait ressurgir des souvenirs longtemps enfouis.

Maman arrive sur ses paroles et le couvercle laqué se referme sur nos évocations. L'odeur de médicament et de désinfectant du couloir entre avec elle. Le fil de l'écheveau rompu, je reste avec mes questions en suspens. Elle dit que je lui embrouille la tête avec mes interrogatoires, qu'ils lui font revivre les drames de son passé, qu'elle a le droit de partir en paix.

Je ne crois pas qu'au soir de sa vie se retourner sur son parcours et les êtres croisés puisse être néfaste à l'adieu. Le chemin parcouru nous forge et les rencontres sont tantôt ses écueils tantôt ses balises lumineuses, des voies sans issue autant que des boussoles.

En rentrant, j'éparpille les photos de l'enveloppe sur la table. Il y a celles de son mariage, celui de ses parents en 1912. Sa mère y est ravissante. Un visage ovale, long, aristocratique, un regard pénétrant, une bouche sensuelle. Je finis par découvrir au dos de l'une d'elles une photo plus petite, collée. Je la détache doucement à l'aide d'un coton-tige. C'est bien celle évoquée. Obāchan a un grand sourire apeuré. Elle serre de la main gauche son cerceau comme un trophée et de l'autre la main de son grand-père, si fort que l'on devine les phalanges blanchies. Ils sont tous deux habillés en costume occidental, elle en robe à volants, lui sobrement vêtu de sombre et cravaté à l'ancienne, les cheveux poivre et sel ondulés, partagés au milieu par une raie sage et le cou flottant dans l'encolure. On sent la fatigue de la maladie sur ses traits qui ont dû être séduisants.

Au dos est manuscrit en japonais à l'encre passée : Tokyo, avril 1921, et des noms. Le premier se reconnaît facilement, Saishō Harue, celui de ma grand-mère. L'autre, à ma surprise, est écrit en *katakana* ! La transcription phonétique de ces syllabes est des plus approximatives puisque certains sons de la langue japonaise n'ont pas d'équivalent en français ou en anglais et vice versa. Cela donne : Tchāli Pirusaru. Mon arrière-arrière-grand-père a un nom bien étrange et je ne me trouve guère plus avancée.

***

Agenouillée contre la tombe grise, j'interroge les spectres du passé, pensant qu'ils m'inspireront peut-être quelques révélations sur les liens des deux hommes et leur présence dans mon histoire familiale. Le fantôme de celui dont je caresse la tombe, touché peut-être par ma sollicitude ou ma curiosité, me chuchote à l'oreille de regarder un petit écriteau gravé dans la pierre, caché par la végétation non loin du sarcophage. Le nom de Charles Pearsall y est écrit en katakana, tentant d'en retranscrire la prononciation anglaise : C. Pirusaru.

16

Ai[1]

Tokyo, 30 novembre 1884.

Les feuilles pourpres des érables entremêlées d'éventails jaunes des ginkgos tourbillonnaient, comme autant de nuances d'un tapis volant en flammes, s'élevaient puis retombaient vers le sol, glissaient, frôlant les jambes des passants, cinglant leurs pieds, et venaient mourir sans gloire dans un angle de maison. La splendeur déclinante de l'automne dans les arbres du petit parc était mise à mal par les violentes bourrasques qui arrachaient les feuilles par brassées, les emportaient en un fulgurant voyage, le temps d'éblouir les yeux dans un kaléidoscope de couleurs fauves, aussitôt rabattues par les torrents de pluie glacée. La journée avait pourtant commencé sous un soleil timide, cuivrant les arbres de la cité sous le galop des nuages.

Emiri luttait pour maintenir son parapluie contre le vent, pour éviter qu'il ne se retourne ou se déchire. La pluie s'engouffrait à revers sous la cloche protectrice.

---

1. Amour.

Le baluchon pesait dans le creux de son coude. Elle tenta à plusieurs reprises de héler un jinrikisha, mais ils étaient tous occupés et filaient sous l'averse, leurs passagers pressés comme elle de se mettre à l'abri. Depuis le quartier de Tsukiji où résidaient Ernest Satow et sa famille, elle avait emprunté un omnibus à cheval jusqu'à la gare de Shinbashi. Avec Chiyo et Ichirō ils avaient coutume, certains dimanches aux beaux jours, lorsque les jeunes femmes venaient de Yokohama en train rendre visite à leur ami, de se promener sur Ginza, la grande avenue qui reliait la gare à Nihonbashi. Elle avait ensuite repris un omnibus vers le quartier de Minato. Ichirō habitait dans un secteur populaire d'artisans et de petits commerçants. Il louait une chambre au premier étage de la maison d'un fabriquant de tatamis.

Au bout d'une demi-heure de marche dans les rues détrempées, tentant de ne pas glisser dans la boue, Emiri perçut des débuts de crampes aux mollets. Elle n'avait plus de sensation dans les pieds et les mains. Lorsqu'elle arriva enfin devant l'escalier, elle s'immobilisa à bout de souffle, grelottante, réalisant quelle piètre figure elle allait présenter à son ami. Après avoir accroché son baluchon à la rambarde, elle tenta de regonfler son chignon aplati. Le bas de son kimono était maculé d'éclaboussures brunes. Tout à l'examen de son apparence, elle n'entendit pas Ichirō descendre les marches de bois. Emiri vit juste le furoshiki se soulever et un bras l'encercler, la soulevant presque de terre. Elle poussa un petit cri de surprise avant de découvrir le beau visage souriant d'Ichirō.

— Monte, viens vite te mettre à l'abri !

La pluie avait redoublé de puissance. En arrivant sous l'auvent, elle eut l'impression d'avoir été immergée dans une rivière glacée et de n'avoir plus une pièce de vêtement sèche. Elle laissa le parapluie devant la porte. Comme elle portait des bottines en cuir à lacets, elle se pencha pour les dénouer. Ichirō était déjà à genoux devant elle.

La pièce qu'il habitait n'était pas très grande. Elle était cependant confortable, éclairée d'une fenêtre, et semblait chaude comparée à la froidure extérieure. Un espace surélevé de six tatamis d'excellente qualité lui servait à dérouler son futon, à étudier sur une table basse, tandis que dans l'entrée en bois étaient accrochés son uniforme noir d'étudiant et sa casquette. Quelques victuailles et ustensiles de cuisine y étaient rangés. Un petit brasero constituait le seul chauffage. Ichirō utilisait la cuisine familiale au rez-de-chaussée pour préparer les repas qu'il ne prenait pas à l'université ou avec la maisonnée qui l'accueillait. Il allait au bain public pour sa toilette. C'était un domicile modeste, mais accueillant. L'escalier extérieur desservant l'étage lui garantissait une indépendance précieuse, rare. La plupart de ses amis, étudiants comme lui à l'école d'études occidentales de l'université Keiō, habitaient des dortoirs surpeuplés et nauséabonds tandis qu'Ichirō respirait la bonne odeur de paille fraîche.

Les vêtements d'Emiri ruisselèrent sur le parquet. Le jeune homme lui ôta sa veste molletonnée, en essora les manches et la suspendit au portemanteau pour la faire sécher. Il s'agenouilla de nouveau pour enlever ses chaussettes humides et à l'aide d'une serviette propre frictionna ses pieds, soufflant dessus pour tenter de leur faire reprendre une couleur normale. Il leva la tête vers Emiri, souriant, nullement gêné. Elle observa ses cheveux châtains ondulant sur le dessus de sa tête à cause de l'humidité. Son visage avait perdu ses courbes juvéniles. Ses épaules s'étaient élargies, plus viriles. Son sourire creusait une fossette sur sa joue gauche, attendrissante. Ses pupilles n'étaient pas comme celles des autres hommes, ordinairement noires comme le café, mais plutôt de la couleur du thé, avec un peu de sa transparence. Il se pencha et embrassa son pied menu, délicatement, sur chacun des orteils. Sa main chaude remonta le long de sa jambe, massa vigoureusement le mollet courbatu, arrachant à la jeune femme un gémissement de douleur mêlé de soulagement. La tentation fut forte de remonter plus haut, vers la peau douce de la cuisse, mais elle s'arrêta au creux du genou. Emiri ressentit l'hésitation qui colora ses joues. Elle continuait de grelotter. Sa peau, partout, se hérissait de chair de poule.

— Je vais te prêter des vêtements secs le temps que les tiens sèchent, dit Ichirō. Ils seront un peu grands mais ça te permettra de te réchauffer. Tu vas attraper la mort sinon.

Emiri n'objecta pas, bien qu'elle ait un autre kimono dans son baluchon et s'abandonna aux mains directrices qui commencèrent par dénouer la large ceinture entourant sa taille. Comme l'espace était exigu, Ichirō tira sur l'étoffe tout en poussant sa hanche de la main, l'incitant à tourner sur elle-même. Il tira plus vite et Emiri se mit à tournoyer comme une toupie, riant aux éclats, sentant la ceinture relâcher son étreinte, jusqu'à ce que le tissu tombe à terre. Elle perdit l'équilibre, étourdie, rattrapée par les bras d'Ichirō. Plus grand qu'elle de près d'une tête, il lui embrassa tendrement le front, caressa ses cheveux mouillés, retira une à une les épingles et les peignes retenant les savants entrelacs. La masse aux reflets ambrés, légèrement plus clairs que les siens, se répandit en cascade dans le dos d'Emiri. Elle releva son visage et surprit dans celui d'Ichirō du désir, mêlé d'une infinie tendresse. Dressée sur la pointe des pieds, elle murmura au creux de son oreille :

— Bonjour mon cœur. Joyeux anniversaire !

Pareillement, il répondit :

— Bonjour ma douce. Merci, tu es mon plus beau cadeau. Tu m'as tant manqué...

Ichirō, du bout de sa langue, suçota le lobe de son oreille et la serra plus fort contre lui. Il put effleurer les lèvres dont il rêvait depuis des semaines, telle une baie rouge, fragile et délicate, dont on hume la fragrance et palpe la souplesse avant de la croquer. Puis il dégusta avidement, à pleine bouche, le fruit délicieux. Sentant qu'Emiri frissonnait toujours, il dégagea les épaules du kimono qui tomba sur le sol, gorgé d'eau. Elle n'avait plus sur elle qu'un linge de coton blanc, noué sur le côté. Ses seins pointaient sous le tissu fin. Elle semblait si innocente, si virginale dans ce vêtement immaculé, avec ses longs cheveux épars, qu'Ichirō recula pour résister à la tentation de la toucher encore. La prenant par la main, il la conduisit près du petit brasero, lui enfila sa veste d'intérieur, la fit asseoir sur la paille neuve. Agenouillé dans son dos, il lui sécha les cheveux avec la serviette. Il la sentait tendue. L'allégresse des retrouvailles était troublée, alourdie d'un fardeau.

— Quelque chose t'assombrit ma libellule ? Qu'y a-t-il ?

— ...

— Serait-ce toujours la rancœur de Chiyo qui te tracasse ?

— Non, ce n'est pas ça.

— T'a-t-elle dit que je lui ai écrit ? Je lui ai demandé de me pardonner d'avoir entretenu un malentendu bien malgré moi.

— Oui, elle m'en a parlé et elle t'en est reconnaissante, mais son cœur ne guérit pas, et savoir que j'allais te retrouver n'apaise en rien sa souffrance.

— Arrive-t-elle au moins à ne pas t'en vouloir, à ne pas être jalouse ?

— Elle se raisonne au nom de notre amitié mais son amertume affecte nos relations, rend ses paroles acerbes. Je crois qu'elle a réalisé que notre amour était un peu inéluctable. La complicité qui nous unissait tous les trois s'est transformée. Même elle s'imaginait qu'elle était seule à avoir changé. Elle pensait que la voie était libre pour te conquérir, que je ne pouvais pas être une rivale. J'étais tout aussi amoureuse de toi qu'elle et aussi surprise de ton inclination. Sauf que ce qu'elle ressentait depuis l'enfance, chez moi a été une maturation plus tardive et plus lente, beaucoup plus profonde. Évidente. Plus semblable, je crois, à la tienne.

Ichirō, à ces mots, laissa tomber la serviette et la serra dans ses bras, embrassant ses épaules à travers le tissu, remonta vers le cou en écartant le rideau de cheveux, lui transmettant sa chaleur corporelle.

— Hier, reprit Emiri, chez les Satow, Chiyo tentait de faire bonne figure. Cela lui fait du bien dès que nos études le permettent d'aller se combler chez eux d'affection familiale, s'occuper de leurs petits garçons. Eitarō a déjà quatre ans et Hisayoshi, qui a un peu plus d'un an, commence juste à marcher. Ils sont adorables et la considèrent un peu comme une grande sœur.

— Oui, je me souviens d'Eitarō, un petit bonhomme aux cheveux clairs, très espiègle, le portrait de son père.

— Tiens, cela me fait penser que, dans le furoshiki, il y a plusieurs délicieux pains à la vapeur fourrés à la viande confectionnés par Takeda san, et des *mitarashi dango* que tu adores. Je crois qu'elle en a mis vingt, pour tes vingt ans !

— Hum, on va se régaler, c'est très gentil à elle.

— Non, garde-les pour toi, on mangera bien assez tout à l'heure pour ton anniversaire. Je suis certaine que ta mère et Sayuri auront confectionné plein de plats délicieux et que ton père aura acheté un énorme gâteau chez M. Coustancoux comme chaque année.

Emiri se tut. Le ton peu enjoué qu'elle employait contrastait avec les festivités évoquées.

— On essaiera de faire bonne figure mais je crains que l'ambiance soit un peu pesante, avoua-t-elle.

— Pourquoi dis-tu ça ?

— Mon père a quitté Yokohama hier. Satow san me l'a appris lorsqu'il est rentré dans l'après-midi. Il s'est absenté le matin pour assister à la petite célébration d'adieu qui a eu lieu sur le quai.

— Tu veux dire que Camino san a quitté le Japon ? Pour toujours ?

— Toujours, on ne sait jamais avec lui, mais sans doute.

— C'était donc cela qui te pesait. Mon pauvre cœur, quelle nouvelle consternante ! Étais-tu au courant de ses projets de départ ?

— Non, même s'il en avait évoqué une ou deux fois l'éventualité. À notre dernière rencontre, il n'a pas arrêté de me répéter qu'il m'aimait, qu'il était fier de moi et que des gens merveilleux veillaient sur moi. Mais je n'ai pas eu de véritable adieu. Il m'a juste laissé une photographie de lui et moi dans un joli cadre de chez Perregaux, que Satow san m'a remis hier. Il était paraît-il tellement ruiné que ses amis ont dû se cotiser pour payer son billet.

— Sais-tu où il a l'intention d'aller ?

— Satow san a parlé de Port-quelque chose. En Égypte.

— Port-Saïd. Au bout du canal de Suez.

— Oui, c'est cela. Je suppose qu'il va faire la seule chose qui lui a jamais vraiment rapporté de l'argent et de la notoriété : des photographies. Peut-être y a-t-il une guerre là-bas, des combats et des morts à immortaliser sur papier ? Je suis désolée que cela gâche ta fête mais ton père a dû être terriblement affligé par son départ.

— Sans doute. Même s'ils s'étaient éloignés ces dernières années, c'est une amitié de plus de vingt ans. Mon père avait été très attristé qu'il délaisse ta mère et s'éloigne de la photographie, vende son stock de négatifs, tout ça pour des spéculations risquées. Mais sois certaine que ton père a toujours veillé sur toi, de loin, il t'a toujours aimée.

— Mais il ne m'a pas dit adieu. Et je ne le reverrai sans doute jamais. Si j'avais connu ses intentions, j'aurais peut-être pu le retenir, le convaincre de rester...

De grosses larmes débordèrent des paupières d'Emiri, en silence, sans sanglots.

— Il avait besoin d'un nouveau départ. Sa fille est adulte. Peut-être est-ce mieux ainsi. Tu peux garder de lui l'image d'un homme de grande notoriété dans le pays qu'il aimait, qu'il a photographié avec tant de talent.

— Je ne sais pas pourquoi tu lui cherches des excuses mais tu as peut-être raison.

— Et je crois qu'il y a un moyen de rendre ma fête très joyeuse.

Emiri tourna vers Ichirō un regard interrogatif. Il la fit pivoter vers lui sur les tatamis, prit son visage dans ses deux mains et avec un sourire radieux lui annonça :

— Je vais demander ta main à ta mère ! Nous allons leur annoncer que nous souhaitons nous marier. Je suis certain qu'ils seront fous de joie. Je pense même qu'ils se demandent ce que nous attendons ! Nos mères ont déjà dû s'entendre depuis bien longtemps à ce sujet, tu ne crois pas ? Et ton père reviendra certainement pour notre mariage !

Emiri se mit à sourire à travers ses larmes. Elle imaginait tout à fait Yumi et Kané organisant la cérémonie, argumentant sur les invités, sa mère avoir déjà dessiné les tissus de sa robe et de son kimono de mariage.

— Ne crois-tu pas qu'ils nous demanderont d'attendre la fin de nos études ? C'est seulement l'année prochaine pour toi mais il me reste encore deux années à la Kyōritsu, ce sera horriblement long.

— Si c'est le cas, nous nous fiancerons et nous continuerons à nous voir le plus souvent possible. Je veux juste que tout le monde sache combien je t'aime et que nous serons bientôt l'un à l'autre pour toujours.

Emiri, vulnérabilisée par son sentiment d'abandon, fut envahie de reconnaissance et de joie. Rassérénée, elle essuya ses larmes d'un revers de main, puis sauta sur ses pieds et alla fourrager dans les manches de son kimono suspendu à la patère. Elle en ressortit un petit présent emballé de crêpe de soie rouge à pois blanc. Se replaçant à genoux devant Ichirō, elle posa l'objet emballé devant lui puis s'inclina.

— *O tanjobi omedeto gozaimasu !* Joyeux anniversaire ! Je ne résiste pas à l'envie de t'offrir ton cadeau.

Ichirō, de ses longs doigts semblables à ceux de sa mère, défit délicatement l'emballage, ouvrit la petite boîte carrée et en sortit un très original *netsuke*[1], finement ciselé, représentant un petit rat sur un ballot de cordages noués.

— C'est taillé dans une dent de cachalot. Lorsque je l'ai vu, j'ai tout de suite pensé à toi, de l'année du rat. Et le marchand a précisé qu'il pouvait même te protéger du choléra, car les cordages noués empêcheront le démon de t'approcher.

— Il est si original, si délicatement sculpté. Je n'en ai jamais vu de pareil. Merci, c'est magnifique ! Il ne quittera pas ma ceinture lorsque je mettrai mon kimono, je le chérirai comme un trésor. Et d'ailleurs, je vais le porter dès cet après-midi.

---

1. Le kimono n'ayant pas de poche, les différents objets usuels sont transportés dans des petites boîtes suspendues à la ceinture par une cordelette, maintenue par le netsuke tel un taquet.

Emiri rayonnait. L'enthousiasme d'Ichirō et leurs projets avaient balayé l'amertume et les regrets. Son visage s'illuminait à la lueur dansante du brasero et de son ardeur intérieure. Il avait conservé ses courbes juvéniles, mais s'était allongé. Du sang méditerranéen de son père elle avait les lèvres pulpeuses et la peau un peu mate des terres ensoleillées qu'elle ne verrait sans doute jamais. Lorsqu'elle souriait, c'était la lumière radieuse de ces contrées inconnues qui incendiait l'âme du jeune homme. Un jour, elle lui était apparue différente. La compagne de jeu de son enfance avec qui il avait exploré son petit univers, qu'il avait taquinée, peinte, consolée, secourue maintes fois, s'était muée en une belle jeune femme devant laquelle il rougissait et bafouillait. Cependant, il ne rougissait ni ne bafouillait devant Chiyo. Il avait compris qu'Emiri avait pris possession de ses sens et de son cœur avant qu'elle-même ne le réalise, comme une évidence, en voyant changer son regard.

Dans ce même regard elle se perdait, là, sourire répondant au sourire, désir appelant le désir. Il tendit la main pour caresser ses lèvres, descendit le long du cou, doigts chauds contre peau fraîche. Puis il suivit la bordure en biais du sous-vêtement de coton, passa sur la poitrine frémissante jusqu'à la cordelette nouant les deux côtés, sur laquelle il tira lentement. Le pan droit s'ouvrit, révéla le sein pâle, à la pointe tendue. Combien de fois l'avait-il vue nue ? Si souvent lorsqu'ils avaient joué enfants dans les vagues, ou fait la toilette du soir ensemble chez ses parents, avant que leurs corps ne changent. Au bain public, Ichirō voyait souvent des femmes et des jeunes filles par-dessus la mince cloison servant, selon les nouvelles règles, à séparer les deux sexes. Aucune ne le touchait comme la nudité d'Emiri, bouleversante, tentante. Juste effleurer ce sein et il n'irait pas plus loin. Il le caressa de la paume comme une coupe fragile, ferma les yeux. Mais Emiri mit sa main sur la sienne, en assentiment muet. Il voulut alors embrasser ce mamelon offert et se pencha pour le goûter du bout de la langue. Il huma sa peau à l'odeur de pluie et de coton. Il entendit la respiration d'Emiri s'accélérer. En dessous, il y avait l'autre nœud, celui qui déferait le dernier pan. Le cœur battant, comme s'il allait révéler un mystérieux trésor, il tira dessus, dévoila tout le buste menu. En bas, vers les plis encore croisés il aperçut l'ombre, là où se joignent les cuisses, là où elles s'entrouvrent. Il y glissa les doigts, rencontra des fils de soie bouclée et des boutons de chair humide. Son exploration arracha des sons étranges à Emiri, qui avait fermé les yeux. Il avait mal dans le bas du ventre, d'un mal voluptueux qu'il avait à la fois envie de prolonger et de faire cesser. Il mangea sa bouche qui répondit avidement. Les mains de la jeune femme se firent impatientes et l'attirèrent contre elle.

Indépendantes de sa volonté, elles cherchèrent sa peau derrière le tissu et les nœuds. Dans leur soudaine voracité, ils perdirent l'équilibre, basculant l'un sur l'autre. Ils n'eurent alors plus de pensée, plus de raisonnement, ni même de sentiment, juste le désir de se fondre l'un en l'autre, de s'absorber et se rejoindre, d'accroître et d'assouvir.

Encore haletants, béats, étonnés, membres enchevêtrés, odeurs mêlées, la peau imprimée des entrelacs de la paille, leurs esprits revinrent peu à peu se poser dans leurs corps. Ils échangèrent quelques caresses fatiguées pour en retenir les dernières étincelles. Lorsqu'elles furent consumées, des impressions contradictoires traversèrent le visage d'Emiri. Ichirō l'interrogea sur la souffrance qu'elle avait pu ressentir. Elle le rassura sur ce point et s'abandonna à la douceur des soins qu'il lui prodigua. Il se rallongea contre elle et déroulant sur eux la couette du futon, lui dit avec un sourire radieux :

— Je ne croyais pas possible de vivre des sensations plus éblouissantes que les feux d'artifice d'été sur la rivière Sumida, lorsque, avant la disparition de chaque gerbe lumineuse, une autre surgit, puis encore une autre, plus haute, d'une couleur encore plus éclatante, qui emplit les yeux et les oreilles, fait vibrer tout le corps. C'est ce que tu m'as offert, mon cœur. Je ne pouvais plus m'arrêter tellement j'avais faim de ton corps. N'as-tu pas ressenti la même chose ? Tu ne dis rien, tu sembles toute chose.

— Qu'avons-nous fait Ichirō ? N'aurions-nous pas dû attendre d'être mariés ?

— Personne n'en saura rien. Pourquoi culpabilises-tu puisque nous allons annoncer notre intention aujourd'hui même ? Est-ce que ce ne seraient pas les sermons du prêtre chrétien de ton école qui t'angoissent ?

— Les injonctions des prêtres shintō sont les mêmes à ce sujet.

— Ce serait peut-être grave si nous ne nous aimions pas ou si nous ne souhaitions pas nous marier. Allons, ne t'inquiète pas, après notre mariage, nous pourrons faire cela aussi souvent que nous le souhaitons. Tu m'as rendu infiniment heureux. Je voudrais juste voir réapparaître ton sourire, oublier ton père, profiter d'être ensemble et prolonger cette joie tout à l'heure avec nos familles. Ainsi je n'oublierai jamais mes vingt ans !

Ichirō embrassa Emiri sur ses yeux inquiets et le nuage sur son visage finit par se dissiper. Elle ne lui avait jamais résisté. Un baiser de lui, un mot tendre, le creux de sa fossette suffisait à anéantir toute résistance, toute volonté propre.

— Il faudrait surveiller l'heure du train. J'espère que la pluie a cessé, je ne voudrais pas aller à pied jusqu'à la gare ni arriver encore trempée à Yokohama, dit-elle, pragmatique.

Ils s'habillèrent sans hâte, s'aidant mutuellement dans les complexités du vêtement japonais, les nœuds, les rabats, les plis, les ceintures. Ils ne résistèrent pas à la sensualité d'une caresse passagère avant qu'un pan de tissu ne vienne cacher à la vue et dissimuler à la main une parcelle de peau tentante, manquant de les enflammer encore à plusieurs reprises. Emiri avait apporté un kimono de fête, plus coloré que son ordinaire, aux manches très longues de jeunes filles, et une ceinture chamarrée. Devant le petit miroir, elle recoiffa un chignon simple, seyant, dans lequel Ichirō piqua son peigne d'écaille et sa broche dorée. Il paracheva son propre costume en suspendant sa bourse à l'aide du petit netsuke d'ivoire.

— J'aurais souhaité que mon père nous prenne en photo tous les deux ainsi, le jour de la célébration de tes vingt ans, dit Emiri avec nostalgie en reculant pour admirer son futur fiancé.

— À défaut de photo, nous pourrons toujours demander au mien de nous dessiner.

— Tu ne te laisses jamais abattre, admit-elle en souriant, je t'aime ainsi.

Ils partirent vers la fête, dans leurs beaux habits, le cœur allègre sous le ciel lavé. Ils hélèrent un jinrikisha rendu disponible par le retour du soleil et parcoururent les quelques kilomètres jusqu'à la gare, serrés l'un contre l'autre sur le siège étroit.

Ichirō acheta exceptionnellement deux billets de seconde classe au lieu de la troisième dans laquelle ils voyageaient ordinairement. Il ne voulait pas risquer de salir leurs beaux vêtements au milieu de passagers frustes, mangeant et crachant dans des wagons fermés à clé. Le train que sa mère avait emprunté douze ans plus tôt avec terreur était devenu un élément familier du paysage de la région. Des centaines de kilomètres de rails couvraient les différentes îles de l'archipel.

Ils purent admirer le cône majestueux du mont Fuji qui dominait de sa haute silhouette la plaine du Kantō. À Yokohama, ils se rendirent à nouveau en pousse-pousse jusqu'au domicile des Pearsall, sur la colline du Bluff. Ichirō y fut accueilli comme l'enfant prodigue, n'ayant pas vu ses parents depuis plusieurs mois à cause de ses études. Aujourd'hui, c'était l'occasion d'une célébration restreinte, familiale, de tradition occidentale autour d'un bon repas. Yumi était la seule invitée et Sayuri avait été priée de se joindre à eux.

Ichirō remarqua immédiatement l'impact du départ de Félix sur son père. Charles semblait un peu absorbé, plongé dans ses pensées, lui habituellement si prompt à l'humour, sacrifiant tout pour un bon mot. Pour la première fois, Ichirō trouva qu'il accusait son âge. Peut-être était-ce dû à la barbe qu'il avait laissé pousser, déjà grisonnante. À cinquante-deux ans, il était encore mince et droit, chassait encore parfois à pied dans l'arrière-pays et jouait aux boules. Mais bon nombre de ses anciens compagnons avaient quitté le pays comme Willis et Camino. Satow s'était établi à Tokyo, Heco voyageait entre Nagasaki et Kobe, Perregaux était décédé prématurément. Il s'était bien fait de nouvelles relations, mais ce n'étaient pas les pionniers des débuts. Parmi ses amis japonais, jadis farouches opposants du shōgun, plusieurs étaient maintenant ministres, d'autres étaient morts en 77 lors de la rébellion Satsuma. Félix avait emporté avec lui la nostalgie de ses jeunes années au Japon, leur ascension, leurs aventures, le temps des tumultes politiques et de l'ouverture du pays.

Sa mère semblait épanouie. Le temps n'avait pas de prise sur elle. Plus jeune que son père de près de dix ans, elle n'avait que quelques cheveux blancs épars. Elle était diaphane, aristocratique, belle à faire encore tourner les têtes. Ichirō aimait le regard que Charles portait toujours sur Kané après vingt-deux ans d'amour, les gestes de sa mère, la main posée sur celle de son époux, rassurante. Il désirait cela avec Emiri, cette confiance, cette fidélité au bout de tant d'années. Devant l'autel des ancêtres, il alluma de l'encens et remercia le Bouddha pour les êtres précieux qui l'entouraient et sa nouvelle félicité.

Emiri et sa mère conversaient gaiement bien qu'elles ne se soient quittées qu'à peine quelques jours. Elle partagea les nouvelles d'Ernest et sa famille, passa sous silence les chagrins de Chiyo. Un éternel sourire éclairait le visage de Yumi. Son assentiment ou sa satisfaction se communiquait par un jeu complexe de levers de sourcils. Elle avait acquis une rondeur plaisante, débordait de vitalité et d'enthousiasme. Elle continuait à faire la navette entre Yokohama et Tomioka où elle avait pris de nouvelles responsabilités. Si elle arborait un kimono sombre, bordé dans le bas de motifs automnaux pour se rendre chez ses amis, elle portait le reste du temps des robes occidentales dont elle avait copié le modèle dans des magazines français mais dessiné le tissu, adorant les bouillonnements d'étoffes et les frous-frous frivoles.

Sayuri s'affairait à apporter les plats, à servir et desservir, reconnaissante de partager cet heureux moment. Le destin l'avait irrémédiablement liée à la famille Pearsall. Après avoir renoncé au secret espoir d'être remarquée par Willis, elle avait fini par épouser Hanzō, l'homme à tout faire de la maison. Mais une épidémie de diphtérie avait emporté le jeune marié ainsi que leur bébé nouveau-né. Elle avait repris sa place auprès de Kané et reporté son trop-plein d'affection sur Ichirō qui lui rendait bien.

Réunis autour de l'irori rougeoyant de braises, ils dégustèrent les mets traditionnels avec appétit, les gâteaux de pâte de riz aux couleurs vives, quantité de thé et de saké. Après qu'Ichirō eut soufflé ses bougies, ils dégustèrent le baba de M. Coustancoux, arrosé d'alcool de prune à la place du rhum, puis chacun présenta ses cadeaux. Sayuri lui offrit une jolie boîte à tabac en bois, aplatie comme une flasque pour être suspendue à la ceinture. De la part de Yumi, il reçut un coupon de coton épais, noir, pour se faire tailler un nouvel uniforme universitaire. Sa mère lui avait fait confectionner un élégant haori de soie sombre, avec les armoiries de sa famille en blanc sur chacun des pans de poitrine. Enfin son père lui présenta un magnifique stylo-plume Waterman gravé sur le fût à ses initiales. C'était un superbe présent, précieux et original. Toujours en quête de nouveauté dans les instruments de graphisme, Charles se l'était procuré en direct de San Francisco pour une petite fortune, mais rien n'était trop beau pour son fils unique. Ichirō fut ébahi, touché par la richesse de ses cadeaux, et remercia profusément en se prosternant jusqu'au sol devant chacun. Les deux hommes s'étreignirent longuement, avec une chaleur plus européenne. Ichirō ne se lassa pas de tracer son nom en caractères romains. L'écriture japonaise se révéla toute aussi aisée. Chacun s'extasia de la régularité des traits. Plus de surcharge d'encre comme avec le pinceau ou la plume d'oie, la main filait sans se préoccuper d'aller nourrir l'instrument. Le stylo passa ainsi de main en main jusqu'à ce que la feuille fût remplie.

Lorsqu'ils furent rassasiés de douceurs et d'écriture, Ichirō, avec encore des étoiles dans les yeux, ramena Emiri au centre du cercle familial. Il présenta fièrement son netsuke et leurs parents s'extasièrent sur son originalité et sa finesse, remarquant qu'il n'y aurait plus qu'à trouver l'étui approprié pour y suspendre son stylo-plume.

Ichirō fit une pause, respira profondément et composa dans sa tête les mots qu'il allait prononcer. Sentant la soudaine nervosité d'Emiri, il lui prit la main pour la rassurer puis se tourna vers ses parents et Yumi. Il s'adressa à eux avec solennité.

— Depuis notre plus tendre enfance, nos familles ont été très proches. D'abord en raison de l'amitié qui unissait nos pères respectifs, puis par leur collaboration durant des années. Par la suite, c'est l'amitié de nos mères qui remplaça leur éloignement. Emiri a toujours trouvé chez nous un second foyer et j'espère, la consolation et l'accueil dans les moments difficiles. J'ai pu apprécier auprès de vous, Saishō san, la bienveillance d'une tante. Je suis conscient que la tradition voudrait que vous choisissiez nos époux et épouses respectifs. Aujourd'hui, comme j'atteins ma majorité et que c'est un jour de grande joie qui nous réunit, j'aimerais vous annoncer qu'Emiri et moi souhaitons rapprocher nos deux familles de façon encore plus pérenne. J'ai l'honneur, Saishō san, de vous demander la permission d'épouser votre fille Emiri.

En prononçant ces mots, il s'inclina respectueusement devant Yumi. Charles poussa une exclamation de surprise et applaudit son approbation. Lorsque Ichirō releva la tête, Yumi avait un sourire plus radieux que d'habitude, qu'elle cacha derrière sa main.

— Je voyais bien dans le comportement de ma fille et dans ton regard que quelque chose avait changé entre vous. Mais nous étions si habitués, tes parents et moi, à vous voir ensemble, vous chamailler, vous chuchoter des secrets à l'oreille, que nous en aurions presque oublié que vous êtes devenus de beaux jeunes gens en âge de tomber amoureux. J'ai toujours souhaité que ma fille ait un mari comme toi. Tu sais bien que tu es déjà comme un fils pour moi Ichirō, mais vois-tu, j'avais presque renoncé à cette possibilité tellement Chiyo te faisait les yeux doux. Bien sûr que je te donne ma permission mais à une condition cependant : qu'Emiri termine ses études, à moins qu'elle souhaite y renoncer pour fonder une famille. Comme tu seras bientôt diplômé, je suis sûre que tu es promis à un brillant avenir, que tu assureras à ma fille une vie digne et décente et que tu la rendras heureuse. Qu'en pensent tes parents ?

Charles lui coupa presque la parole, excité, et serra de sa poigne les épaules de son fils.

— Vous avez bien caché votre jeu tous les deux ! Et moi qui croyais comme Yumi que tu faisais la cour à Chiyo, chaperonné par Ernest. Si Félix pouvait être encore là pour apprendre la nouvelle ; nous voici bientôt beaux-pères à distance de futurs mariés. Je me réjouis que tu choisisses la meilleure des deux ! Sans offense pour Chiyo, je désespérais un peu que tu ne réalises pas quelle perle tu avais sous les yeux !

— Vous me flattez, intervint Emiri.

Ils se tournèrent vers Kané qui ne s'était pas encore exprimée. Le visage dans les mains, des larmes coulaient entre ses doigts.

— Te voici bien émue, remarqua Charles en entourant les épaules de son épouse d'un geste protecteur. C'est l'idée de marier ton fils qui te bouleverse ainsi ?

Elle secoua la tête et saisit le mouchoir que Charles lui tendit, tapota ses joues et ses yeux. Silencieuse, la bouche figée dans un rictus, elle regardait ses mains.

— Mère, vous seriez-vous engagée sans me le dire auprès de Yamada san concernant un mariage avec Chiyo ?

— Tu n'aurais pas arrangé cela avec sa mère sans m'en parler, n'est-ce pas ? interrogea Charles.

Emiri blêmit, tandis que Yumi prenait un air outragé. Kané secoua de nouveau la tête.

— Mais parle enfin ! admonesta Charles. Pourquoi n'es-tu pas ravie pour les enfants ? C'est parce que la mère de Chiyo est de meilleure extraction que Yumi ? Aurais-tu encore des préjugés de cette sorte ?

— Ils ne peuvent pas se marier. Ils ne doivent pas se marier, dit Kané d'une voix à peine audible.

— Est-ce à cause de leurs études ? intervint Yumi. As-tu peur que d'épouser Emiri entrave la carrière prometteuse de ton fils ?

— Écoute, reprit Charles avec de plus en plus d'impatience dans la voix, c'est vrai qu'ils nous surprennent un peu. Mais enfin, il n'y a pas de mal à ça, deux enfants uniques vivant quasiment sous le même toit pendant des années. Ils vont se fiancer, finiront tranquillement leurs études et nous célébrerons un beau mariage dans deux ans. Ça laissera même le temps à Félix de revenir pour conduire sa fille à l'autel !

— Non ! cria Kané, tremblante d'émotion.

Sayuri tortillait la manche de son kimono, livide. Emiri, très éprouvée par ce rejet soudain, inhabituel, tenta timidement :

— J'aime votre fils plus que tout. J'ai mis du temps à comprendre qu'ayant toujours vécu avec lui, je ne pourrais plus vivre sans lui. C'est vous-même qui nous avez élevés dans la complicité, pourquoi aujourd'hui nous refuseriez-vous de nous aimer et de nous marier ? Je vous promets que nous terminerons nos études et que je le suivrai où qu'il veuille bien m'emmener. Je ne serai pas un frein à la carrière d'Ichirō.

— Je n'en doute pas, admit Kané. Mais si je vous ai élevés ainsi, c'était justement pour que vous développiez ces sentiments fraternels, pour qu'ils vous protègent des émotions amoureuses.

— Mais enfin pourquoi avions-nous donc besoin de cette protection ? reprit Ichirō.

C'est Yumi qui comprit ce que Kané n'arrivait pas à dire.

— Parce que vous êtes frère et sœur.

— Mais bien sûr qu'ils sont frère et sœur ! De cœur, comme deux gamins peuvent l'être toujours collés l'un à l'autre, élevés quasiment ensemble ! s'emporta Charles.

— Non, Pearsall san, affirma Yumi, vraiment frère et sœur. N'est-ce pas ?

Kané, cette fois, opina.

Tous, hébétés, restèrent muets. Trop d'implications, questions, réfutations, objections, mille impossibilités se bousculèrent dans leurs esprits.

Ichirō, assommé, incrédule, se tourna vers son père d'un regard méfiant et accusateur.

— Ne me regarde pas comme cela, Ichirō ! Ne commence même pas à envisager que j'aie pu avoir une liaison avec Yumi, c'est grotesque ! Te rends-tu compte de ce que cela signifie pour toi et moi ?

— Mais alors, si ce n'est pas vous deux, c'est forcément Camino et toi ! gronda Ichirō en se tournant vers sa mère, sans entendre la remarque de son père.

Kané éclata en sanglots, se replia sur elle-même, les épaules soulevées de hoquets, ses mains cachant son visage ravagé de larmes.

Charles balaya la table d'un revers du bras en rugissant de colère. Il se leva et se déchaîna dans la pièce, tapa du pied dans la vaisselle tombée à terre, martela des poings les fragiles cloisons, arracha le papier, frappa les piliers de bois jusqu'à ce que ses jointures saignent. Il hurla des insultes à l'égard de son ancien ami et associé, proféra menaces et promesses de vengeance. Lorsqu'il n'y eut plus rien à briser, il s'effondra épuisé, pleurant de rage.

Sayuri s'agenouilla aux côtés de sa maîtresse comme elle l'avait si souvent fait et l'enlaça, la berça, lui caressa le dos comme à une enfant. Mais pour une fois ne garda pas le silence.

— Elle est innocente. Vous ne pouvez pas la juger sans savoir.

— Savoir quoi, grands dieux, qu'y a-t-il de plus à comprendre ? se lamenta Charles.

— Vous souvenez-vous, maître, cette fête de Hina Matsuri, l'année de la naissance d'Ichirō ? Vous êtes allés tous ensemble au Gankirō, puis chez vos amis anglais et vous êtes rentrés tard dans la soirée. Camino san et vous-même étiez assez éméchés et vous êtes allés directement vous coucher. Camino san n'en avait pas eu assez et m'a redemandé de lui préparer quelques flacons de saké. Ensuite, j'ai fait chauffer le bain et me suis occupée de ma maîtresse, qui m'a congédiée par la suite car il était très tard. J'étais en tenue de nuit dans ma chambre de l'autre côté de la cour lorsque j'ai entendu du bruit dans la salle de bains.

Le temps que je repasse une tenue chaude car il neigeait, et traverse la cour, les bruits avaient cessé. Ensuite, j'ai vu la porte d'entrée ouverte et des traces dans la neige s'éloignant de la maison. Il pouvait s'agir d'un voleur alors je les ai suivies, dans les bourrasques de flocons qui les effaçaient rapidement et j'ai vu votre épouse, à demi dévêtue, qui courait éperdue, en larmes. J'ai eu le plus grand mal à la faire revenir à la raison et rentrer nous mettre à l'abri. J'ai mis des heures à la réchauffer mais son esprit était parti, broyé de chagrin. Elle ne voulait plus vivre, vous comprenez ? Vous connaissez la suite mais vous ignoriez la véritable raison de sa maladie. Ce que même elle n'a pas su, c'est qu'après m'être occupée d'elle, j'étais toujours transie de froid, alors j'ai voulu aller me plonger dans l'eau encore tiède du bain. J'y ai vu Camino san par terre, nu, qui ronflait. Et j'ai compris. Qu'il avait abusé d'elle et qu'elle en était mortifiée, honteuse. Elle, la victime. Je crois que dans des cas comme ça, une femme finit toujours par se demander ce qu'elle a fait pour susciter la convoitise. Elle était rongée autant de culpabilité que de haine. Et pour ne pas entacher votre amitié, votre collaboration, elle s'est tue. Pendant vingt ans, elle l'a côtoyé sans rien dire. Soulagée lorsqu'il a déménagé à l'atelier, lorsqu'il a engagé Saishō san, puis quand la petite est née. Et puis après le grand incendie, il est revenu, puis reparti. J'ai lu durant ces années sur le visage de ma maîtresse toutes ses émotions, son fardeau dissimulé mais trop lourd.

Charles redressa Kané, essuya avec ses paumes les larmes noires du fard qui avait coulé, et la fixa dans les yeux.

— C'est vrai tout ce que Sayuri raconte ? C'est vrai ce que cette ordure t'a fait subir ?

Kané acquiesça et expliqua d'une voix faible :

— Je savais qu'il me désirait d'une façon inconvenante. Il était très ivre ce soir-là et ne s'est même pas rendu compte de ce qu'il faisait. Par la suite, miné par les remords, il m'a demandé pardon. Mais il avait bouleversé nos vies à jamais. Je l'ai tellement haï pendant toutes ces années.

Yumi intervint pour confirmer le récit de son amie.

— Au début de notre relation, Félix était très agité durant la nuit. Parfois il se mettait à crier ton nom et se réveillait en sueur. Bien que dépourvue de sentiment pour lui, j'ai été jalouse, soupçonnant quelque secrète idylle passée, moi qui étais si invisible pour lui.

— On dirait presque que vous l'excusez, accusa Charles. A-t-il été au courant de la filiation d'Ichirō ? Et d'abord, comment peux-tu être sûre que c'est l'enfant de Félix plutôt que le mien ?

— Je ne l'ai pas su tout de suite. Les enfants étaient souvent ensemble, mais Yumi et Sayuri étaient là pour s'occuper d'eux durant leur toilette, leur bain. Après le grand incendie, lorsqu'ils sont venus temporairement vivre dans notre ancienne maison, Yumi fut souvent occupée à l'installation du nouvel atelier. Un jour que Sayuri était partie faire les courses, j'ai dû changer Emiri qui s'était salie. En nettoyant ses parties intimes, j'ai découvert une marque à l'intérieur de la cuisse, un genre de grain de beauté en forme de losange. Ichirō en a une, exactement identique, au même endroit.

Charles ne sembla pas convaincu.

— C'est sans doute le hasard, un grain de beauté ressemble à un autre grain de beauté.

— Félix avait le même, dit Yumi.

Sayuri garda les yeux baissés. Charles la dévisagea.

— Tu l'as toujours su, n'est-ce pas Sayuri ? Comme ta maîtresse, tu as préféré garder le silence et nous laisser vivre dans le mensonge.

La pauvre servante objecta :

— Elle l'a fait par amour pour vous et pour Ichirō. Vous l'auriez rejeté si vous aviez su la vérité.

Charles regarda Ichirō, les yeux embués de larmes.

— En plus de me voler ma femme et de la faire souffrir, il m'a volé mon fils. Il a souillé mon sang, me prive de ma fierté, de l'être que j'aime le plus au monde... et il est parti hier, au son de la fanfare, pour une traversée payée par des idiots comme moi. Et j'ai bien agité mon mouchoir et versé une larme en le voyant s'éloigner.

Ichirō étreignit son père, agrippa son costume et le secoua de poings rageurs.

— Père, ça ne change rien pour moi. Peu importe le sang qui coule dans mes veines. Celui qui passe dans mon cœur, c'est le vôtre.

Front contre front, les deux hommes épanchèrent leur chagrin.

Emiri contemplait la scène, stupéfaite, muette. La gorge nouée, elle suffoquait, sa tête tournait. Qui portait la responsabilité de quoi lui était indifférent. Ce n'était pas la honte de son père qu'elle avait entendue, la meurtrissure de Kané, le chagrin de Charles, la détresse d'Ichirō. C'était son amour broyé, son avenir en miettes, l'homme qu'elle aimait à jamais inaccessible, interdit. Ce matin elle l'avait aimé avec la promesse de dix mille autres matins. Ce soir, il pleurait dans les bras de son père qui ne l'était plus, son avenir consumé par une faute vieille de vingt ans. Elle n'avait rien à ajouter, qu'à se retirer en silence, ne plus respirer pour sentir encore sur elle l'odeur de sa peau, fermer les yeux pour ne plus le voir et l'aimer encore, boucher ses oreilles pour ne plus entendre le bruit de son cœur qui tapait à tout rompre, les sanglots qui résonnaient dans la maison où tintaient les rires quelques paroles auparavant, les mots qui détruisent, qui tuent, tuer, se tuer, mourir, pourquoi pas, ça ferait cesser la souffrance, un peu de néant apaisant, noir, sans fond, tranquille, ou bien l'enfer qu'a décrit le prêtre l'autre jour, à moins que ce soit le paradis, non le paradis c'était ce matin avec lui, il ne peut pas y avoir un endroit plus heureux que dans ses bras, oui, comme ça, dans tes bras, tu es là, tu as enfin compris, il a tué notre amour, caresse mes joues, embrasse mon front, mes lèvres, ne pleure pas mon amour, je suis là, je reste là, il n'y aura jamais que toi, je ne te vois déjà plus très bien, ton visage est flou mais je te sens contre moi, tes larmes sur mes yeux, il fait déjà sombre, parle plus fort, dis-moi encore combien tu m'aimes, viens avec moi dans la nuit, viens, fuyons là-bas vers le silence, on n'y souffre plus...

17

Tsutaeru[1]

Chez Hiroyuki, juillet 2012.

J'ai une irrépressible envie de fermer les yeux quelques instants.

Je lutte un peu, en vain.

Je finis par poser l'ordinateur sur le plancher de la véranda et je m'allonge sur le parquet sombre, dur, la tête sur mon avant-bras plié, une jambe dans le vide. Mes orteils effleurent l'herbe. Je m'amuse à saisir des tiges entre mes doigts de pied et je tire. Ça chatouille un peu. Il fait si chaud. Même nu, on rêverait encore d'enlever sa peau. La sueur coule entre mes seins. Chaque pli est un piège humide. Je tends la main vers mon éventail mais la simple agitation du poignet provoque autant de chaleur que son éventement rafraîchit. L'atmosphère vibre, chauffée à blanc. Parfois un souffle aussi chaud que l'air agite les bambous. De leurs cœurs d'orgue résonne un son creux, grave. Leurs feuilles effilées, graciles, semblent écrire sur le ciel. Des bouffées

---

1. Transmettre, léguer.

odorantes de paille sèche montent du pré. Mes paupières sont lourdes. Des ombres dansent derrière. Le soleil joue dans la harpe à vent, le métal reflète des éclats d'or.

Je m'assoupis un peu, bercée par les stridulations rythmées des insectes.

Je suis réveillée par des éclats de rire. Je ne sais combien de temps j'ai dormi, la lumière semble identique. Je secoue ma torpeur, me redresse doucement. Au milieu du jardin, Hiro et son père rient à pleines dents. J'ignore ce qui les amuse tant mais ils font plaisir à voir. Le plus âgé se retient d'une main sur l'épaule du plus jeune pour glousser à son aise. Je n'ai jamais vu Hasegawa san si gai. Dans ces traits joyeux, je perçois les similitudes de leurs visages. Les rides sont plus profondes, installées chez l'un, en devenir chez l'autre. Ces sillons les unissent. Ils sont torse nu, en nage autour d'une sculpture. J'observe Hiro avec gourmandise. Ses lèvres pulpeuses sont tendues vers ses oreilles. Lui habituellement sur ses gardes avec son père se livre à gorge déployée, s'affranchit peut-être enfin de sa retenue. Ses épaules brunes tressautent. Elles sont luisantes de sueur. Celle-ci rend ses muscles plus saillants, comme soulignés. Sa poitrine glabre invite ma main. Je me frotterai bien un peu contre lui. Mon homme. Mon amour.

Au lieu de cela, je me lève et vais verser à la cuisine trois grands verres d'infusion d'orge grillé, du *mugicha* bien glacé. En me voyant approcher avec mon plateau, les deux hommes tournent leurs sourires vers moi. Il subsiste encore près d'eux la vibration de leur hilarité.

À leurs pieds, des outils : burin, truelle, marteau, lime... Ils viennent de desceller une œuvre de Hiro en vue d'une exposition prochaine dans une galerie de Tokyo. C'est la troisième et dernière. Le jardin semble différent sans elles. On ressent leur absence, un vide règne à leur place. Elles partiront rejoindre dans d'énormes caisses, lorsque nous les aurons nettoyées, les sculptures que Hiro vient d'achever. Une série sur le 11 mars, née des émotions, du cœur et de la main du potier. De l'alchimie de la terre, de l'eau et du feu, représentant la terre déchirée, l'eau suffocante, le feu ravageur. Je n'imaginais pas que de l'argile, pétrie par le talent et l'inspiration, puissent naître des formes aussi parlantes, poignantes. J'aime tant le voir travailler, faire corps avec la matière, la modeler comme un prolongement de lui-même, avec passion, colère parfois lorsqu'elle résiste, fascination lorsqu'elle le dépasse et lui rend au-delà de ses aspirations. Il y a enfoui son chagrin, scellé son deuil, flambé au grand feu son impuissance. Puis il a enduit d'émail et poli lentement de gestes apaisés par la résilience. Dans la beauté de ses créations, je l'admire autant que je l'aime.

Hiro, en saisissant le verre, incline la tête tandis que Hasegawa san me remercie. En sa présence, nous évitons les effusions. Le père et le fils, imperceptiblement, se rapprochent. Je note parfois quelques adjectifs encourageants. Peut-être perçoit-il mieux la valeur de son fils à travers l'admiration des autres. Les stages ont recommencé au printemps, la vie reprend son cours normal pour oblitérer définitivement la tragédie. Plusieurs se sont enchaînés durant les vacances étudiantes avec des groupes de jeunes adultes. Celui de la Golden Week[1] en mai a réuni des hommes et des femmes plus âgés. Tous ont vanté la technicité pédagogue de Hiro, sa patience, sa faculté à révéler en chacun la moindre parcelle de créativité latente. Les feux du raku dans le pré allument immanquablement en eux l'excitation de l'alchimiste devant son alambic. Les pièces créées quelques jours plus tôt surgissent du four, chauffées au rouge entre de longues pinces, et plongent sous la sciure et les copeaux pour leur agonie suffocante. Puis, ressaisies par les mâchoires du tourment, elles achèvent leur supplice sous l'eau en criant leurs mille craquements thermiques. Les mains nues de leurs créateurs peuvent enfin les extraire pour ôter la couche de suie qui les recouvre. L'émerveillement illumine leurs yeux lorsque apparaissent sous l'éponge les reflets irisés inattendus. Les interjections fusent, on admire, on partage, on festoie autour d'un grand buffet composé des réalisations culinaires de chacun, de quantité de bière et de saké. Le maître des lieux est célébré, fêté, remercié. Il savoure humblement, n'en tire aucune vanité, juste le plaisir d'avoir transmis sa passion. Son père et moi baignons agréablement dans le halo de cette aura. Nous sommes fiers, si fiers. Comprend-il enfin que cet art qu'il croyait vain peut être un baume à la souffrance ? Hiro est heureux de cette estime tardive. Pour la première fois, la considération paternelle s'exprime, cautérise les blessures passées. Mieux compris, il peut mieux soutenir. Une

---

1. Semaine comportant plusieurs jours fériés début mai, très largement chômée à travers l'archipel.

consolation mutuelle s'opère dans laquelle chacun se nourrit d'une complicité nouvelle.

C'est un lézard sorti inopinément de la sculpture et manquant de provoquer une catastrophe qui a déclenché leur fou rire. Ils ont du mal à s'arrêter, pouffant dans leur verre au moindre regard. L'onde finit par s'atténuer. Je les laisse à leurs travaux. Hasegawa san s'investit avec énergie dans le projet de son fils, l'aide sans relâche. Depuis quelques mois, il a pris en charge l'administration des stages, les inscriptions et les comptes. Il veut à tout prix ne pas être un fardeau. C'est bien sûr un infirmier hors pair en cas de brûlures, piqûres et bobos divers. J'apprends à le connaître peu à peu au fil de mes séjours. Nous nous apprivoisons. Il peut être presque jovial en présence des stagiaires. Son ancienne prestance de médecin-chef de service habitué à diriger, diagnostiquer, décider, suscite une certaine déférence. Parfois le deuil l'écrase tant qu'il s'enferme dans un mutisme involontaire où toute tentative de venir l'en tirer se heurte à une aphasie plus profonde encore. Ces périodes noires s'espacent un peu et l'activité, j'en suis sûre, y contribue. Je crois qu'il commence à apprécier être ici. Pendant les premiers mois, il se sentait piégé, retenu contre son gré, hors de son milieu, des lieux familiers, en plus d'être privé de son épouse aimée.

Ce n'est seulement qu'à partir de juin l'année dernière, que les crémations des victimes ont pu reprendre dans les villes touchées par le tsunami, à un rythme lent. Il a fallu extraire le cercueil de sa gangue de terre, procéder à son nettoyage puis à l'incinération du corps. Le prêtre bouddhiste a donné à la mère de Hiro son nom posthume. Réunis par couple autour des cendres, chacun, à tour de rôle après le chef de famille, a placé les ossements dans l'urne funéraire à l'aide de baguettes. Hiro a officié en compagnie de la femme de son frère disparu. N'étant pas l'épouse de Hiro, je suis passée en dernier, après ses neveux. C'était une tâche étrange, un peu surréaliste. L'impermanence, la vulnérabilité du corps, s'imposent par la petitesse de ce monticule gris terne, ces restes d'os blancs fragiles, insignifiants. Si je ne croyais pas à la pérennité de l'âme, ce tas que nous devenons serait une vision désespérante. Hiro a été d'une admirable dignité dans le chagrin, sans se rigidifier pour barricader le flot des émotions, sans endiguer les larmes. C'était il y a un an, à une semaine près, cet anniversaire provoquant chez Hasegawa san une nouvelle crise de repli douloureux. Quarante-neuf jours après la crémation a eu lieu une nouvelle cérémonie où l'urne a été portée au caveau familial, dans un cimetière d'Ishinomaki heureusement épargné par les flots. Son nom a été gravé à côté de celui de son épouse et peint en rouge sur la colonne de pierre, selon une coutume un peu désuète, pour marquer la volonté des époux de se rejoindre dans la mort. Pour lui, son éloignement n'était que temporaire et il a fallu toute la patience et la persévérance de son fils au cours des mois suivants pour le persuader de rester avec lui encore quelque temps.

Sa présence me semblait gênante au début lorsque je rendais visite à Hiro, moi qui n'aspirais qu'à retrouver l'intimité tumultueuse et libre de mon premier séjour. Être discret dans une maison de papier n'est pas une tâche aisée. Hiro parvenait à m'aimer en silence, au prix d'une admirable maîtrise qui semblait accroître son plaisir et que je ne possède pas. Je crois que son père me considérait encore à l'époque comme une intruse temporaire dans la vie de son fils. J'allais, je venais, je rentrais en France, retournais au Japon. Étrangement, ce n'est pas par Hiro, mon taiseux, qu'il a compris la nature véritable de notre relation, mais par sa petite-fille. Kimiko séjourne de temps en temps chez son père durant les vacances. Cette grande liane aux allures garçonnes, aux mèches rousses détonantes, y débarque avec quelques tonnes d'ouvrages médicaux et trouve, en plus de la tranquillité des montagnes ou de l'effervescence des stages, un grand-père mentor qui la fait réviser sans relâche. Nous nous croisons parfois. Autant la réserve est de mise entre Hasegawa san et moi, autant Kimiko se montre amicale, chaleureuse, curieuse de mes voyages et de mes racines, presque reconnaissante du bonheur que je donne à son père. Elle évite l'aigreur des belles-filles envers celle qui a remplacé leur mère dans le cœur de celui-ci. Elle vante, paraît-il, mes mérites en mon absence auprès de son grand-père et semble être la seule capable de l'influencer et de l'adoucir. Ses études de médecine et des semaines de bénévolat dans le Tōhoku lui ont peut-être enseigné que le deuil peut gauchir le jugement, voiler les intentions. Elle a la délicatesse de se rappeler que moi aussi je pleure un être cher.

La véranda, lors de fortes chaleurs, devient l'annexe de mon bureau. À vrai dire, mon bureau se situe partout où je pose mon ordinateur et mes appareils photo. J'aime sa position dominante sur le jardin, ouverte sur la nature environnante tout en étant liée à la maison, comme un trait d'union qui prépare l'une pour l'autre. L'après-midi, le soleil la délaisse peu à peu et l'ombre s'étire languide, paresseuse, encore chaude. Je retourne m'y asseoir pour reprendre mon récit, désaltérée par ces quelques gorgées au goût de chaume.

Il est facile de replonger dans les évocations heureuses, beaucoup moins dans les souvenirs douloureux. Je me surprends à caresser mon petit médaillon en or, en forme de cœur. Il quitte rarement mon cou. J'ai remonté par ce fil d'Ariane l'histoire familiale vers la vérité. On dit que celle-ci libère. Elle aurait sans doute libéré ceux qu'elle concernait directement s'ils ne s'étaient pas enchevêtrés dans leurs non-dits et leurs peurs.

Après ma visite au cimetière de Yokohama, je trépignais à l'idée de faire confirmer à Obāchan que l'homme dont j'avais trouvé la trace aux côtés de Camino dans la boîte aux libellules, celui dont j'avais caressé la tombe, était bien son arrière-grand-père Charles Pearsall. Et donc que je descendais non pas d'un, mais de deux illustres artistes. Pour quelqu'un qui vit pour la transmission par l'image, c'était une immense fierté. Certaines personnes peuvent passer leur existence sans connaître leurs racines, leur héritage familial. Pour moi qui ai tant cherché ma place culturelle, ballottée entre deux pays, deux langues, deux états d'esprit identitaires si éloignés, je me sentais soudain réunie intérieurement par cette ascendance prestigieuse. Je pouvais enfin me réclamer de quelque chose. Mon orgueil commençait à enfler. Ma théorie des gènes ne faisait plus aucun doute. Mais pourquoi ma famille n'en faisait pas fièrement état demeurait un mystère.

Ma mère, au chevet de la sienne, était une farouche partisane de l'enfouissement. Elle me faisait penser aux trois petits singes qui se cachent les yeux, la bouche et les oreilles. Leur attitude peut être interprétée comme un signe de sagesse pour traverser la vie, une particularité très japonaise faite de réserve et de retenue, mais qui peut se révéler à double tranchant et conduire à se voiler la face, fuir les réalités.

Au seuil de la mort, ma grand-mère a fini par céder devant mon insistance tenace, même s'il lui en coûtait. Sans doute parce qu'à travers ces évocations, elle effleurait déjà les retrouvailles avec les êtres aimés. C'est ainsi que j'ai pu dénouer les branchages tortueux de mon arbre généalogique.

— Obāchan, pourquoi ne pas m'avoir dit que ton grand-père Ichirō était le fils de Pearsall ? Tu avais déjà occulté l'ascendance de Camino et je découvre aujourd'hui que tous deux sont tes aïeux ! Pourquoi tant de secrets autour de ces hommes ? Pourquoi ne pas être fière d'eux ?

— Ça fait beaucoup de pourquoi... Tu es curieuse n'est-ce pas, tu voudrais tout savoir ? C'est ton métier qui t'a rendue comme ça ?

— Mais enfin, n'est-ce pas légitime de vouloir connaître ses ancêtres, surtout lorsqu'on apprend qu'ils sont illustres !

— Ce sont de trop vieilles histoires qu'il vaut mieux laisser enfouies.

— Tu te mets à parler comme Maman.

— Elle a raison. Elles ne peuvent que raviver le triste passé.

— Tu en dis trop ou pas assez.

Elle a poussé un long soupir et m'a regardée avec une infinie tendresse teintée d'indulgence pour mes incessantes perquisitions dans ses souvenirs.

— Ouvre ton médaillon.

— Pardon ?

— Le cœur en or, déploie-le pour voir les photos.

J'ai décroché le bijou de mon cou et déplié chacun des cœurs pour former le trèfle à quatre feuilles. Les portraits sont apparus l'un après l'autre. Obāchan les a contemplés un instant, les yeux humides.

— Il ne leur a pas porté bonheur, ce trèfle... Tu vois là, ce portrait un peu effacé, c'est ma grand-mère Emiri l'année où elle a reçu le médaillon de son père, le photographe Camino. Elle devait avoir sept ou huit ans. Et sur l'autre, cette femme au sourire avenant, c'est sa mère, Saishō Yumi, la compagne de Camino à l'époque. La troisième photo a pris l'eau et les visages ont disparu.

— Et ce beau jeune homme dans l'autre cœur, c'est ton grand-père Ichirō ?

— Oui, mais après ses vingt ans, m'a-t-il dit, il a repris le nom que son père lui donnait parfois enfant : Charly.

— Lorsque j'ai vu son nom au dos de la photo de vous deux avec le cerceau, la transcription en kata-kana, Tchāli pour Charly et Pirusaru pour Pearsall, ne m'a pas sauté aux yeux. Ce n'est qu'au cimetière que j'ai fini par comprendre. Mais c'est une belle histoire finalement que les deux associés et amis aient marié leurs enfants !

Ma grand-mère a hésité. Elle aurait encore pu arrêter la belle histoire ici et me laisser mes illusions, mes fiers ancêtres et mon orgueil naissant. Mais j'avais posé des questions et elle ne pouvait y répondre par un mensonge. Et puis la vérité concernait des personnes mortes un siècle plus tôt. Je m'en remettrai, a-t-elle dû penser.

— Dans ma bible, il y a un rabat à l'arrière. Tu y trouveras des lettres. Tu les aurais trouvées après ma mort de toute façon.

J'essayais de ne pas déranger les images pieuses marquées de versets entre les pages. La couverture se dépliait par l'intérieur. J'en ai sorti des feuillets de papier très fin qui sentaient le vieux cuir, couverts d'une écriture serrée et anguleuse, en anglais. Quelques pages étaient en japonais, de caractères ronds et féminins, différentes des précédentes. Les dates en en-tête m'ont intriguée. 1884, 1885. D'autres feuillets encore de 1922.

— 1922, c'est l'année du décès de ton grand-père, non ?

— Oui, c'est sa dernière lettre, comme un adieu, il devait se sentir proche de la fin.

— 1884, il devait être encore jeune ? C'est lui l'auteur de ces lettres ?

— Oui, la plupart.

— À qui étaient-elles destinées ?

— À ma grand-mère Emiri.

— Je croyais que tu ne l'avais pas connue.

— En effet, elle est morte en couches.

— Mais c'est terrible. Qui a élevé ta mère alors ? Ton grand-père ?

— Non, sa grand-mère, Saishō Yumi. Lis les lettres, tu comprendras mieux. Celles d'Ichirō à Emiri sont en anglais. Je pense qu'ils l'utilisaient entre eux un peu comme une langue secrète, car Yumi ne le maîtrisait pas bien.

J'ai passé l'heure suivante à laborieusement déchiffrer cette correspondance. Obāchan s'était assoupie. Lorsque j'ai achevé la lecture, mon cœur était déconcerté, triste.

Ces courriers adressés à Emiri, parfois sous forme de courts billets de quelques lignes, parfois de longues missives, étaient des suppliques poignantes au pardon, des déclarations ferventes d'amour éternel malgré l'indispensable séparation, la nécessaire distance. J'ignorais ce qui obligeait les amoureux à l'éloignement. Le départ de Camino était concomitant, mais avait-il quitté le pays à cause de cette histoire, ou d'une querelle avec son ami ? Le jeune homme d'alors semblait inconsolable et terriblement malheureux, et surtout n'obtenait aucune réponse à son imploration. Il ressortait de cette correspondance un sentiment d'amour éperdu, impossible, tragique.

La dernière lettre était signée de la mère de sa bien-aimée, datée de la mi-octobre 1885. Les idéogrammes et les formulations étaient parfois obscurs, la langue avait beaucoup évolué depuis mais je n'osais pas réveiller ma grand-mère, et j'arrivais à saisir le sens général à défaut des nuances. Empreinte de délicatesse et de chagrin, elle annonçait au jeune homme qu'il était père d'une petite fille. Aiko Maria était née à la fin du mois d'août 1885. Après des premières semaines incertaines, le bébé fragile était maintenant en bonne santé. Sa mère Emiri, en revanche, avait succombé aux fièvres de l'accouchement. Elle avait, semblait confier la mère éplorée, traîné son désenchantement de mois en mois jusqu'à la délivrance. Elle n'avait pas lutté, se laissant emporter en quelques jours par le désespoir d'une vie séparée à tout jamais du père de son enfant. Yumi lui retournait les lettres qui avaient aidé sa fille à porter sa grossesse à son terme alors qu'elle avait songé à y mettre fin de façon violente. Elle n'avait pas voulu y répondre pour ne pas entretenir un amour impossible et lui rendre sa liberté. Yumi demandait à Ichirō s'il souhaitait élever sa fille tout en lui proposant à mi-mots d'en assurer elle-même l'éducation. Elle le conviait à faire sa connaissance lors de la mise en terre de l'urne funéraire d'Emiri au dernier jour d'octobre. Elle concluait en espérant que sa fille n'erre pas parmi les âmes sans repos, mais soit auprès de son Dieu comme elle l'avait espéré jusqu'à son dernier souffle.

Je comprenais mieux à présent les dernières réticences de ma grand-mère. Sa propre mère était le fruit d'une idylle désenchantée. Aiko signifiait « enfant de l'amour ». Une passion amoureuse aussi forte que brève.

Plusieurs générations me séparaient de cette histoire. Pourtant, elle avait affecté directement mon arrière-grand-mère Aiko. Je ne l'ai pas connue mais ma mère en revanche a pu profiter d'elle quelques années et en avait toujours parlé avec tendresse. Elle est décédée après-guerre, au bout d'une vie peuplée de quelques joies et de nombreux tourments.

Lorsque Obāchan a ouvert les yeux, j'ai vu son désarroi momentané. Quelques minutes à reprendre ses esprits, à comprendre où elle se trouvait. À chaque assoupissement elle partait de plus en plus loin, à chaque réveil son esprit semblait prendre toujours plus de temps à se réajuster dans son corps. Je sentais qu'un jour, proche, celui-ci ne reviendrait pas. Elle m'a enfin souri et a regardé les feuillets.

— As-tu pu tout déchiffrer ?

— Presque. Je suis désolée d'avoir insisté, sans tout à fait regretter. J'imagine quel terrible chagrin et perplexité ton grand-père a dû ressentir en apprenant le décès de sa bien-aimée et l'existence d'une fille dont il ignorait la naissance.

Les questions se bousculaient dans ma tête, je ne savais pas trop par laquelle commencer.

— C'est donc finalement Yumi qui a élevé ta mère. Pourquoi pas son père ?

— C'était un tout jeune homme à l'époque qui n'avait pas terminé ses études. Il était promis à un brillant avenir. Il a vacillé pendant de longs mois, broyé par le chagrin, incapable de surmonter son deuil. Puis il a fini par se rendre à l'évidence, que sa fille serait sans doute plus heureuse élevée par sa grand-mère. Je pense que c'était une sage décision mais qui lui a coûté, toute sa vie durant. Il a fait une belle carrière. Il a fini par se marier, tard, mais n'a pas eu d'autre enfant. Il a toujours suivi l'éducation de sa fille. Emiri avait souhaité que la petite soit élevée chrétiennement. Yumi l'a respecté bien qu'elle-même n'ait pas embrassé cette religion. Elle a procédé à la crémation de sa fille, respecté le délai des quarante-neuf jours, mais l'urne funéraire a été enterrée au cimetière des étrangers de Yokohama, non loin de la tombe de Pearsall où tu étais l'autre jour. Aiko, ma mère, parlait de Yumi avec beaucoup d'attachement : c'était une femme indépendante et forte, qui avait elle aussi surmonté bien des épreuves... Quant à ses rapports avec son père, ils étaient polis et froids. Peut-être n'a-t-elle jamais accepté la distance qu'il avait mise entre eux, le fait qu'il ne l'ait pas élevée ? C'est pour cela, je pense, qu'avec moi il était si tendre et atten-tionné, comme pour rattraper ce qu'il n'avait pas eu avec sa propre fille. Et puis à moins d'un an d'inter-valle, ma mère a perdu son père de maladie, son fils et son mari dans le grand séisme et les incendies de 1923.

— Certaines vies sont frappées de tant de mal-heurs... Quel destin ! C'est si injuste. Mais dis-moi, ton grand-père n'évoque jamais les raisons qui l'ont obligé à quitter Emiri. S'ils ont eu un enfant ensemble sans être mariés, ils auraient pu sauver l'honneur puisqu'ils s'aimaient et que leurs parents étaient amis.

— Oui, ils s'aimaient mais ne devaient pas se marier. Tu imagines bien qu'à l'époque, les faits entou-rant les naissances hors mariage ne se livraient pas facilement. Ce n'est pas le genre de chose que l'on met par écrit. L'opprobre entachait toute la famille et l'honneur de la jeune fille était perdu à jamais. J'ai eu une explication partielle par ma mère lorsque, adulte, j'ai enfin osé poser les mêmes questions que toi : pourquoi n'étaient-ils pas mariés et pour quelle raison avait-elle été élevée par sa grand-mère plutôt que son père ? Elle a tenté d'éluder mais, comme tu l'as fait toi-même, et elle avant moi avec Yumi, je suis revenue à la charge. La réponse fut inattendue et désolante. Ses mots pour avouer la vérité semblaient porter toute la misère de sa filiation douloureuse. Son père et sa mère avaient un lien de sang. Ils avaient le même père.

— Le même père ? Mais pourtant Emiri était la fille de Camino et Ichirō de son ami Pearsall !

— Non. En fait, ils étaient tous deux de Camino mais l'ignoraient.

— Quoi ? Ichirō était aussi le fils de Camino ? Oh mon Dieu, quelle désolation ! Et je suppose qu'il était déjà trop tard... Comment l'ont-ils appris ?

— Lorsqu'ils ont fait part de leur intention de se marier. La mère d'Ichirō, Ogawa Kané, leur a révélé qu'ils étaient frère et sœur. Elle était une ancienne geisha, une très belle femme de noble extraction qui partageait la vie de Charles Pearsall. Ce qui est réellement arrivé dans le passé entre eux trois, idylle secrète ou liaison forcée, je l'ignore, je ne sais pas si ma mère l'a appris non plus. Elle ne m'en a rien dit en tout cas. Rétrospectivement, on peut penser que le silence aurait évité bien des dévastations, parce qu'il n'y a pas eu de conséquence à leur consanguinité. Alors même qu'Emiri ignorait encore sa grossesse, il ne s'agissait que d'interdire une inclination amoureuse très fréquente parmi les jeunes de l'époque, qui devaient cependant se plier aux choix de leurs parents. Toujours est-il que cette révélation a semé le malheur dans la famille. Félix Camino venait de quitter Yokohama, ruiné. Tu peux lire ce qu'il est devenu dans n'importe quelle biographie. Il s'est installé en Birmanie à faire des photographies et vendre des antiquités pendant une vingtaine d'années, puis a fini sa vie en Italie je crois.

Charles Pearsall a été dévasté. L'amitié, la collaboration, la filiation : rayées, anéanties. Il est resté au Japon jusqu'à sa mort en 1891, son épouse est décédée quelques années plus tard. Je veux espérer qu'ils se sont aimés jusqu'à la fin.

— J'ai vu un portrait d'elle sur le site Web de la National Gallery de Londres, belle et mélancolique.

— Après les révélations, il semble qu'elle se soit étiolée, écrasée par le chagrin causé bien malgré elle. Selon mon grand-père, l'amour entre ses parents fut intense. Elle a été sa muse, je pense.

— Je voudrais que Hiroyuki m'aime ainsi.

— Oui, l'amour nourrit l'art. La mort, la peur, le désespoir aussi. Tu l'inspireras par le bonheur que tu lui donneras, j'en suis sûre. Pearsall était talentueux et probablement bien nourri d'affection. Tu découvriras mieux sa personnalité dans la lettre de mon grand-père et surtout dans l'œuvre de l'artiste. On y devine sa curiosité pour les gens, leurs travers et leur grandeur. Il y a presque de la tendresse. Ce n'était pas un spectateur froid en quête d'exotisme.

— Il avait surtout énormément d'humour. Certaines scènes des *Japan Chronicles* sont très comiques. Ses contemporains devaient craindre ses caricatures !

— Il pouvait être mordant parfois mais il représentait un peu l'âme de la communauté étrangère à Yokohama. Et il ne vivait pas en marge de la société japonaise non plus. Il était l'une de ces personnalités qui assurent, sans toujours s'en rendre compte, le lien, le ciment entre des groupes très divers. Il est devenu célèbre ici et certains de ses élèves ont marqué la naissance de la peinture occidentale au Japon. Plusieurs sont devenus professeurs à leur tour.

— J'ai lu qu'il avait été malade. Était-ce en relation avec le drame familial ?

— Possible, difficile à dire. Il est rentré deux fois en Angleterre à la fin des années 1880, pour se faire soigner et pour une exposition de peinture. Sa santé semble avoir décliné après. Mon grand-père Ichirō et lui sont restés très proches, il l'a soutenu jusqu'à la fin. Il en parlait avec une immense affection et une grande admiration. C'était son véritable père, à défaut d'être de son sang. Je ne l'ai jamais entendu prononcer le nom de Camino.

— Je saisis mieux maintenant pourquoi tu semblais avoir tout oublié de celui-ci. Moi qui étais partie vagabonder dans Yokohama et à travers mon arbre généalogique... Lorsque au cimetière j'ai enfin établi la parenté avec Pearsall, tu n'imagines pas à quel point j'ai été émue. J'ai caressé longuement sa tombe en réalisant que j'étais l'héritière d'un fameux dessinateur en plus d'un illustre photographe. Dans ce havre de paix, je touchais celui que je croyais être mon ancêtre à travers le temps et la mémoire. Sa personnalité attachante et sa belle histoire d'amour me réjouissaient. Et voici que ce lien se rompt après avoir si peu vécu.

— On ne choisit pas son ascendance. Mais tu peux choisir de garder en toi le précieux héritage artistique qu'ils ont légué, même si ce n'est pas uniquement par le sang. Ils ont tous deux marqué leur époque et sont restés célèbres ici. Mon grand-père a reçu beaucoup d'amour de ses parents, comme j'en ai moi-même reçu des miens. C'est ce qui forge, je crois, notre résistance aux afflictions, notre résilience. La tendresse que nous engrangeons enfant, dans notre cœur, sert à cautériser ses plaies tout au long de notre vie. Quand on en manque dans sa jeunesse, le cœur ne guérit plus, se dessèche, se sclérose par le malheur. Malgré toutes les épreuves de sa vie, ma mère a été remarquable, constante dans son amour et dans sa foi. C'est en gardant les yeux fixés sur son exemple qu'à mon tour je suis restée ferme dans la mienne.

— Je ne sais pas comment tu fais pour ne pas te révolter alors que tu as vu ton frère et ton père mourir dans des conditions horribles, que tu as traversé la guerre, vu le Japon réduit en cendres sous les pluies d'obus et les bombes atomiques, ton mari blessé, et maintenant ton village submergé. De quelles fautes est-ce la rétribution divine ?

J'étais véhémente, elle avait senti ma révolte. Elle a pris mes mains dans les siennes, aux doigts ridés et tordus mais fermes, en me regardant dans les yeux.

— D'aucune. Nous devons douter, chercher, afin de nous mettre debout. Crier la souffrance pour trouver l'Espérance. Tu es libre de choisir la colère et la rébellion contre l'injustice. C'est le choix que font la plupart des gens. Mais elles ne guérissent rien. Alors que choisir d'aimer, c'est, comme l'a dit un ami prêtre « lutter contre la pesanteur pour se faire transparent à la grâce » !

— Je suis tombée tant de fois de cette pesanteur, j'ai dévié du chemin depuis si longtemps que je me suis perdue en route.

— Les chemins de traverse peuvent aussi conduire à la bonne destination. Aie confiance, lâche prise. Si tu savais aujourd'hui comme mon âme a hâte de ce repos promis... Tiens, prends ma bible. Peut-être y trouveras-tu le même réconfort que j'y ai puisé...

— Je te promets au moins d'essayer. Pourquoi y as-tu gardé ces lettres de ton grand-père plutôt qu'avec les autres documents dans la boîte aux libellules ?

— Parce que c'est là que lui-même les a conservées. C'était la bible de ma grand-mère Emiri, vois-tu. Il l'a gardée précieusement puis l'a offerte à sa fille, qui me l'a donnée à son tour. Conserve-la en souvenir de moi et des femmes qui t'ont précédée. Ce sera mon cadeau d'adieu.

— Ne parle pas d'adieu, s'il te plaît. Tu vas reprendre des forces, les médecins vont te tirer d'affaire.

— Ne te raconte pas d'histoires. C'est bien ainsi. Je vais m'en aller, je n'en peux plus de ces tubes et de ces piqûres, des drains et des bassins. Mon corps lâche. Mon esprit est en paix, j'ai fait mes adieux. Mes enfants sont heureux, j'ai de beaux petits-enfants et arrière-petits-enfants, je suis comblée. J'espère maintenant que tu vas reprendre le cours de ta vie et retrouver ce charmant Hasegawa san. Ne te trompe pas, ma petite, là où est ton cœur, là est ton trésor.

J'ai conclu sur des promesses rassurantes, émue par sa sagesse et par ces adieux que je savais inéluctables. Le surlendemain, ma mère m'apprenait qu'Obāchan ne s'était pas réveillée. Bien que préparée, j'étais dévastée. Mais heureuse pour elle, enfin libérée. Maman était broyée de chagrin, ajoutant la culpabilité à l'absence. Elle se faisait maints et vains reproches de l'avoir laissée seule, si loin, de ne pas avoir été là à temps, en profitant au passage pour accabler des mêmes critiques son frère, mon oncle d'Australie. Toute la famille s'est réunie pour la crémation, un service religieux et la cérémonie au cimetière chrétien à Sendai. Avec elle partait la petite fille qui explorait son autre pays, avec elle j'enterrais ma quête. Hiro est descendu de ses montagnes pour consoler mon chagrin. Il a déposé sur la stèle une magnifique coupe en grès noir, aux reflets argentés, très sobre, dont un côté se relevait en forme de croix. J'étais fière de le présenter à mes proches. J'ai même décelé un début de connivence entre Ken'ichi et lui.

Je suis certaine qu'Obāchan veille sur nous et se réjouit. Nous retournons tous les deux Hiro et moi sur sa tombe de temps à autre nettoyer la pierre, planter de nouvelles fleurs dans la belle coupe patinée par les éléments. Nous avons suivi un culte dans son ancienne église, entouré de gens qui se souvenaient d'elle avec émotion. Les prières et les chants familiers ont retrouvé le chemin de mes lèvres, naturellement, sans effort. Peut-être cheminent-ils jusqu'à mon cœur, tout doucement, pour le restaurer ?

Près du cimetière, à l'Est, la ville porte de terribles stigmates, comme toute la côte alentour. Les travaux de déblaiement sont presque terminés. Lorsqu'on traverse la zone sinistrée, on roule dans un paysage post-apocalyptique. Le relief n'est fait que de gigantesques montagnes de déchets bordant les routes, des collines entières de carcasses métalliques bien ordonnancées, presque tirées au cordeau. Les rubans d'asphalte, eux, sont impeccables. Fissurés en de nombreux endroits, mais propres. En bord de mer, l'océan a tout arasé. Il ne reste que des dalles de béton et des bouches de canalisations pour témoigner qu'auparavant, en ce lieu, vivaient des communautés entières.

Je suis admirative de l'efficacité avec laquelle ont été effectués ces travaux, mais j'ai du mal à imaginer que des gens puissent revenir un jour.

Je suis retournée, il y a peu, à l'école de Kadonowaki pour trouver les abords et l'intérieur dégagés de tout déchet. Sur le coteau, les stèles du cimetière sont redressées, les allées balayées. Un ruban jaune tendu en travers de l'entrée interdit l'accès. Seuls témoins de l'enfer qui s'y est déroulé, les murs noircis.

Le pays entier s'est tourné vers la région martyrisée pour la soutenir, des aides financières et des bénévoles du monde entier ont afflué. Hélas, l'usure a fini par s'installer. Après le sensationnalisme des premiers mois, la considération pour les victimes, les gens ont voulu reprendre le cours normal de leur vie. L'empathie n'a qu'un temps, il ne faut pas qu'elle coûte trop. D'abord on culpabilise, puis on se raisonne.

La France qui a vu des images plus terribles encore qu'au Japon où s'est appliquée une certaine autocensure, est passée à la croustillante affaire Strauss-Kahn. Exit les rescapés grelottants et boueux, les journalistes sont passés aux mains menottées d'un pacha, ressassant sa chute ad nauseam. Dans mon autre pays, mes images n'intéressent plus personne. Lors de la commémoration du premier anniversaire de la tragédie, les journaux de 20 heures, aux dires de mon fils, ont consacré moins de deux minutes au sujet, montrant quelques familles lâchant des bougies flottantes sur l'océan en hommage à leurs proches disparus.

Pourtant des dizaines de milliers de personnes vivent toujours dans des habitations temporaires, une pièce ou deux où rassembler la famille restante, stabiliser les orphelins, penser à l'avenir. Je vois tant d'abattement chez ces gens. De la colère, de l'amertume aussi. Ils se sentent oubliés. Les maires des villes et villages frappés dénoncent les procédures, l'incapacité des administrations à parer à l'urgence, à écarter des tracasseries de règlements pour activer les aides. Il faut pouvoir improviser. Or, l'improvisation, qui chamboule la hiérarchie, l'ordre établi, est haïe des Japonais. C'est l'esthétique même de l'organisation qui est alors compromise. C'est là que réside leur limite, anéantissant l'efficacité de la réponse à une crise majeure.

Hiro vient s'asseoir derrière moi, enveloppe de ses jambes les miennes croisées en tailleur, colle son torse contre moi et pose ses mains sur mon ventre. L'ordinateur tangue en équilibre précaire sur mes genoux. Sa peau est fraîche et sent bon, il sort de la douche. Je me raidis et lui demande :

— Ton père ne peut pas nous voir ?

— Non, rassure-toi, il est dans la salle de bains.

Il en profite donc pour m'embrasser la nuque et humer la masse de mes cheveux relevés en chignon.

— Tu avances bien dans ton récit ?

— J'approche de la fin.

— Veux-tu quelque chose à boire ? Ou à manger ?

— Non merci, c'est gentil, j'ai déjà bu du thé glacé.

— Encore du thé, à cette heure ? Mais ça va exciter le bébé. Le médecin a dit : pas trop de caféine ni de théine.

— Ne t'inquiète pas, ce n'est que du mugicha. Moi aussi j'ai envie de dormir la nuit. Le bébé ne fait pas de sauts périlleux dans mon ventre tu sais. Il n'est pas plus gros que ton poing pour le moment. Je sens seulement des petits papillons qui battent des ailes à l'intérieur de moi.

— Promets-moi de faire attention, dit-il en glissant sa main sous ma robe pour essayer de sentir les papillons.

— Je ne fais que ça, mon cœur. Je ne voyage plus, ne fais plus les courses, ni la cuisine, ni le potager, ni même prendre de photos d'ailleurs. Je ne fais que manger, dormir, à peine penser un petit peu, remuer mes doigts sur le clavier, te regarder m'aimer et m'engraisser, contempler mon ventre et mes seins s'arrondir. Quelle vie éprouvante ! Je sais que nous avons l'âge d'être grands-parents mais essayons comme jeunes mariés de ne pas devenir de vieux gâteux !

— J'en connais un qui à la perspective d'être à nouveau grand-père rajeunit à vue d'œil !

— Je le vois heureux en effet, ça fait plaisir. Pourrais-tu demander au jeune grand-père lorsqu'il ira faire les courses d'acheter des steaks de bœuf bien épais, s'il te plaît ? Je rêve de viande saignante depuis ce midi.

— Toi, la quasi-végétarienne ? Tu m'étonnes. Demande ce que tu veux mon amour, je franchirai les montagnes pour satisfaire tes féroces appétits.

— Euh, juste le portillon du potager pour y cueillir quelques légumes pas trop irradiés m'ira bien.

— Très drôle. Je prends mon sécateur et mon compteur Geiger, répond-il d'un air sarcastique.

Il dénoue ses jambes, embrasse mon ventre, tente une incursion plus bas que je repousse en riant, et saute de la véranda en direction du jardin. Je contemple sa longue silhouette s'éloigner sous le soleil qui décline au-dessus de la vallée. Cet homme m'est devenu aussi vital que mon souffle. Pour lui j'ai quitté la France, la proximité de mon fils et de mes parents, mon nid douillet de Saint-Germain. Mon travail, lui, n'a pas d'attache mais il est fortement compromis par un petit être pour le moins inattendu. Repos obligatoire vu mon âge canonique. Pourtant je ne me suis jamais sentie aussi bien, rajeunie par le bonheur.

Je revois encore la tête du médecin. Il a essayé de paraître flegmatique, l'air de celui qui en a vu bien d'autres. Il n'a pas osé demander si c'était intentionnel ou le fruit du hasard. J'espère qu'il a compris que c'était celui de l'amour arrivé tardivement dans nos vies, que l'on goûte avec d'autant plus de délice qu'il est impromptu.

Il fallait impérativement que je rentre en France ce printemps pour rencontrer des rédacteurs de revues, discuter contrats, établir des projets à réaliser depuis le Japon, régler quelques problèmes avec le syndic de l'immeuble où réside toujours mon fils. Hiro et moi avons eu envie de nous marier à Paris, en petit comité, juste Ken'ichi, mes parents, quelques amis. Hiro a dû passer plusieurs fois à l'ambassade, puis nous avons convolé à la mairie du VIᵉ. Les marronniers bourgeonnaient et le ciel était encore pâle, l'air frais. J'étais habillée d'une robe d'un rose très clair brodée de libellules rouges, qu'une amie styliste avait dessinée à ma demande en hommage à ma grand-mère. Hiro portait une veste sombre à col officier et un gardénia à la boutonnière, dont je trouvais le parfum envoûtant et délicieusement sucré. Il émanait de lui une séduction débonnaire, irrésistible. Nous avons déjeuné à deux pas de la cour de Rohan et du Procope, dans un cadre suintant l'histoire et le charme des vieilles pierres. Pour Hiro, Paris représentait le comble du bonheur artistique. De chez moi, nous remontions à pied les petites rues vers la Seine, bordées d'innombrables galeries d'antiquités, d'art et de céramique, ancienne ou contemporaine, dont une avec laquelle sa galerie de Tokyo avait un lien privilégié. Celle-ci envisageait d'y exposer ses dernières sculptures.

Nous avons conçu cet enfant sous les toits de Paris, dans l'insouciance de notre âge mûr, déjà parents de grands enfants, absorbés par notre nouvelle félicité. Il est trop tôt pour connaître son sexe, Hiro voudrait garder la surprise jusqu'à la naissance. Je ne décèle chez lui aucune préférence, même pas la pointe d'envie habituelle chez les pères pour un fils. Comme nous, ce sera un enfant de la neige ouvrant ses yeux sur les premiers flocons. Chaque jour est un émerveillement après la stupéfaction et l'incrédulité.

Jamais Hiro ne m'a demandé quand je m'installerais chez lui. Pourtant chaque fois au cours de mes pérégrinations il m'accueillait pour trois jours ou trois semaines avec la même sérénité, le même enthousiasme, prenant ce que je lui donnais. Je jetais l'ancre chez lui comme dans un port d'attache où l'on se repose, se ressource, nourri la chair et repart courir le vaste monde. Je rapportais comme sel des embruns des cargaisons de clichés et un appétit dévorant de lui. Puis j'ai eu envie de m'amarrer pour de bon.

J'ai choisi de rester au Japon pour Hiro malgré les radiations, les fuites répétées de la centrale qui crache ses particules de mort à une centaine de kilomètres au Sud. Le césium 137 est devenu l'ennemi public numéro 1. On le traque sans relâche comme un meurtrier qu'il est. Les limiers du nucléaire relèvent des taux en millions de becquerels autour de la centrale et ses traces crépitantes sur les compteurs jusqu'à 250 km de la centrale. Des quantités faramineuses d'eau irradiée s'accumulent sans que l'on sache comment en disposer. Tepco tente des manœuvres infructueuses, tâtonne dans un amateurisme complet, se cherche des excuses.

Je suis avec inquiétude le triste feuilleton hebdomadaire de l'un de mes confrères, expulsé de son domicile dans la zone d'exclusion qui s'est fait embaucher sur le site de la centrale. Malgré les menaces de séparation de sa compagne, il fouille la réalité et dénonce les fausses promesses comme échappatoire à sa colère. Aux côtés des milliers de pauvres héros silencieux, il lutte pied à pied pour refroidir les réacteurs, assurer le titanesque démantèlement. La formation qu'il a reçue est inadéquate, sa combinaison de protection de piètre qualité, son dosimètre changé trop fréquemment pour accumuler l'exposition réelle et ses examens médicaux déduits de sa paye. Il vit avec ses collègues entassés dans des baraquements comme des ouvriers esclaves du tiers-monde parce que Tepco tire sur tous les budgets, enchaîne une cascade de sous-traitants, mais refacture ses dépenses aux contribuables...

J'ai bien consulté les cartes officieuses des relevés de radioactivité pour chaque vallée alentour. Qu'aurais-je décidé si celle-ci avait été anormalement haute ? Aurais-je renoncé à lui, à notre amour, notre futur ? Je ne sais pas. Je ne crois pas.

Bien sûr on peut toujours tout quitter, s'arracher. Certains l'ont fait, la mort dans l'âme, parce que leur terre est trop empoisonnée. Les officiels ont beau jongler avec les chiffres, remonter outrageusement les seuils, des centaines de kilomètres carrés de terres sont condamnées pour des décennies. Les larmes des mères impuissantes, qui crient en silence leur désarroi me bouleversent. Ils s'acharnent à rester coûte que coûte, se condamnent eux-mêmes et leurs enfants, accrochés à leurs lopins ou leurs bêtes. Ils luttent avec des moyens chimériques. Certains sont persuadés que se laver consciencieusement les mains et se gargariser deux fois par jour à l'eau claire suffit à se protéger de l'irradiation. Cela résume la désinformation, l'abandon par les autorités.

J'ai rejoint avec Hiro cette partie du peuple japonais qui gronde contre le nucléaire. Petite moitié, grande moitié, difficile à dire. Pour la première fois de ma vie, je défile avec des pancartes, au milieu d'un cortège tranquille mais déterminé, composé de familles avec enfants, de jeunes, de personnes âgées. Derrière ses célèbres petites lunettes rondes, Ōe Kenzaburō[1] galvanise la foule, comme au temps des manifestations de l'ère post-Hiroshima.

Comme souvent lorsque le pays se trouve au cœur de l'attention internationale, la moitié silencieuse enjoint à la bruyante de se taire. Surtout ne pas déranger...

Je me demande en caressant mon ventre si je suis inconsciente et irresponsable de rester si proche du

---

1. Écrivain japonais, né en 1935, a reçu le prix Akutagawa, la plus haute distinction littéraire japonaise, à 23 ans et le prix Nobel de littérature en 1994. En 1965, il a publié les *Notes d'Hiroshima*, reportages et réflexions sur le sort des victimes silencieuses de la bombe.

chaudron fétide. Je ressemble aux millions de Japonais qui subissent les excès de la nature avec abnégation sans autre terre où s'exiler, à mes ancêtres anglais qui avaient choisi d'aimer ce pays malgré le chaos et les vicissitudes de la modernisation.

Je savoure chaque jour ce sursaut de vie en moi. Il éloigne le deuil, repousse les scènes sombres de l'année passée.

Comme j'ai tenté de transmettre à mon fils aîné ma japonité en France, j'essaierai de partager avec cet enfant ma francité au Japon, parsemée d'un peu du talent des hommes de la famille, de la fortitude des femmes dans leur ombre.

J'aperçois Hiro revenir du potager, auréolé du soleil couchant. Le panier chargé de légumes au bras, il brandit tel un trophée deux beaux nashis à la peau d'or pâle, les tout premiers de la saison, pour lesquels il connaît ma gourmandise. Ce soir je dégusterai leur chair fraîche, légèrement granuleuse et leur texture ferme et juteuse, au goût unique entre la pomme et la poire. Pour moi, ils ont le goût de l'été japonais. J'en prolongerai la saveur en la cherchant sur les lèvres de mon amour. Nous nous endormirons dans la moiteur de la nuit aux parfums de peau, de paille et de soie, aux sons stridulants des grillons, des coassements de grenouilles, des effleurements d'ailes des libellules rouges dans la mare qui cherche le reflet de ses sculptures, compagnes disparues. Sereins du lendemain, paisibles en l'autre.

Préfecture de Miyagi,
Été 2012.

Glossaire

La transcription du japonais en français ne suit pas de règles fixes. Chaque première apparition de terme japonais est indiquée en italique et se trouve dans le glossaire.

Les accents et accords du pluriel sont observés pour les mots passés dans le langage courant tels que geisha, kimono, sushi... Les autres termes moins usuels sont conservés tels quels. Le macron, trait horizontal placé au-dessus de certains o, i, u, indiquent une prononciation longue.

***

Akatombo : la libellule rouge.
Asari, aoyagi, hamaguri : variétés de coques et palourdes.
Bakufu : gouvernement shogounal.
Bentō : repas rapide pris hors de la maison présenté dans un coffret ou une boîte.

Bluff : colline au Sud de Yokohama, accueillant plusieurs consulats et de nombreuses résidences étrangères.

Chanoyu : cérémonie du thé.

Chawan : bol à thé.

Chirashi zushi : bol de riz vinaigré sur lequel sont posées diverses garnitures de poissons et fruits de mer.

Danna : protecteur de la geisha, généralement homme riche qui subvient à ses besoins très coûteux. Il rétribue la geisha pour ses services. Il est souvent, mais pas systématiquement, remercié par des faveurs sexuelles. Un contrat engageant les deux parties est signé lors d'une cérémonie. C'est par ce moyen que la geisha peut enfin gagner de l'argent et se libérer de ses dettes.

Dashi : bouillon à base de diverses algues et de bonite séchée. Un des ingrédients de base de la cuisine japonaise.

Dorayaki : petit sandwich fait de deux pancakes ronds fourrés de pâte de haricots rouges sucrée.

Edo : ancien nom de Tokyo jusqu'à la restauration impériale Meiji de 1868.

Furoshiki : baluchon fait d'un tissu plié.

Gankirō : la maison de thé la plus célèbre et la plus réputée au sein du Miyozaki, le quartier des plaisirs créé par le gouvernement, principalement pour le divertissement des étrangers de Yokohama, où vivaient environ deux cents femmes, prostituées, courtisanes et geisha.

Geisha : une geisha est une artiste et dame de compagnie. Elle divertit par sa pratique raffinée des arts traditionnels japonais pour une clientèle très aisée.

Les faveurs sexuelles à son client n'étaient jamais systématiques ou allant de soi.

Geta : socques de bois à lanières. Prononcer « guéta ».

Golden Week : semaine comportant plusieurs jours fériés début mai, très largement chômée à travers l'archipel.

Hāfu : de l'anglais « half », moitié. Terme désignant les personnes dont un parent est Japonais et l'autre étranger.

Haïku : bref poème visant à dire l'évanescence des choses.

Hako : la boîte.

Hanami : coutume traditionnelle d'apprécier la beauté des fleurs, principalement les fleurs de cerisier (sakura), donnant lieu à des pique-niques et fêtes sous les arbres.

Haori : veste portée par-dessus le kimono.

Hojicha : thé vert torréfié.

Ikebana : art japonais de la composition florale.

ILN : *Illustrated London News*.

Irori : type de foyer traditionnel, utilisé pour le chauffage et la cuisine, se composant d'un trou carré dans le sol empli de sable, surmonté d'un crochet pour suspendre les ustensiles de cuisine.

Itadakimasu : Formule de politesse dite en début de repas par le ou les convives en remerciement à celui ou celle qui l'a préparé.

Izakaya : lieu où l'on sert de la bière et du saké et où l'on déguste des plats d'accompagnement. C'est l'équivalent du bar à tapas, du pub ou du bistrot, en plus petit.

Jinrikisha : pousse-pousse ou voiturette légère à deux roues, à une ou deux places, tirée par un homme.

Jishin : séisme, tremblement de terre.

Kakigōri : dessert de glace pilée arrosée de sirop de couleur et de lait concentré.

Kaiseki : la cuisine kaiseki est une forme traditionnelle de gastronomie japonaise, composée de nombreux petits plats et en harmonie avec les saisons.

Kami : dans la religion shintoïste, divinités ou esprits d'éléments de la nature, d'animaux, de forces créatrices de l'univers, ou de personnes décédées.

Kantō : large plaine et région regroupant sept départements autour de Tokyo.

Katakana : signes correspondant à des syllabes. Ils sont utilisés dans le système d'écriture japonais pour transcrire les mots et noms propres étrangers, les noms scientifiques et les onomatopées.

Miso : pâte de soja fermenté.

Matsuri : festival.

Mézés : petits plats servis à l'occasion de fêtes, très variés, présentés pour être mangés avec les doigts ou du pain dans les pays méditerranéens comme la Grèce.

Mitarashi dango : boulette de pâte de riz gluant et d'eau, assaisonnée de sauce de soja, mélangée à du sucre et de l'amidon, très prisée des enfants.

Miyozaki : quartier des plaisirs de Yokohama, dans lequel se situe l'établissement Gankirō.

Mugicha : infusion d'orge grillée.

Musume : littéralement « fille », employé par les Occidentaux pour désigner les jeunes filles ainsi que les concubines et courtisanes.

Namazu : le poisson-chat géant souterrain sur

l'échine duquel repose l'archipel, selon la légende japonaise du XVIIᵉ siècle.

NTT : Nihon Telecom and Telegraph, opérateur historique.

Okiya : maison de thé.

Okonomiyaki : crêpe épaisse à base de chou râpé dans laquelle on incorpore différents ingrédients au choix, tels que crevettes, porc, poulet, et agrémentée de mayonnaise ou sauce brune.

Okiya : maison de thé.

Onsen : bain thermal japonais. Le terme désigne à la fois la source, les bains, et la station thermale.

Raku : type de cuisson céramique. Les pièces incandescentes sont enfumées en les plongeant dans un matériau inflammable, comme de la sciure de bois, provoquant un phénomène de réduction de l'oxygène produisant des effets métallisés, puis trempées dans l'eau, créant un réseau de craquelures dues au choc thermique.

Rōnin : samouraï sans maître, mais souvent fidèle à son fief d'origine.

Sashimi : tranches de poisson cru.

Shamisen : luth traditionnel japonais, carré, couvert de peau, à trois cordes, instrument de prédilection des geishas.

Shashin : photographie (littéralement reflet de la réalité).

Sentō : bain public.

Shintō : religion la plus ancienne du Japon et particulièrement liée à sa mythologie. Elle mélange les éléments polythéistes et animistes. Son concept majeur est le caractère sacré de la nature.

Shōgun : gouverneur ou premier ministre du pays, qui détenait le pouvoir, tandis que l'empereur avait un rôle religieux et représentatif. Les étrangers utilisaient plutôt le terme de Taïcoon pour le Shōgun, et Mikado pour l'empereur.

Taiyaki : petit pain chaud fait d'une pâte à gaufre, traditionnellement fourré à la pâte de haricot rouge, en forme de carpe.

Tatami : revêtement traditionnel du sol, en paille de riz tressée, de 91 cm x 182 cm, d'un rapport de 1 : 2. C'est aussi une unité de surface.

Tepco : Tokyo Electric Power Company.

Tōkaidō : route de l'Est, longeant le littoral et reliant Kyoto à Edo, avec 53 étapes immortalisées dans les estampes de Hiroshige.

Torī : portail traditionnel érigé à l'entrée d'un sanctuaire shintoïste, afin de séparer l'enceinte sacrée de l'environnement profane.

Wakame : algue utilisée sèche en feuille ou en pâte dans la cuisine japonaise.

Wasabi : condiment fabriqué à partir d'une racine de la famille du raifort et de la moutarde.

Yakunin : officier gouvernemental.

Yukata : kimono léger en coton utilisé le plus souvent en vêtement d'intérieur et surtout après le bain.

Yuki : la neige.

Notes

Tous les personnages de la partie historique de ce roman, hormis Yumi, Emiri et Sayuri, ont existé. Félix Camino et Charles Pearsall sont inspirés du photographe Felice Beato et de l'illustrateur Charles Wirgman. Leur amitié et leur collaboration sont réelles. Osawa Kane était le véritable nom de la compagne de Charles Wirgman. Ils ont eu un fils nommé Ichirō. J'ai préféré changer le nom de mes trois héros pour leur inventer librement une personnalité et une vie privée.

Les grands faits historiques de Yokohama et du Japon sont authentiques, tout comme les personnages croisés le long du récit, Satow, Willis, Mitford, Kimbei, Heco, Perregaux, Chiyo, etc. Certains ont laissé des témoignages détaillés de la vie quotidienne, diplomatique et politique de l'époque. Beato a été le principal artisan du développement de la photographie au Japon, laissant de nombreux clichés de temps et de lieux disparus, exposés dans les musées du monde entier. Dans ses nombreuses chroniques du *Japan Punch* Wirgman a croqué la communauté occidentale de Yokohama et donné naissance au genre nouveau et incroyablement populaire qu'est le manga.

***

Le séisme du 11 mars 2011, le tsunami qu'il a provoqué et l'accident nucléaire qui en a découlé ont eu des conséquences tragiques et laissent des séquelles toujours béantes, loin d'être achevées.

La triple catastrophe a causé 15 895 morts, 3 647 décès indirects liés, 2 539 disparus, 6 152 blessés. 122 000 bâtiments ont été détruits et presque 1 million de bâtiments endommagés. 470 000 personnes ont été évacuées, 160 000 personnes ont quitté leur foyer.

Les Japonais ont été très engagés à secourir, nettoyer, déblayer, et les autorités gouvernementales et municipales à rétablir les réseaux et les infrastructures routières et ferroviaires. La résistance des habitants frappés par le désastre, et l'entraide dont ils ont fait preuve ont été exemplaires. Mais de très nombreuses vies ont été brisées par le déplacement, la perte de proches, la disparition d'emplois et d'entreprises, l'impossibilité du retour. Les séquelles psychologiques et sociales sont très profondes. Les suicides de gens désespérés par l'éloignement prolongé de leur domicile, leur incapacité à trouver un travail ou l'accablement des dettes, sont nombreux. Les divorces se multiplient, principalement en raison de l'éloignement des enfants par des mères de famille craintives des retombées radioactives. De plus, il s'est créé autour des sinistrés un tabou social, une ostracisation réelle, comme après Hiroshima et Nagasaki.

Les communautés, notamment celles des pêcheurs, et les ostréiculteurs ont rebondi avec courage, faisant renaître l'espoir. Des centres associatifs ont été reconstruits pour permettre aux personnes âgées, souvent seules, de se rencontrer. De très nombreux logements ont été reconstruits ainsi que des bâtiments publics et industriels.

Sept ans après, les chiffres de janvier 2018 indiquent que 75 206 personnes étaient encore officiellement déplacées et 13 564 vivaient dans des logements temporaires préfabriqués. Malgré cela, en 2017 la préfecture de Fukushima a mis fin aux aides au logement de 27 000 personnes «auto-évacués», c'est-à-dire qu'elles avaient quitté des zones proches de la centrale, mais non désignées comme zone d'évacuation forcée. Ils ne sont donc plus comptabilisés. Ceux qui restent sans payer leur loyer sont désormais poursuivis en justice…

Depuis avril 2017, le gouvernement encourage le retour des habitants dans des zones encore très contaminées, présentant un niveau de radioactivité jusqu'à 50mSv/an. La dose «sans risque sanitaire» a été multipliée par 20 par rapport à celle de 2011, et à 20mSv/an c'est la dose maximum autorisée en France pour les travailleurs du nucléaire! L'incitation au retour des populations dans les territoires contaminés n'est basée que sur la dose ambiante, et jamais sur la pollution effective du sol ou les matières en suspension dans l'atmosphère. Si proche des Olympiades de 2020 à Tokyo, le Premier ministre Abe Shinzo veut tenir sa promesse que tout est «sous contrôle». Le taux de retour est inférieur à 20 %. Plus de la moitié sont des personnes âgées. Aucune mesure de protection contre l'irradiation n'est prévue après, avec par exemple des séjours réguliers en milieu sain, comme cela se pratique pour les enfants de Tchernobyl. Les radioéléments continuent de se répandre par le vent et la pluie depuis les forêts environnantes, impossibles à décontaminer.

La catastrophe nucléaire est toujours en court.

Dans divers procès, l'État et Tepco ont été reconnus coupables d'avoir eu connaissance des risques sismiques et de ne pas avoir fait le nécessaire pour empêcher l'accident.

Des émissions radioactives sont toujours enregistrées dans l'eau des nappes autour de la centrale de Fukushima, 170 000 fois supérieures à la limite admise, provoquant un apport continu dans le milieu marin. 16 millions de tonnes de déchets radioactifs s'accumulent à travers toute la préfecture. La pollution due aux rejets de mars 2011 s'est répandue sur des centaines de kilomètres. Du césium prisonnier de billes de verre microscopiques, de 2,6 µm, issues de la fusion de certains matériaux, ont été retrouvées jusqu'à 450 km de la centrale dans les cours d'eau. Très légères, elles ont voyagé par le vent et ont pu être inhalées lors de leur dissémination et se loger dans les poumons.

Avec plus de 900 Pétabecquerels [=9×10^{17} Bq] de matières radioactives libérées, environ 10 % du Japon a été contaminé. On retrouve des *hotspots* de boues sédimentaires radioactives dans la baie de Tokyo et plusieurs affluents. 676 tonnes de combustible usé subsistent dans les enceintes des réacteurs et les piscines de refroidissement de la centrale Fukushima Dai-ichi.

8 000 ouvriers travaillent sur le site pour la maintenance et le démantèlement, la gestion de l'immense stock d'eau contaminée. 47 000 travailleurs dont une grande majorité de sous-traitants ont été exposés aux rayons ionisants de 2011 à 2016. Cette année-là, Tepco a remis les compteurs à zéro…

Ne sachant que faire de l'eau irradiée qui s'accumule, il est prévu son évacuation en mer. L'eau et le littoral sont contaminés, les taux chez les animaux marins sont très élevés, et les risques sanitaires pour les baigneurs des plages alentour, notamment des enfants, sont non négligeables.

Avant 2011, l'incidence du cancer de la thyroïde des enfants au Japon était de 0,35 cas par an pour 100 000 enfants, soit 1 seul par an dans la préfecture de Fukushima comptant 360 000 enfants. Or fin 2017, 160 cas sont confirmés et 35 enfants sont en attente d'opérations. Malgré cette explosion de cas, l'Université de Médecine de Fukushima affirme que la catastrophe nucléaire n'a pas eu d'incidence sur l'augmentation des cancers, simplement imputable à une meilleure détection !

On estime à quarante années le démantèlement de la centrale. Tepco continue de couvrir ses défaillances. Par l'intermédiaire de recruteurs peu scrupuleux, des SDF et des déficients mentaux ont même été embauchés. Une partie des sous-traitants est contrôlée par des groupes de yakuza très structurés. De plus, les mafias japonaises ont spéculé sur les terres pour la reconstruction.

Le coût de la catastrophe s'élève à 175 milliards d'euros. Celle du nucléaire pourrait être de 500 milliards.

54 réacteurs nucléaires fournissaient 29 % de l'électricité du pays. Après le 11 mars, toutes les centrales ont été arrêtées et les normes ont été réexaminées. 8 réacteurs sont stoppés définitivement en raison du coût de redémarrage, ou parce que situé sur une faille sismique ou à cause de risques volcaniques. Ceux de Fukushima Dai-ni, à proximité de Dai-ichi, ont été noyés. 14 réacteurs ont reçu l'autorisation de remise en service, mais des scandales financiers et des travaux de renforcement en ont retardé la mise en route.

Il y a aujourd'hui, en 2018, 5 réacteurs opérationnels. 16 % seulement de l'énergie produite au Japon l'est en renouvelable. 93 % de sa consommation provient des énergies fossiles. La géothermie, avec un potentiel de 23 000 mégawatts, est la plus prometteuse.

Malgré l'ampleur de la catastrophe, l'objectif du gouvernement Abe est de revenir sur les engagements de l'ancien gouvernement vers le « Zéro nucléaire » pour le ramener à 20/22 %, ce qui nécessiterait la construction de nouvelles centrales. Les derniers sondages montrent pourtant qu'environ 80 % des habitants de l'archipel sont favorables à l'abandon total ou partiel de l'énergie nucléaire.

Pour suivre l'actualité de la centrale de Fukushima Dai Ichi, http://www.fukushima-blog.com

Remerciements

J'adresse mes très chaleureux remerciements à Camille Ogawa pour son expertise de traductrice, ses commentaires, son vécu de la catastrophe, et ses judicieuses corrections. À Francine Douaze toute ma gratitude. Sans elle je n'aurais pu retourner au Japon, marcher dans les traces de mes héros et partager mon amour pour ce pays. Merci à Catherine Lasfargues-Horn, critique avisée toujours en amitié, et son indéfectible soutien à ma réflexion littéraire, ainsi qu'à mes lecteurs de la première heure, Isabelle Couquiaud-Schbath, Laurent Schbath, Samantha Deversin, Anne-France Brill, Lucile et Henri de Cossé-Brissac, Anne-Cécile et Nicolas Abraham, Pascale Saccomani. Mes amies libraires Simone Roche et Amandine Ardouin m'ont offert leurs encouragements et leur indéfectible soutien à sa promotion.

Je remercie aussi pour leurs informations Masunari Mitsutoshi, interprète et guide de Yokohama, le Professeur John Clark de l'Université de Sydney pour son expertise sur Charles Wirgman, André et François

Simard ainsi que le Professeur Tsuboyama de Nihon Daigaku, pour m'avoir permis d'étudier au Japon.

Sans mes chers parents, Ghyslaine et Maurice Couquiaud, je n'aurai pas découvert cette passion pour les livres qu'ils m'ont transmise.

Enfin j'exprime ma plus sincère gratitude à Jean-Laurent Poitevin pour avoir cru en ce texte, et à Eliette Abécassis pour l'avoir choisi à travers le concours *Femme actuelle*. C'est une chance rare. Sans eux, nombre d'auteurs resteraient dans l'ombre...

La citation en première page de Milan Kundera est extraite de *L'Identité*, chez Gallimard, et celle d'Henri Gougaud de *Paramour*, au Seuil.

Dans le chapitre 17, «lutter contre la pesanteur pour se faire transparent à la grâce» est extraite du livre du père Guy Gilbert, *Jésus, un regard d'amour*, aux Éditions Philippe Rey.